D1319699

DU MÊME AUTEUR

(suite en fin d'ouvrage)

Philippe Claudel

de l'académie Goncourt

Crépuscule

roman

Stock

Illustration et maquette de couverture : Lucille Clerc

ISBN 978-2-234-09477-2

© Éditions Stock, 2023

Pour Dominique, mon essentielle,
qui d'une matière confuse
a fait naître ce livre

Si vous grattez les ors et les vernis, vous finirez toujours par découvrir les ténèbres.

Leo Perutz
La Naissance de l'Antéchrist, 1921

I

L'Adjoint, qui répondait au nom antique de Baraj, était tout encombré de sa personne et en particulier de sa grosse tête couverte d'une chevelure bouclée ras. Il se taisait et jetait avec ses yeux jaunes des regards inquiets vers son supérieur, le Policier, qui venait de s'agenouiller près du cadavre. Autour d'eux, la nuit d'hiver régnait, coupante de froid et peinte d'encre.

Baraj était un homme au milieu de l'existence, qu'il suivait comme un chemin incommode. À preuve son embarras constant, et cette façon d'avoir peur des mots au point souvent de mâcher du silence pendant des heures de ses dents noircies par le tabac qu'il chiquait le soir, face au feu mourant de sa cheminée, tout en caressant Mes Beaux, deux grands chiens qui occupaient son cœur et sa raison.

Il ne savait jamais quoi faire non plus de ses mains qu'il avait épaisses, larges, eczémateuses et gonflées. Par sa timidité pataude et sa masse, l'Adjoint évoquait un bœuf ou un cheval de trait. Ne lui manquait que le piquet auquel l'attacher pour le temps de sa vie, et le merlin pour la finir.

Pour autant, il n'était pas idiot ainsi qu'on aurait pu le croire de prime abord. Sa connaissance de la petite ville, de la contrée et des habitants était remarquable. Il pouvait réciter la généalogie de toutes les familles des hameaux environnants, et cela jusqu'à la Frontière. Il avait également la mémoire des visages et des voix, et celle de la géographie, du cadastre, du nom des minéraux, des essences d'arbres et des variétés de simples, de la sauvagine et de toutes les autres bêtes. Son dévouement au Policier était sans faille car il considérait la hiérarchie comme un ordonnancement indiscutable.

Le Policier s'appelait Nourio. Il était de taille médiocre, de visage olivâtre, et tout en os. Il portait un uniforme d'on ne savait quelle armée, que les ans et l'usure avaient fini par faire ressembler à un accoutrement de chasse.

Dans ce qui avait dû être une cartouchière, et qu'il portait en bandoulière, il fourrait papiers, carnets et crayons. Une petite corne de battue, en cuivre et cabossée, dépassait de la poche droite de son pantalon de drap vert.

Quand il avait fait son apparition, on s'était étonné de sa tenue, digne d'un cirque ambulant, et puis, au fil des jours, on n'y avait plus fait attention. On s'habitue à tout, et le monde tourne.

La peau bistrée de son visage donnait sans cesse l'impression qu'il souffrait d'un mal hépatique, et la fine moustache, d'un noir de suie, ourlant sa lèvre supérieure, accentuait le sentiment d'inquiétude et de tragique qui émanait de sa personne. Il était un peu plus jeune que son Adjoint, par bien des points plus intelligent aussi, mais dans l'univers des hommes, il n'est pas certain que cela soit une qualité.

Nourio, qui examinait le corps de la victime avec attention, sans se soucier de la nuit ni du gel, avait le grade de Capitaine. C'est en tout cas ce qui était marqué sur les papiers qu'il avait présentés à qui voulait les voir à son arrivée cinq années plus tôt. Dès qu'il avait ouvert la bouche, on s'était rendu compte qu'il venait d'ailleurs, car certains mots qu'il employait et la mélodie sur laquelle il les faisait courir n'étaient pas d'ici. Il connaissait assez bien notre langue, mais ce n'était pas la sienne à l'évidence.

Lorsque l'Administration impériale l'avait affecté chez nous, il avait été regardé et écouté comme une chose curieuse. Souvent on lui avait fait répéter ses propos pour être sûr de bien l'avoir entendu. Ce n'était jamais pour l'agacer ni pour s'en moquer : on le comprenait mal. Puis le temps forma les oreilles, accoutuma les yeux, et mit aussi dans sa bouche des intonations du pays. On le

13

respectait car il savait tenir sa place et sa fonction, même si on ne l'aimait pas, car on n'aime jamais tout à fait ce qui est différent de nous et vient d'ailleurs.

Avec son teint sombre, on aurait pu le croire d'ascendance turque, mais d'aucuns affirmaient qu'il était né à Trieste, d'autres à Salonique, et d'autres encore qu'il venait de la vallée de l'Inn, dans la province du Tyrol. Au vrai, on n'en savait rien. De la même façon qu'on ignorait s'il était musulman ou chrétien, car on ne l'avait jamais vu se rendre à l'église ou à la mosquée.

Baraj, l'Adjoint, était quant à lui du pays. Il suffit ici de faire s'écrouler un muret pour qu'il en sorte des Baraj par cohortes, et cela depuis la nuit des temps, à croire que toute la région se résume à eux seuls. Pour distinguer les rejetons de la même lignée, on leur affecte un nom de lieu, ou le prénom du père ou celui de la mère : *Baraj des Prés, Baraj à la Mare, Baraj de Ludi, Baraj à la Sevia, Baraj du Marais, Baraj du Bois Powo.*

Le nom des hommes forme le nom des lieux, et souvent les étrangers de passage parlent du *Pays Baraj,* ou bien encore du *Pays d'hiver,* car cette saison chez nous ne paraît jamais finir. Dans certaines sphères politiques de la capitale de l'Empire, il n'est pas rare aussi de désigner notre contrée comme la *Province perdue,* et l'expression dans son ambiguïté témoigne tout à la fois de notre position aux marches de l'Empire et du destin qui semble être celui de notre terre.

L'Adjoint était apparenté aux *Baraj de la Krajna*, mais en cousin au troisième degré seulement. Ceux-ci, mi-bêtes mi-hommes, l'avaient recueilli après la mort de ses parents et de ses trois frères et sœurs lors du Grand Hiver de 1872 et l'avaient élevé dans l'étable à coups de trique et de soupe de raves.

Réduit à une existence sommaire, sans égards et sans tendresse, il ne s'en était pas plaint. On ne le vit jamais pleurer. Les gifles du Maître d'école qui ne supportait ni son air stupide ni sa placidité lui parurent plus tard des caresses et la salle de classe, un palais.

Il fut un élève faible mais il apprit à lire et à écrire, à compter, à déchiffrer les cartes topographiques. Cela devint d'ailleurs sa passion. Il pouvait sans se lasser passer des heures à faire courir ses gros doigts sur les liserés beiges ou bleutés qui figuraient des collines et des rivières, les masses sombrement verdâtres des forêts, les pointillés gris des antiques chemins, les sinuosités de dentelle des courbes de niveau.

Baraj n'avait pas pris femme et vivait avec ses deux chiens roux aux yeux piquetés d'or, de forts bâtards à l'allure noble qui tenaient tout à la fois du braque et du rouge de Bavière, et qui étaient aussi silencieux que lui. Les deux chiens formaient une paire inséparable. Si bien que Baraj ne leur avait pas donné un nom à chacun, mais les appelait *Mes Beaux*.

Lorsqu'il s'adressait au Policier il disait *Maître*, plus rarement *Capitaine*, et c'était cocasse de voir ce grand ruminant dire *Maître* à la petite chose nerveuse et mal montée qu'était le Policier. Mais, malgré son physique de rongeur cabossé, Nourio exerçait une autorité puissante sur celui à qui il s'adressait, et souvent ceux qu'il questionnait ou saluait dans les rues baissaient la tête en signe de gêne et de soumission.

Nourio avait une femme et quatre enfants en très bas âge, des créatures roses, souillées et bavotantes, qui se suivaient espacés d'à peine plus d'une année. Sa femme avait un visage doux et blond, échappé de certaines peintures d'église ou de lointains musées, de gros seins piriformes, veinés de bleu et toujours tendus de lait, et des yeux d'un gris très clair, couleur de cendre et d'eau.

On ne connaissait pas son prénom. Elle semblait toujours éreintée et ne quittait guère sa maison. Au moment du crime, on savait juste qu'elle avait le ventre plein d'un cinquième enfant, et que la délivrance était proche. Quelques semaines sans doute. Pas davantage.

Le mort s'appelait Pernieg. Jan Igor Seïd Pernieg. Il était né soixante-six années plus tôt. Entre la maison de sa naissance et le lieu de sa mort, il y avait à peine quarante pas.

Quand commence cette histoire, son cadavre perdait toute chaleur et se raidissait peu à peu. Ses lèvres étaient devenues jaunes, ses yeux s'étaient troublés et la peau de ses mains avait pris l'aspect d'un cartonnage grossier.

Lui-même alors devait enfin savoir s'il avait eu raison de consacrer son existence à Dieu, ou s'il avait gâché ses jours pour des fariboles. Mais peut-être n'avait-il plus conscience de rien, pas même du fait que justement il n'était plus rien, plus rien qu'un corps maigre roulé dans une soutane rapée, étendu dans la neige, au milieu d'une ruelle d'une petite ville dont la plupart des hommes ignorait l'existence.

Tout en détaillant le cadavre, le Policier songeait à la mort et à l'hypothétique éternité qui la suit, lui pour qui la foi était chose étrangère, même s'il se serait gardé de dire son opinion à voix haute. Nourio avait toujours vu la vie comme un jeu stupide aux règles floues, qui changeaient sans cesse, et dont l'issue de la partie n'apportait sans doute aucun gain, mais pas de perte non plus d'ailleurs. Un divertissement à somme nulle, dont on peinerait à trouver une signification.

Le crâne de la victime portait une plaie importante sur sa partie occipitale, sous le cheveu qui était en cet endroit rare mais gras. La pierre qui avait brisé l'os gisait à côté du corps, de la grosseur d'un poing, coupante à l'une de ses extrémités, préhistorique pour tout dire, et couverte d'un

17

sang brun, cailloteux, ainsi que de débris d'une matière plus claire qui pouvait être des morceaux de cervelle car l'os sous le choc s'était rompu.

Deux enfants avaient découvert le corps du Curé dans la ruelle derrière l'église, non loin de la porte de service qui permet d'entrer dans la sacristie et aussi d'accéder, en empruntant un couloir intérieur, au presbytère.

Comme la nuit tombait, ils n'avaient vu le cadavre qu'au dernier moment, trébuchant presque sur lui. C'étaient une fillette et son frère, Lémia et Douri Pakmur. Ils étaient allés chercher un peu de lait de la dernière traite à la ferme Bazki tandis que leur père, un ivrogne notoire, cuvait son vin à l'Auberge ou dans un caniveau.

Le lait s'était renversé sur le sol, près du corps. La fine couche de neige l'avait bu aussitôt, blanc sur blanc. Et toute cette blancheur qui tombait du ciel – la neige suintant des ténèbres s'apprêtait à saupoudrer la scène lorsque le Policier et l'Adjoint, alertés par le petit garçon venu frapper à la porte du Poste, étaient arrivés sur les lieux – estompait l'aspect macabre du tableau, le rendant presque irréel, d'autant que le silence était total car tous, le Policier, l'Adjoint, les deux enfants et le ruisseau pris de gel, gardaient le silence.

Nourio avait ordonné aux enfants de rester, afin de recueillir leur témoignage par peur que leur mémoire ou les paroles des adultes ne le déforment. Ils étaient un peu à l'écart, au bord

18

de la nuit très sombre et pourtant scintillante de ce début d'hiver. On les aurait cru en équilibre sur une frontière merveilleuse. De leur bouche sortait une buée nuageuse. Le petit garçon, qui pouvait avoir sept ans, grelottait sous sa cape noire qui lui arrivait aux pieds. Il se serrait contre le corps de sa sœur, vêtue d'un manteau court en poil de chèvre, un peu trop large pour elle, et celle-ci, maternelle, entourait de son bras son épaule. Tous deux auraient pu s'être échappés d'un conte inquiétant où des animaux endossent le rôle des humains et parient sur leur vie au jeu d'osselets, tandis que des enfants les contemplent en traversant au plus vite de hautes forêts obscures.

Le Policier avait posé sa lampe-tempête contre le cadavre, non loin de la tête, et l'ombre portée du profil du Prêtre, dont les yeux étaient grands ouverts ainsi que la bouche, comme s'il avait voulu pousser un cri ou dire un dernier mot, dessinait sur le sol une surface tremblante aux bords échancrés, qui faisait songer à la carte d'un continent inconnu.

Durant les dernières décennies, il y avait eu peu de crimes dans la petite ville. Et trois seulement depuis que Nourio y exerçait ses fonctions. Dans les trois cas, le motif avait été limpide et l'Assassin aisé à identifier : ivres, deux frères paysans s'étaient querellés à l'auberge Bjerk pour un veau mort par manque de soins, chacun se rejetant la faute. La dispute avait suivi son train et l'un avait

19

fini par porter à l'autre dix coups de couteau sur le chemin qui les ramenait gorgés d'alcool et titubants chez eux. Puis, c'était une femme qui avait empoisonné son mari à l'aide de raticide car celui-ci la battait chaque jour. Et il y avait eu aussi un meurtre grimé en accident : un homme qu'on avait poussé sous les sabots d'un troupeau. Le motif en était un litige vieux de quatre générations à propos d'un bornage.

Nourio ne s'était pas donné grand-peine dans ces enquêtes. Il les avait aimées car elles l'avaient distrait d'un quotidien monotone, et tout compte fait il avait été déçu de les avoir résolues si vite. Il s'en était voulu car il aurait pu les faire traîner en longueur et savourer cette attente, prendre un franc plaisir à croiser chaque jour celui qu'il savait être l'Assassin, et ne rien laisser paraître, voire parler avec lui des récoltes ou des météores, et l'observer, se faire un peu chat griffu face à une souris ratatinée de peur.

Mais hélas, dans chacun des cas, impétueux tel qu'il pouvait l'être aussi dans l'acte de l'amour, il avait gambadé pareil à un poulain enivré de foin frais. Et devant les éléments et les preuves qu'il leur avait présentés, les coupables avaient avoué sans chercher à ruser. Après quelques jours passés dans l'unique cellule du Poste de police, sous la surveillance embarrassée et muette de l'Adjoint, Nourio les avait conduits à T. où, jugés et condamnés en quelques heures à peine, on les avait, trois jours plus tard, pendus comme des saucisses sur la place des Colonnes.

Après avoir assisté aux exécutions, le Policier avait ressenti une curieuse tristesse : il savait ces parenthèses achevées et leur piment disparu. Il avait regagné la petite ville en se disant qu'il allait retrouver sa morosité, l'uniformité des jours d'où le mystère était aussi absent qu'un éclat de glace en plein désert. Engourdi par l'allure monotone de son vieux canasson, il s'était surpris à chaque fois à espérer le prochain crime, tout en se remémorant l'expression de stupeur et la bouche ouverte de ces vivants qui, la corde leur serrant le cou, glissaient vers la mort en gigotant et se vidant de toutes leurs basses humeurs. Il s'était dit que mourir ainsi ne semblait pas procurer de souffrance, à peine un grand étonnement. Quelque part, il les avait un peu enviés.

Désormais il tenait un nouveau crime, et pas n'importe lequel. On avait assassiné le Curé ! Son quotidien allait en être bouleversé. Il en était certain.

D'ordinaire, chaque jour il arpentait les rues en tous sens, le plus souvent avec l'Adjoint sur ses talons, un mètre ou deux derrière lui. Ils n'empruntaient jamais le même itinéraire mais cela ne suffisait pas à élimer l'ennui même si trois journées présentaient d'agréables différences par rapport aux autres : le mercredi, jour du marché, le vendredi, au soir duquel avait lieu la grande prière à la mosquée, et le dimanche pour la messe solennelle dans l'église dont les murs de grès jaune avaient l'épaisseur du temps, tandis que la mosquée ressemblait à une maison de poupée, délicate, en bois de hêtre chantourné, couronnée d'un dôme de cuivre verni qui luisait sous le soleil de sa fraîche brillance.

Durant ces trois jours, et pour des motifs différents, la ville grossissait, ce qui donnait du travail au Policier et à l'Adjoint. Par la porte principale qui fendait les vieux remparts à demi éboulés sur lesquels, au printemps et en été, les chèvres broutaient des épineux et des herbes folles, entraient et sortaient des marchands, des colporteurs, des paysans et des fidèles parmi lesquels parfois se glissaient un ou deux voleurs, quelques charlatans qui se prétendaient guérisseurs, avocats, prophètes ou devins, et peut-être aussi – on avait mis en garde le Policier sur cela quand on lui avait confié ce poste mais il n'en avait jusqu'alors jamais pris un seul sur le fait – des espions dissimulés sous un aspect banal et pouilleux, et qui passaient la Frontière pour venir observer de plus près la vie dans la petite ville.

Nourio s'était toujours demandé quels secrets des espions auraient pu surprendre ici, où rien ne se passait d'important, où les hommes et les femmes jouaient leur rôle d'hommes et de femmes, exerçaient leur métier, dormaient la nuit, enfantaient, s'enivraient parfois, riaient et pleuraient, mouraient seuls comme en des milliers d'autres endroits de la Terre.

Baraj quant à lui ne démordait pas de cette histoire d'espions agitée par l'Administration impériale. Un jour où Nourio avait dû se rendre à T. pour y recevoir des ordres, il avait maintenu dans la cellule durant quatre jours et quatre nuits un vieil homme scrofuleux et borgne, le visage déformé par un bec-de-lièvre mal rabouté, qui s'était révélé être un moine errant de l'ordre des Théobaldiens et qui parcourait le pays en psalmodiant des prières, collectant le plus possible de noms de personnes sur un long rouleau de papier crasseux afin de sauver leurs âmes. L'Adjoint l'avait confisqué et brandi telle une preuve triomphante devant le Policier revenu.

Le rouleau et le moine n'avaient pas d'âge. Tous deux dégageaient une odeur aigre de corps peu lavé, car le vieillard gardait le document quasiment indéchiffrable enroulé à même sa peau. Ce détail l'avait d'ailleurs rendu encore plus suspect aux yeux de l'Adjoint.

Nourio avait libéré le moine qui avait tenu, malgré l'incident, à inscrire sur son parchemin le nom des deux hommes afin de leur garantir le Paradis. Baraj en avait été encore plus confus. On avait rendu au saint errant son long bâton, sa besace, et le vieillard s'était éloigné en murmurant sa litanie. Il marchait pieds nus et la corne était si

23

épaisse sous ses pieds qu'elle lui avait fait une semelle brunâtre et crevassée aux talons.

Pendant tout le jour qui avait suivi, Baraj n'avait pas osé dire un seul mot à son supérieur tant sa honte était grande. Il avait briqué entièrement le Poste, lavant les carreaux de pierre noire du sol, frottant les rares meubles et les murs de plâtre ciré, nettoyant les verres des fenêtres, remplissant les réserves d'huile des lampes, allant jusqu'à récurer à la brosse la cellule, y jeter de la paille fraîche, pour se faire pardonner sa bévue, tandis que le Policier, remarquablement concentré, rédigeait un rapport. Un rapport sur l'incident, s'était dit l'Adjoint anxieux. Un rapport qui lui vaudrait sans nul doute un blâme de sa hiérarchie, voire une mutation dans un des villages-citadelles du centre du pays, à des milliers de lieues du lieu de sa naissance, au cœur du Désert, là où l'on dit que le soleil est si fort qu'il suffit de poser un œuf sur un muret pour le faire cuire.

Mais quand le Policier s'était absenté pour assister à l'enterrement d'un défunt, l'Adjoint osa regarder le document sur lequel son supérieur avait travaillé une heure durant : ce n'était que la mise à jour des tâches qui les attendaient dans les mois à venir.

II

Il était minuit passé lorsque Nourio ouvrit les draps et se glissa sans bruit dans son lit. Il s'approcha lentement de la chaleur du corps de sa femme qui dormait sur le côté et lui offrait son dos paisible. Il entendait sa respiration ainsi que celles, mêlées et plus rapides, de leurs deux derniers enfants qui partageaient leur chambre. Ils reposaient dans des petits lits de bois, taillés à même le fût d'un gros bouleau.

Le Policier avait les mains et les pieds glacés. Lui et l'Adjoint étaient restés près de quatre heures sur le lieu du crime, s'attardant longuement après qu'ils avaient transporté le corps du Prêtre à la cure où sa servante l'avait accueilli en tombant à genoux, gémissant et levant les mains au Ciel, espérant sans doute que le Ciel pouvait encore faire rentrer le cerveau du Curé dans son crâne, repriser l'os brisé, et relancer le cœur éteint.

Les deux hommes avaient déposé le cadavre de Pernieg sur une table dans la grande pièce simplement meublée d'un prie-Dieu, d'un crucifix guilloché, d'une image encadrée représentant une pietà, et de deux chaises hautes dont le satin jadis parme de l'assise et du dossier avait perdu tout reflet. Puis ne sachant trop quoi dire, ils s'étaient retirés et avaient retrouvé la nuit et le froid.

Revenus à l'endroit du crime, ils avaient cherché des indices, sans résultat probant. La neige tombait dense et dru désormais. Ils avaient dessiné sur un cahier cartonné, qui ne quittait jamais la gibecière de Nourio, la position du corps. On en distinguait encore parfaitement la forme car les flocons à cette place fondaient comme si la vie enfuie du Prêtre avait imprégné la terre d'une tiédeur durable.

L'Adjoint et le Policier avaient chacun fait un dessin sur le cahier, sans regarder celui de l'autre, afin que de leur comparaison la vérité puisse tirer profit. Ils avaient pris soin d'y faire figurer rigoureusement le cadavre, en mesurant et reportant les distances qui le séparaient de la ruelle, du ruisseau, des murs des bâtis environnants.

Leurs croquis achevés, les deux hommes s'étaient retirés dans le Poste. Baraj avait bourré la cheminée de fagots de genévrier et de deux bûches de chêne qu'il fendait dans ses moments de désœuvrement. Ceux-ci étaient si nombreux que le bûcher occupait tout le bas du Poste, et en faisait le tour, ne laissant pour ouvertures que celle de l'entrée sur le devant, et sur le derrière celle de la grande porte de l'écurie où leurs rosses rhumatisantes achevaient leur existence en mâchonnant du foin. Le bois ainsi accumulé donnait au bâtiment déjà courtaud une allure de fortin imprenable. Ne manquaient plus, pour compléter l'illusion, que des canons pointant leur bouche vers le dehors au travers des étroites fenêtres d'où on pouvait voir d'un côté le gros dos des toits soudés de la petite ville, et de l'autre l'immensité du vide de l'horizon.

Dans l'âtre, le feu avait rapidement jeté vers les visages sa lèpre jaune mais ni lui ni le thé brûlant du samovar n'avaient suffi à les réchauffer et à chasser de leur corps le frisson de la mort. Sans doute avaient-ils passé trop de temps à ses côtés durant la longue soirée. Ils avaient échangé quelques mots, creux et brefs, puis plus rien. Ils avaient lapé leur tasse et Nourio avait donné le signal du départ. L'Adjoint n'avait pas demandé son reste. Mes Beaux lui manquaient, ainsi que sa chique et sa maison.

Le Policier ne parvenait pas à trouver le sommeil. Dans le lit, chaud de la présence de son épouse, il ruminait le crime mais se sentait aussi plein d'aiguillons. On était au milieu de la nuit. Mais c'était surtout le début d'une aventure vers laquelle il tâtonnait les yeux bandés.

27

Toute énigme possède le mordant du poivre, et Nourio était friand d'épices. Excité par le crime, il sentit de nouveau le sang circuler dans son corps et le brûler en mille endroits, il respira la chevelure dénouée de sa femme, goûtant sa blondeur. C'était une troublante odeur de vie, de sommeil et de sueur.

Le Policier n'était pas d'une nature sensible mais parfois, dans ce pays où l'hiver paraissait sans limites, lui manquaient les paysages du lieu de sa naissance et de son enfance, verts, roses, jaunes ou blancs selon les saisons qui là-bas existaient, et avec elles, les parfums, innombrables, car chez lui tout sentait, alors que dans ce grand pays du froid, le souffle stérile du vent continental, minéral et nu, recouvrait le plus souvent toutes les senteurs et les noyait dans son vide glacé.

Il avait glissé sa main droite sur le ventre rond. L'enfant emprisonné dans la chair pour quelques semaines encore ne bougeait pas. La peau tendue était chaude. Le renflement du ventre plein rejoignait celui, double, des seins que la grossesse avait alourdis et dont les tétons ressemblaient aux baies mauves d'un arbuste inconnu.

Le Policier sentit entre ses cuisses son membre se durcir. Il le pressa contre le creux des reins de sa femme, l'y appuyant, chair contre chair, car tous deux dormaient nus sous le monceau de couvertures. Il eut envie de venir en elle.

Trop souvent pareil désir le prenait durant le jour, à toute saison, et cela polluait sa pensée au point qu'il peinait à se concentrer sur son travail. Il quittait alors le Poste de police pour se précipiter chez lui et sa femme en l'apercevant lisait sa folie dans ses yeux. Elle soupirait. Il la prenait là où elle était, sans plus de façon et sans rien lui demander. Porc efflanqué, il venait en elle, soufflant, grognant, tandis qu'elle se laissait faire, muette, soumise et sans joie, continuant à éplucher debout les légumes pour la soupe si telle était sa tâche au moment où il avait surgi. Après qu'il avait joui, il remontait honteux son pantalon et quittait au plus vite la maison sans prononcer une seule parole. Elle rabattait ses jupes, s'essuyait le front, saisissait une pomme de terre entamée et achevait de la peler.

Quelques mois plus tard, un nouveau-né était l'issue bavante et fripée de cette fièvre qui durait si peu. Le Policier, désolé, regardait le corps rose posé dans le berceau. Une bouche à nourrir pendant plus de quinze ans était un prix très cher à payer pour un si court instant de plaisir. Il s'en voulait toujours mais ne parvenait pas à se réfréner. Quelquefois, il aurait voulu se trancher les testicules, ainsi que l'on fait aux jeunes taurillons.

Le visage du Curé mort revint brutalement sous ses paupières. Le Policier s'étonna d'avoir des pensées de luxure après une telle nuit. Un homme avait été tué, qui plus est avec sauvagerie – une sauvagerie primitive car sans doute les premiers hommes tuaient-ils ainsi leurs semblables, à coups de pierre, pour un morceau de viande, un silex, une femelle, ou une place plus proche de l'unique feu qui était alors un miracle – et lui ne songeait qu'à prendre sa femme et à en jouir.

Un enfant poussa soudain des cris. Le Policier ne sut distinguer lequel des deux faisait un cauchemar. Le plus jeune ou l'autre. La fille ou le garçon. Et puis plus rien. Le sommeil de nouveau, et le silence de la chambre, si plein d'une onctuosité rassurante car il s'opposait à la rumeur du dehors, sifflante, ample, amère, à laquelle le Policier, durant sa soif de chair, n'avait pas prêté attention.

Maintenant qu'il écoutait, il reconnut, dans le bruissement rêche qui grattait les volets rabattus et les murs de la maison, le mufle de la tempête qui déboulait de l'intérieur des terres. Elle avait forci dans les montagnes où elle s'était gonflée de froid, de vent et de neige. Prenant de la vitesse sur la longue plaine rase, elle venait désormais buter et tournoyer dans le cul-de-sac du plateau dominé par les faibles crêtes sous lesquelles la ville s'était construite il y a longtemps. On aurait cru un fauve piégé, tournant en rond dans le treillis de fer au point de se mordre la queue.

Demain tout serait profondément blanc, songea le Policier. Ce serait le début véritable du très long hiver, qui est ici une mort recommencée chaque jour. Cette pensée le ramena aux flocons fondant sur le visage étonné du Curé assassiné.

Car on avait tué le Curé.

Oui, on avait tué le Curé, se répétait-il, sans trop y croire encore et trop heureux de ce meurtre qui allait, espérait-il, tant l'occuper.

Il remua dans le lit. Il n'avait eu de cesse de formuler la phrase dans son cerveau quand il était près du cadavre.

On avait tué le Curé.

Et Nourio n'avait pas voulu montrer à son Adjoint combien ce crime n'était pas un crime ordinaire, combien celui-ci n'avait rien à voir avec les autres crimes auxquels tous deux avaient été confrontés par le passé. Le Policier ne voulait rien laisser paraître à son subordonné car il considérait qu'il n'est jamais bon que ceux qui occupent des rangs inférieurs s'aperçoivent que ceux qui les dirigent peuvent être troublés et vulnérables.

Le Policier connaissait Pernieg pour le croiser souvent. Dans une ville de petite taille, le Curé était une figure familière, tout comme l'Imam, le Notaire, le Maire, le Conservateur des Archives, le Receveur, les Maîtres d'école, le Médecin ou le Rapporteur de l'Administration. Sa mort par assassinat serait immanquablement un événement, qui aurait des conséquences pour la ville, pour la population, pour le district peut-être, pour sa carrière. Conséquences positives s'il savait faire preuve de discernement, mais irrémédiablement néfastes si par malheur il ne parvenait pas à résoudre l'énigme ni à ramener la paix dans la communauté.

Pour l'heure, seuls les deux enfants, la servante, l'Adjoint et lui-même savaient. Et l'Assassin aussi bien sûr. Tous les autres habitants dormaient à poings fermés tandis qu'au-dehors le vent et la neige rabotaient les murs. Celui qui avait choisi la pierre et défoncé avec elle le crâne du Curé était-il à cette heure tremblant de remords, ou avait-il sombré depuis longtemps dans le pesant sommeil de l'ivrogne assommé de vin noir ?

Sa femme se retourna vers lui, dans un complet abandon. Le gros ventre, fort de deux cœurs, bascula contre son flanc et ses cuisses bâillèrent un peu. Sous l'accumulation de couvertures, le mouvement fit naître un souffle chaud qui lécha le ventre du Policier et caressa son membre éteint avant de remonter jusqu'à ses narines.

Aussitôt le désir agaça de nouveau son sang. Il posa une main sur la cuisse gauche de sa femme, parcourut le grain de sa peau qu'il savait au plein jour être d'un blanc de pain de pure farine, arriva jusqu'à sa toison profonde.

Il oublia ses doigts dans la douce blessure, sans que cela éveille l'endormie, puis les retira pour les amener à ses narines et à sa bouche. Nourio goûta en la léchant l'odeur de source salée de sa femme, et soudain la semence laiteuse jaillit de son membre en quatre jets douloureux. Son corps se tordit. Il resta ensuite un long moment, inerte, puis il chuta dans le sommeil, misérable caillou lâché dans un grand puits.

III

Il n'était pas encore sept heures et l'Adjoint avait déjà pelleté les abords du Poste. Nourio tout étonné en fit le tour. Mais à quelle heure l'animal s'était-il donc levé ? Avait-il même dormi cette nuit ?

La muraille de neige formait une croûte de la taille d'un enfant, fendue sur toute sa longueur d'une tranchée parfaite dont les flancs et les arêtes paraissaient avoir été découpés à la scie. Tout cela, neige et pesanteur, déposé en une seule nuit.

Le pays était devenu autre. Étouffé. Les toits n'étaient plus que des meringues baroques, phosphorescentes dans l'obscurité. Vers le levant, aucune lueur encore ne pointait. Rien que du noir sur lequel, lucioles chahutées par la bise, les flocons s'agitaient.

Le ciel promettait de la neige pour les heures à venir. À boisseaux pleins sans doute. À ne pas voir, pour le cavalier qui aurait à voyager, les naseaux de sa propre monture. Et cela durerait des jours et des mois. Le Policier soupira. Il tapa ses bottes contre le mur près de la porte, puis entra.

Baraj, qui faisait on ne sait quoi, se leva d'un bond et se mit au garde-à-vous. C'était un vice chez lui, ces postures militaires, ridicules et mécaniques, et Nourio n'y prêtait plus attention. Son geste avait été si rapide que les flammes des lampes vacillèrent et faillirent s'éteindre. Les deux hommes se saluèrent.

L'Adjoint se précipita vers le samovar et servit à son supérieur une tasse de thé qui avait un goût de cuir. Il attendit ensuite, toujours debout, que celui-ci prononçât les premières paroles.

Mais de paroles il n'y en eut pas car très vite, à la façon d'un gêneur qu'on ne parvient pas à congédier, le cadavre du Curé vint entre les deux hommes, avec son crâne aux trois quarts chauve et fracassé. Il prit tranquillement la chaise libre. Il tapota sa vieille soutane avec son chapelet, en souriant finement ainsi qu'il le faisait toujours, au point qu'on pouvait penser, lorsqu'on le croisait, que ce n'était pas un sourire mais une sorte de grimace d'apparence aimable, la conséquence d'un nerf tordu sous la peau. Ses deux mains délavées par la mort reposaient à plat sur ses genoux. Ainsi, il semblait au-delà de tous les tumultes. Il avait le temps. Le temps de s'installer, ver rongeur dans l'esprit des vivants, celui du Policier, celui de son Adjoint, et de les forer en profondeur. Il n'allait pas s'en priver. Comment lui en vouloir ? Les morts doivent tant s'ennuyer.

Avec ce fantôme tout frais qui faisait à sa façon le malin en leur tirant les poils de barbe, le Policier et son Adjoint attendirent, en lapant du thé noir, que le jour se décide à paraître, sans se parler, tandis que dans l'âtre explosaient par moments des braises folles.

Le Curé mort pesait lourd. Le monde est plein de gros sacs de pierres, et la vie à mesure qu'elle passe prend une allure de charroi grinçant encombré de trop de corps et d'âmes perdues.

Pareil à la poussière de charbon qui s'éclaircit dans un crachat frotté entre deux paumes, le jour lava enfin de gris le grand aplat noir du ciel. Nourio songea au miracle de la lumière, puis à l'or, puis à la nouveauté, au printemps, aux eaux vives, aux fleurs des champs et enfin aux jeunes filles, belles, roses, fragiles comme des fils de lin à peine tissés, les jeunes filles qui ne savent rien de la mort, qui ont des ventres aux couleurs de framboises et des tétons de groseilles. Les jeunes filles qu'il lui plaisait souvent de contempler, caché dans les roseaux, tandis qu'elles lavaient les draps dans la rivière, en chantant de vieilles romances, et que le courant plaquait contre leurs cuisses leurs robes trempées.

Le Policier chassa les corps des jeunes filles de ses pensées, cligna des yeux. Baraj tisonna rageusement l'âtre pour faire taire le bois bavard. La lumière coulant de l'est par la fenêtre étroite s'étendit sur le mur et Nourio, en la regardant, se rappela une vache qu'il avait vue dans une étable deux jours plus tôt, et qui léchait la peau trempée de salissures de son veau venant de s'échapper d'elle, et qui ne savait que faire encore, tout plein de glaires et de stupeur, ne pouvant se redresser sur ses pattes de guimauve bleue. À quel âge cessons-nous donc d'être un petit veau naïf et mal assuré ? s'était demandé Nourio.

Enfin ce fut l'aube.

Le Policier fit signe à l'Adjoint de s'asseoir. Tous deux prirent place de part et d'autre du large bureau qui ressemblait aux tables à gibier dont on lui avait dit qu'elles s'étalaient, impudentes, dans l'entrée du pavillon de chasse du Margrave Ozlë – au vrai, un véritable château, immense et tout en bois – dans les hautes forêts des monts Korija.

Nourio ne le connaissait que par les récits, et aussi pour l'avoir aperçu de loin, apparition sombre et fantastique au travers d'une trouée de résineux, car il n'y avait jamais été convié, et en concevait une amertume tenace tant pour lui était important le fait d'être reconnu et considéré par les êtres qui lui étaient supérieurs, en grade ou de par leur naissance.

Les deux hommes comparèrent leurs dessins sur le cahier : peu de différences en somme, sinon concernant l'angle du coude droit du cadavre, plus ouvert d'une dizaine de degrés sur le dessin de l'Adjoint, mais cela ne changeait rien. On avait le mort, son identité, sa dernière posture, le lieu, le moment, la plaie et ce qui l'avait causée, les premiers témoins, un frère et une sœur purs comme une eau de fontaine. Et quoi ? Rien d'autre. De la bouillie de seigle bien épaisse.

Mais un mort qui n'était pas tout de même un simple mort. Un Curé. Le Curé. Qui donc pouvait à coups de grosse pierre fracasser la tête d'un Prêtre ? Pernieg n'avait pas d'ennemis connus. Le Policier tâcha de ne pas laisser sur son visage apparaître le sourire qui illuminait son âme. Une joie nouvelle, fraîche, le fouettait. C'était en tout point fabuleux pour lui d'avoir une pareille affaire, dans ce trou du cul du monde, dans ce lieu abandonné de toute fantaisie, de tout grain de sable, roulé dans l'ordinaire des jours, alors que l'hiver allait recouvrir bêtes, hommes et maisons, et les frapper d'ankylose.

Nourio s'approcha de la fenêtre, appuya son front contre le carreau et ce fut très beau de le voir soudain ainsi, avec son visage maigre et byzantin tout plissé de soucis mêlés de joie, empli de questions trop grosses pour lui, contre une vitre sur laquelle le gel posait des étoiles et des cristaux. Cette mise en scène fugace, et tout à fait involontaire, le mettait à nu mieux que si un boucher l'avait écorché. Il apparaissait tel qu'il était vraiment, un homme qui avait posé sa peau tiède contre la matière froide : l'incarnation de la

39

faiblesse agitée de pensées, qui se heurte à l'inertie vide, somptueusement indifférente aux déchirures des êtres et au sort du monde. Il se pensait supérieur et n'était rien d'autre qu'un misérable insecte.

Vanité.

« Qu'est-ce que tu as ressenti hier soir, près du cadavre ?

Nourio tutoyait Baraj, qui le vouvoyait. Il avait parlé sans changer de position. Un silence suivit la question.

« Tu dors, Baraj ? Je t'ai demandé ce que tu as ressenti près du cadavre.

Nourio se tourna vers l'Adjoint, qui ne put faire autrement que de le regarder. Le grand gaillard se força à réfléchir, souffla fort, tordit sa bouche, gratta ses mains déjà à vif, farfouilla sa mousse de cheveux avec son crayon pour y faire lever des idées.

« C'est-à-dire, Maître, je ne sais pas trop. C'est toujours étrange un cadavre. C'est humain et ça ne l'est plus. On se voit mort soudain. Et quand c'est un assassiné, c'est pire encore. En plus, là, c'était le Curé Pernieg, je me suis dit…

L'Adjoint s'arrêta. Il tournait autour d'un gouffre, sans trop vouloir y lancer un caillou.

« Tu t'es dit quoi ?

« Je me suis dit, vous allez vous moquer…

« Vas-y bon sang !

« Je me suis dit qu'on arrivait… à la fin.

« Sois plus clair.

40

« Tuer un Prêtre, c'est comme si c'était Satan qui avait pris la main. Voilà. Le Diable. Je me suis dit qu'on était arrivé à la fin.

« La fin des temps ?

Baraj fit un effort de pensée qui lui tordit la face.

« Oui… Un peu… » finit-il par dire.

Cette fois ce fut Nourio qui garda le silence. Il se tourna de nouveau vers la fenêtre, et l'Adjoint respira une longue bouffée d'air, puis se pencha sur sa feuille mais à ce moment le Policier marmonna quelque chose que Baraj perçut mal : il crut comprendre « Tu perds la raison », ou « Tu as raison », ou peut-être « Quelle en serait la raison ? »

Mais dans les trois cas, quoi qu'il en soit, les mots de son supérieur restèrent quasiment insaisissables.

Le jour à peine éclos, le soleil se noya dans une ample plâtrée fuligineuse et on ne le revit plus de la journée. Les nuages bas s'installèrent sans gêne et après avoir hésité quelques heures vidèrent d'un coup leurs entrailles gonflées sur la petite ville.

Ce ne fut pas comme la veille au soir une neige soyeuse qui chuta, mais des flocons gras et sales, de vraies rinçures. Le Policier les regarda un instant tomber et, contrairement à son Adjoint, il se dit que tout peut-être ne faisait que débuter, que la mort du Curé annonçait le début d'un formidable changement, d'une sorte de noire et confuse

41

apothéose. La fin des temps, après tout, n'est-elle pas que le début de temps nouveaux, qui rebattent les cartes du grand jeu des hommes, des royaumes et des conditions ? Où des empires qu'on pense taillés dans le marbre pour mille ans s'effondrent alors aussi vite que des châteaux de cartes, où des monarques se retrouvent cul nu et sans un sequin, où des hommes modestes et inconnus, à son image en somme, voient soudain se dessiner devant eux des chemins pavés d'honneurs et de considération ?

Cette pensée l'excita considérablement.

Il fut pris d'un frisson et eut soudain envie de bouger. Il attrapa son manteau, le jeta sur ses épaules et sortit sans dire un mot de plus. Baraj, qui était accoutumé aux brusques changements d'humeur de son supérieur, ne s'en étonna pas. Libéré du poids de sa présence, il se leva, saisit le balai, et chassa énergiquement du sol quelques poussières imaginaires tout en sifflotant une mélodie hongroise, outrageusement cadencée, qui datait du temps de sa conscription.

revenue et avait indiqué du menton la porte ouverte qui donnait sur la grande pièce plongée dans la pénombre. Nourio et le Médecin étaient entrés lentement, prenant d'instinct un air de gravité qui aurait pu passer pour du recueillement.

Les volets de la pièce étaient clos et l'unique éclairage provenait de deux candélabres portant chacun six bougies. Le corps du Curé était toujours couché sur la table ainsi que l'avaient disposé le Policier et son Adjoint, mais on lui avait joint les mains. Elles étaient désormais liées l'une à l'autre par un chapelet d'ivoire qui courait autour des poignets. Le visage avait été lavé. Il reposait sur un coussin de lin blanc. La servante avait brossé la soutane, nettoyé et ciré les chaussures, et disposé sur le poitrail une croix d'argent. Un bénitier et un goupillon étaient à la disposition des visiteurs. Le Médecin sans hésiter s'empara du goupillon et bénit le corps, puis il le passa au Capitaine qui ne put faire autrement que l'imiter. La servante s'était installée sur le prie-Dieu. Elle dévidait les yeux mi-clos des *Notre Père* et des *Je vous salue Marie*, mais Nourio se rendit compte qu'elle ne perdait rien de leurs gestes.

Krashmir redevint Médecin et examina le crâne de Pernieg. Il le souleva un peu mais la raideur du cadavre était telle qu'en saisissant la tête il fit bouger tout le corps. On eut alors l'impression que le Curé se réveillait et donnait dans le vide de légers coups de pied. La servante devant cette vision se

44

signa quatre fois et le Policier, qui pourtant en avait vu d'autres, éprouva un malaise.

Le Médecin resta un moment à inspecter la plaie faite par la pierre puis il déposa de nouveau la tête du Curé sur le coussin mortuaire. Il fit signe à Nourio qu'il avait terminé et qu'ils pouvaient prendre congé. Les deux hommes sortirent en saluant la servante, après avoir béni une nouvelle fois le corps. Ils attendirent d'avoir passé le seuil pour se parler. Ce fut Krashmir qui se lança.

« Je ne comprends toujours pas pourquoi vous ne m'avez pas envoyé chercher dès hier soir.

« Qu'auriez-vous fait de plus ? Il était bel et bien mort. J'ai fréquenté assez de cadavres pour être capable de tirer des conclusions essentielles. Et un homme de plus aurait embrouillé davantage les traces sur le lieu du crime. Est-ce bien le coup porté avec la pierre qui l'a tué ?

« La pierre toute seule, ou la pierre puis le froid. De toute façon, cela ne change pas grand-chose. La pierre a enfoncé la boîte crânienne et s'il n'est pas mort sur le coup, il est tombé à terre, inconscient. Avec le gel, le décès n'a pas été long à survenir. Je dirais moins de dix minutes. Le corps était-il déjà froid quand vous êtes arrivé ?

« Il me semble.

« *Il vous semble ?* Vous ne l'avez pas touché ?

« Je l'ai observé longuement.

« Vous avez de drôles de méthodes, Capitaine.

« Ce sont les miennes et jusqu'à aujourd'hui elles se sont révélées efficaces.

« Je disais cela sans vouloir vous offenser.

« Vous ne m'avez pas offensé.

On sentait bien pourtant que le Policier avait mal pris les remarques du Médecin. Celui-ci chercha comment l'amadouer. Tous deux marchaient désormais dans la rue principale. Les habitants enrubannés de multiples couches de vêtements, la tête couverte de bonnets, de toques, de turbans, de chapeaux à rabats, de casquettes fourrées, dégageaient les trottoirs à grands coups de pelle. Cela produisait une musique de raclements et de crissures qui amenait subitement dans la bouche de celui qui l'entendait une bile acide. Sur la chaussée, de rares voitures tirées par des chevaux zigzaguaient car les sabots des bêtes, malgré les fers cloutés, dérapaient sur les plaques de glace que la neige un peu tassée dissimulait.

« Et si nous allions boire quelque chose de chaud ? proposa Krashmir. Je vous invite. »

Ils venaient d'arriver devant l'Auberge de Vilok. Nourio haussa les épaules, ce que le Médecin prit pour un acquiescement. Il en parut soulagé. Les deux hommes nettoyèrent leurs bottes sur le décrottoir, secouèrent leurs manteaux et poussèrent la porte au-dessus de laquelle l'enseigne de fer-blanc, figurant un loup dansant dans les bras d'un chasseur, s'ornait de dizaines de stalactites d'inégales longueurs.

Ce n'est que lorsque Vilok, un homme avec un nez prodigieux de la couleur et de la forme d'un gros radis noir, posa devant eux les deux bols de bouillon de viande dans lequel dominaient des notes de cumin et d'ail, et qu'ils en eurent avalé quelques gorgées, que le Médecin parla de nouveau.

« Moi non plus je ne suis pas du pays, vous le savez sans doute, mais j'y ai fait mon trou, et je n'y suis pas plus malheureux qu'ailleurs. Seule ma femme regrette la ville, mais là-bas je n'aurais eu aucune chance. Je n'étais pas très fort dans mes études, et n'aurais pas été un bon Médecin pour les gens délicats qui cultivent des pathologies compliquées. »

Krashmir marqua une pause. Sans doute pensait-il que le Policier allait dire quelque chose mais celui-ci n'en fit rien et se contenta de souffler sur son bouillon.

« Ici tout est rugueux et primaire, les maladies, les hommes. Rien n'excède jamais mes compétences. Nous sommes loin. Loin de tout. Des honneurs et des reproches. Je guéris ici alors que j'aurais sans doute tué là-bas. Tout est donc bien ainsi dans l'ordre du monde. Les habitants de notre région sont de drôles de compères. J'ai appris à les connaître depuis tout ce temps, mais je me demande comment cette affaire va leur remonter dans le cœur. Ce sont des êtres d'habitudes, d'ordinaire et de coutumes. Ils ne sont pas très

47

doués pour l'exceptionnel. Je ne le suis pas davantage. Cela va faire du bruit, à n'en pas douter. Et Dieu sait ce qui pourra sortir de ce bruit ? »

Nourio aspira bruyamment une cuillère de son bouillon dans lequel il avait découpé sa tranche de pain à l'aide du couteau qui ne quittait jamais sa poche, un couteau qui lui venait de son père, au manche en corne de bélier, et à la lame si fine à force d'avoir été aiguisée qu'on aurait dit le dernier quartier de la lune. La mie s'était gonflée. Les yeux gras du bouillon l'observaient. C'était assez déplaisant, cette vision monstrueuse, tous ces regards sans un seul visage, et qui stagnaient dans un bol de terre cuite. Une sorte de tribunal de graisse. Cela lui coupa brusquement l'appétit. Il reposa sa cuillère et repoussa le bol.

Le Médecin lapait le sien à la manière d'un chat, et d'ailleurs tout chez lui rappelait le chat, de ses moustaches maigres qui se divisaient de part et d'autre du visage pointu en ramifications hérissées, aux yeux en amande, vert et or, et à ses ongles aussi, que Nourio remarqua pour la première fois, et qui étaient étonnamment longs et acérés.

« Voulez-vous que je procède à une autopsie du corps ?

Le Policier prit un petit cigare dans son gilet – des *krumme* suisses, son seul luxe, qu'il faisait venir de Berne par boîtes de cinquante et qui ressemblaient à des lombrics tortueux. Il observa quelques secondes le Médecin avant de répondre.

« Ouvrir un homme comme un lapin m'a toujours paru un geste vulgaire, et en l'occurrence je ne vois pas ce que vous en apprendriez, hormis peut-être ce que la victime a mangé avant de trépasser, et là, je pourrais presque vous donner la réponse tant nous mangeons tous ici la même chose, mouton, oignon, navets, pain bis. Quelle importance, donc ? Les causes de la mort sont certaines, n'est-ce pas ?

« À l'hésitation près que j'ai formulée tout à l'heure, oui, reprit Krashmir qui parut un instant déçu de ne pouvoir fouiller les entrailles d'un Curé, mais il reprit assez vite, sur un ton passionné : Entre la pierre et le froid, je ne peux pas dire qui a gagné la partie, mais je pense que votre seule préoccupation est que je vous confirme que la mort n'est ni naturelle ni même accidentelle : la main qui a tenu cette pierre est une main qui voulait tuer le Curé, la main d'un être qui n'a rien fait ensuite pour le secourir quand il s'est écroulé sur le sol, peut-être simplement blessé. Je pourrais ajouter, même si ce n'est pas dans mes compétences, qu'il n'a pu y avoir à mon sens de méprise sur la victime. Père Pernieg avec son vêtement est assez reconnaissable, même au crépuscule. C'est donc bien lui et personne d'autre qu'on voulait tuer. »

Nourio ne répondit pas. Il parut faire tourner dans sa tête tout ce que venait de dire le Médecin. On approchait de la mi-journée et l'Auberge était vide. Vilok passait du badigeon blanc sur le bas du mur qui menait à la cuisine. On y apercevait de temps à autre son épouse, une grosse femme devenue chauve à la suite d'une maladie de peau, si bien qu'on aurait pu croire que Vilok vivait avec un homme, râpant des choux, et quelques volailles mortes qui attendaient d'être dépecées sur un billot de bois.

Les murs de la salle étaient ornés de trophées et de massacres de cerfs, de sangliers, de chevreuils, de lynx et de loups, serrés les uns contre les autres, et l'impression était si forte parfois, pour qui n'était pas familier du lieu, qu'on pouvait avoir le sentiment d'être cerné par l'assemblée des bêtes tuées, venues tout exprès demander des comptes aux hommes qui en avaient été les meurtriers.

Le regard de Nourio s'était perdu dans la ramure d'un douze cors. Il suivait les lignes granuleuses des bois, glissait sur le merrain, les andouillers et les empaumures, se perdait vers les pointes pâles des cornes, aussi délicates qu'une dentition de jeune enfant, tout en mordillant le bout de son cigare qu'il n'avait pas encore allumé.

« Vous ne dites rien ?

Le Médecin regardait le Policier. Il s'apprêtait à avaler une nouvelle cuillère de bouillon mais il

avait suspendu son geste. Il attendait. Nourio
quitta le cerf et revint vers lui.

« En plus d'être Médecin, vous auriez pu être
policier. Vous avez si parfaitement résumé la
situation. Je n'aurais pas fait mieux.

« Faut-il que je voie de l'ironie dans vos propos ?

« Pas le moins du monde. Je n'ai jamais aimé
l'ironie. Elle donne aux idiots l'illusion de l'intelligence.

« Un Médecin qui joue au policier, un policier
qui fait le philosophe, nous voilà servis.

Nourio fixa Krashmir qui sembla soudain
craindre d'être allé trop loin, mais sur le visage
du Policier apparut un sourire et le Médecin se
détendit.

« Cette région produit un tel engourdissement
qu'il faut bien nous inventer d'autres passions,
pour éviter de nous abîmer dans l'aigreur et la
mélancolie. Puis-je vous poser une question per-
sonnelle ?

Le Médecin fronça les sourcils et fit un signe
prudent de la tête qui pouvait passer pour un
assentiment.

« Croyez-vous en Dieu ?

Le Médecin ne répondit pas tout de suite.
Il toussota, contempla son bol de bouillon et fit
glisser un doigt sur le bord de la terre cuite. Les
yeux toujours baissés, il sourit, et reprit un ton
plus bas.

« Cela pourrait presque devenir une question dangereuse de nos jours. Ne pensez-vous pas ?

Nourio haussa les épaules. Le Médecin poursuivit :

« Je suis musulman. Vous le savez puisque rien ici ne vous échappe. Mon Dieu n'est donc pas celui du Curé, ni le vôtre.

« Que savez-vous du mien ?

« Je sais que je ne vous ai jamais aperçu à la mosquée. J'en déduis donc que vous fréquentez l'église.

« Il n'y aurait ainsi pas d'autre choix ? »

Le Médecin regarda le Policier, incrédule, et celui-ci ne fut pas mécontent de son petit effet de surprise.

« Non, rassurez-vous, je ne suis pas juif. Vous savez bien qu'il n'en reste plus guère dans cette région de l'Empire. Ce que je voulais simplement vous dire, c'est qu'on peut n'être d'aucune religion ni ne croire en aucun Dieu.

« N'est-ce pas alors la plus compromettante des attitudes ?

La dernière remarque du Médecin parut amuser le Policier.

« Je formule cela à la façon d'une hypothèse, qui n'a rien de personnel. Et je vous parle sous le sceau du secret qui vous lie, de par votre profession. Vous êtes sans cesse Médecin, et je suis sans cesse policier. Nous avons choisi des vêtements que nous ne pouvons jamais enlever, même dans notre lit, n'est-ce pas ? Et nous en subissons les conséquences. Le Curé qui a été tué hier soir était un être de serment, comme nous le sommes vous et moi. C'était en cela un peu notre frère. Permettez-moi une autre question : pourquoi avez-vous béni le corps du Curé puisque vous êtes musulman ?

« Notre communauté ici, à l'inverse de celle qui vit de l'autre côté de la Frontière, est fort minoritaire, je ne vous apprends rien. Si nous avons traversé les siècles sans dommage, c'est aussi parce que nous avons cultivé une forme de discrétion prudente alliée à un art de l'effacement. Je n'ai pas l'impression de trahir le Prophète en usant pour rendre hommage à un mort des signes que sa religion prescrit. Mais vous ? Pourquoi l'avez-vous fait ?

« Sans doute pour les mêmes raisons que les vôtres, ou par jeu.

Les deux hommes semblèrent avoir épuisé leur discussion et en conçurent une sorte de gêne. Les paumes de leurs mains et leurs ongles devinrent leur unique centre d'intérêt. Le Policier finit par se lever. Il remercia le Médecin pour le bouillon, salua Vilok d'un geste du menton et se dirigea vers la porte. Le Médecin laissa quelques pièces sur la table et le rejoignit. Ils retrouvèrent le dehors et le froid, la neige qui faisait se confondre dans une continue blancheur la terre et le ciel. Le Médecin enfila ses gants.

« Vous savez où me trouver si vous avez besoin de moi. Je vous souhaite bon courage. »

Il releva le col de fourrure de son ample manteau, ajusta la toque d'astrakan et s'éloigna à pas prudents sur le trottoir verglacé. On aurait cru un patineur débutant. Ses derniers mots résonnèrent de façon désagréable dans l'esprit de Nourio, et en particulier ce *bon courage*, tout à la fois vague et incandescent.

Pourquoi donc aurait-il eu besoin de courage ? C'est l'Assassin qui bientôt allait devoir en faire provision, pas lui. Le Policier n'avait encore jamais vu un condamné monter guilleret les marches de la potence. Chaque homme devient un tas de mollesse, de morve et d'excréments quand on lui assigne le temps de sa mort et la façon de la lui administrer. Cette règle ne souffre pas d'exception.

Nourio ne doutait pas qu'il réussirait tôt ou tard à démasquer le coupable. Tout résidait en fait dans ce *tôt ou tard*. Et l'enquête qu'il commençait consistait pour lui à faire durer le plaisir le plus possible mais à ne pas le noyer, à s'éloigner du *tôt*, sans dépasser le *tard*. Il fallait jouer avec un élastique, le tendre le plus possible, mais s'arrêter avant qu'il se rompe. Car en ce cas, même si la jouissance avait été sublime, c'en serait fini de lui. On l'enverrait au Diable ou dans les mines de sel, ce qui sans doute revenait au même.

V

Avant que la nuit ne vienne, c'est-à-dire en cette saison vers les quatre heures de l'après-midi, toute la petite ville avait appris le meurtre du Curé.

Le Policier ne s'embarrassa pas de savoir qui avait parlé, de Baraj, des deux enfants Pakmur ou de leur père, du Médecin ou de la servante de Pernieg, ou peut-être encore de Vilok qui avait toujours, l'air de rien, une oreille qui traînait vers les conversations tenues dans son auberge. Peu importait. La nature humaine est ainsi faite qu'elle ne peut s'empêcher de donner écho au moindre frisson, et quand il s'agit non pas d'un frisson mais d'un tressaillement, l'écho devient tonnerre.

On aurait eu peine à justifier cela par des preuves rationnelles, mais déjà l'atmosphère avait changé. Les enfants marchaient plus vite sur les trottoirs et davantage de mères allèrent les chercher à la sortie de l'école, alors que d'ordinaire on les laissait rentrer seuls. On claquemura les maisons plus tôt. On vérifia les serrures. On ferma pour une fois avec les loquets de bois les portes des granges. Les hommes prirent en avançant un air méfiant, gardèrent une main dans la poche et, sitôt chez eux, enfermèrent leur famille à double tour, avec des mines farouches de bêtes traquées. Certains graissèrent leur fusil de chasse ou leur carabine. D'autres se couchèrent en ayant pris soin de laisser près du lit, tout à côté du seau, un casse-tête, un tisonnier ou un couteau de cuisine.

Egor, le Maire, qui était un magnifique imbécile de l'espèce des dindons, n'avait pu faire autrement que réunir le Conseil restreint. Le Policier n'en faisait pas partie mais, au vu des circonstances, il y avait été convié, ainsi que l'Adjoint dont la fatigue alourdissait les paupières et les teintait d'une suie mauve.

Étaient également présents le Notaire, Dimitria Fonhres, le Conservateur des archives, Lev Kako, le Rapporteur de l'Administration impériale, Ludwig Neubaum, ainsi que le plus âgé des Maîtres d'école, Oresz Mlaver.

On n'avait pas pris place dans la grande salle de la Mairie, qui était imposante avec ses hauts plafonds qu'on aurait dits encalminés, mais dans le bureau du Maire, une pièce aux bizarres proportions qui ressemblait un peu à une cabine de bateau, aux murs recouverts de bois de mélèze huilé.

Le Maire était assis dans son fauteuil, bien conscient que le haut siège aux montants torsadés qui dépassaient de sa tête en imposait plus que lui. Chacun avait pris place où il pouvait, sur le grand canapé de velours jaune dont la bourre s'échappait çà et là de quelques plaies entrouvertes, ou sur de simples tabourets qui étaient si près du sol que les genoux de celui qui y était assis lui arrivaient au menton.

Tout cela sentait la fumée et le rance, autant de corps soucieux en un si petit espace, qui marinaient avec leurs pensées et avaient sué dans leurs linges qu'on ne changeait ni ne lavait guère dans le pays où l'eau durant l'hiver était comptée, la ville n'étant alimentée que par un puits-citerne tout chargé de sel et deux sources avaricieuses qui s'écoulaient du socle rocheux sur lequel elle était amarrée depuis plus de mille ans.

Egor, à force de se racler la gorge pour y faire naître le premier mot, fut pris d'une quinte de toux. Sa peau rouge naturellement vira au cramoisi, au sanguin chancreux d'une crête d'une volaille, son goitre gélatineux trembla et il cracha dans son mouchoir un vieux fond de poumon, l'inspecta et fourra le linge dans la poche de sa culotte de peau. Les autres attendaient en silence. Il parvint enfin à articuler sa phrase, mais c'était juste une balle qu'il envoya au Policier.

« Capitaine, faites-nous s'il vous plaît un résumé de la situation. »

Nourio ne fut pas surpris. Il connaissait le Maire. C'était sans conteste le plus timoré de tous les hommes de la ville, et un des plus idiots, mais qui avait assez de fortune pour détenir le droit de voter et d'être élu. Et c'était en raison précisément de son intelligence médiocre qu'il avait été choisi par les autres, trop prudents pour élire à la tête de leur communauté un homme téméraire qui aurait eu des idées de changement et le désir de les mettre en œuvre, et trop orgueilleux pour choisir un esprit plus brillant que le leur. L'immobilité est gage de paix et la bêtise, bien souvent son alliée. Les sociétés, petites ou grandes, savent donner les rênes de leur administration aux crétins somptueux. Tout cela est vieux comme le monde et ne connaît pas de frontières.

Mais le Maire n'était pas non plus suffisamment idiot pour ne pas savoir à quoi il devait sa fonction. Il ne s'en chagrinait d'ailleurs pas, tant il avait trouvé un équilibre satisfaisant pour sa vanité, entre le contentement et la blessure. Et puis, quand on possédait une fortune établie sur le fermage de cinq domaines et l'exploitation de deux carrières, fortune que trois générations, même si elles s'adonnaient sans compter à la débauche, ne parviendraient pas à ruiner, il n'y avait pas de quoi se plaindre de la vie. Un homme intelligent et famélique en jouit moins qu'un être stupide et fortuné. Tout est à prendre ici-bas, car au-delà, on ne sait pas.

Le Policier aimait les mots et ceux-ci, comme un chien bien traité veut plaire à son Maître, le lui rendaient. L'Adjoint, qui pourtant n'avait rien d'un être sentimental, ne pouvait s'empêcher d'admirer son supérieur quand celui-ci parlait en public. Il n'était jamais allé au théâtre et ne connaissait de ce spectacle que le nom, mais il se disait souvent que ça devait ressembler à cela : un acteur, à l'image du Capitaine, parlant devant un public distingué avec des mots si précis qu'ils paraissent aussi tranchants que la lame aiguisée d'une hache, et le public se taisant, appréciant l'habileté de l'exécution. Lorsque le Policier avait achevé son propos, Baraj réfrénait souvent un désir d'applaudissement. Il se contentait de se redresser, de bomber la poitrine car il avait le sentiment qu'un peu de la gloire de celui qui était dans la lumière retombait sur lui en une poussière dorée.

Nourio parla moins de dix minutes. Il dit tout de ce qu'il savait, de ce que lui et Baraj avaient constaté sur le lieu du crime. Il dit aussi sa visite au mort avec le Médecin, et les conclusions de celui-ci. Il ne s'aventura pas à produire des hypothèses car rien ne permettait sérieusement d'en construire une seule. Il précisa que la neige tombée dès leur arrivée près du corps du Curé, et toute celle entassée dans la nuit n'avaient en rien facilité l'enquête puisque aucune trace de pas de l'éventuel Meurtrier n'avait pu être relevée.

Il poursuivit en résumant ce que tous ici savaient : que Pernieg occupait son ministère depuis près de quarante ans, qu'on ne lui connaissait pas d'ennemis, qu'il était un vieil homme respecté, austère, peu liant, sans ami particulier ni confident, et que sa vie avait la limpidité d'un verre d'eau.

Pour conclure, il avança que l'élucidation de ce crime s'avérerait sans aucun doute complexe, prendrait du temps, à moins que le Meurtrier soudain se livre et avoue son crime, ce qui lui semblait, crut-il devoir ajouter, fort peu probable. Il laissa passer quelques secondes afin que tous les hommes présents digèrent ses propos et, d'une façon solennelle et lente qui ravit l'Adjoint, le Policier sortit de la poche de son manteau la pierre qui avait cassé le crâne du Curé, et la posa avec précaution, comme si elle était capable d'exploser, sur le bureau du Maire.

On sentit frémir ce petit monde et, à l'exception de Baraj qui n'osa pas – de toutes les façons, il la connaissait cette pierre, il l'avait même examinée grain par grain –, les hommes se levèrent d'un seul mouvement et vinrent au bureau se pencher sur elle, tandis que le Policier faisait un pas de côté, sortait un *krumme* de son gilet, le portait à ses lèvres, ne l'allumait pas, et s'asseyait sur le canapé en souriant, en souriant d'un sourire que personne ne remarqua.

Le Maire, une fois qu'il eut maîtrisé sa surprise dans laquelle une certaine crainte irrationnelle entrait en partage, se saisit de la pierre avec précaution. Il l'amena très près de ses yeux de myope, sembla presque la humer, la tourna, la retourna, la soupesa, esquissa le geste de la saisir fermement et entama un mouvement brusque, peut-être celui de la lancer, ce qui fit faire un bond au Notaire, une créature mal finie au corps d'orvet et au visage de sauterelle, corseté dans un habit noir.

Le Maire reposa la pierre là où le Policier l'avait placée. Devenue commune, chacun s'en empara. Elle fut soudain le centre du monde, caillou au cœur du grand caillou, autour duquel tout gravita.

On touchait la mort à vrai dire. On l'avait dans la main. C'était une étrange impression, cette pesanteur peinte de sang caillé. Un fusil au final aurait procuré moins de passion et de verbiage. Tuer est sa fonction. C'est une arme, on le sait, et qui ne servait dans la région qu'à abattre des bêtes, très rarement des hommes. Une pierre, il en repose des milliers sur le bord des routes et des chemins, auxquelles jamais on ne prête attention, qui attendent leur heure pour être scellées dans un muret, la façade d'une maison, la margelle d'un puits ou le rebord d'une tombe. Mais quand l'une d'entre elles rencontre l'imagination d'un Assassin, quand il la choisit parmi toutes celles qui gisent à côté d'elle, quand il la distingue, la soupèse, la jauge et décide que ce sera elle et nulle autre, la pierre n'a plus rien d'ordinaire. Elle s'emplit du poids de la faute. Elle endosse un habit de vice et de laideur. Elle s'apprête à s'ensanglanter, à changer de nature. Elle se creuse du dernier cri qu'elle va engendrer. Complice, elle devient ce pour quoi elle a été choisie. On ne verra plus en elle une chose insignifiante, dure et coupante. Pour toujours, elle sera unique et maudite. Elle perdra sa nature innocente, son absolue pureté pour n'être plus nommée désormais que du terme ignominieux d'*arme du crime*.

« Un beau granite rouge, il n'y en a pas en cinquante endroits. La seule veine existante part de la crête Khalij et coule jusqu'au flanc ouest du plateau de Maser. Elle finit dans une sorte de dégueulure d'éboulis, au milieu des pâturages. Mon père y trouvait souvent de jolis blocs, de quoi faire des tombes originales. Mais aujourd'hui, il ne reste que les miettes. Voici des années que je n'y ai pas mis les pieds. »

La voix du Maire était repue d'assurance, et son corps boursouflé de toute part faisait craquer au moindre de ses mouvements les coutures des vêtements trop riches, qui lui allaient comme des jabots à un baudet, et qu'il faisait faire à T.

S'il débitait souvent des coudées de bêtises, sur le sujet des cailloux il fallait le croire, car c'était sa partie. Il ne savait pas grand-chose mais nommer la nature des roches et savoir où les trouver dans la région, ce livre-là, il le connaissait mieux que quiconque. Son père le lui avait enseigné dans les carrières, qui lui-même le tenait de son propre père.

Le Policier vit l'endroit, à moins d'une heure de marche de la petite ville. Un bout du monde encombré de silence, avec très peu d'arbres hormis quelques pins cembro tordus sur eux-mêmes, écrasés par le vent, la soif, les mois de neige et ceux d'atroce chaleur.

Il n'allait guère par là-bas. On y laissait parfois des troupeaux sans surveillance ou presque, puisque la configuration du lieu formait un cirque naturel dont les barrières étaient la ligne de crête et les éboulis des anciennes moraines. Une mare cernée d'ajoncs et de lyses offrait aux bêtes une eau stagnante quoique potable. L'herbe ne poussait jamais bien haut, soit que les bêtes la tondent, soit que le vent du nord, soufflant incessamment sur le plateau, lui fasse passer toute envie de s'élever un peu.

Les bergers qui y venaient ne restaient guère. C'était la plupart du temps les plus pauvres des pauvres, ceux qui ne pouvaient louer un pré gras et pour qui même l'usage des pâtures communales s'avérait trop coûteux. Ils s'installaient sur le plateau, pour une saison pensaient-ils, et dormaient dans un abri en pierres sèches, non pas un abri à vrai dire mais trois murs hauts d'un mètre, leur permettant la nuit venue de se protéger du vent qui lui jamais ne s'endormait, et de se réchauffer autour d'un feu dont le foyer noir, à même le sol, dessinait la corolle d'une fleur de charbon. Mais au bout de quelques jours, au mieux de deux ou trois semaines, devant les cris plaintifs de leurs bêtes affamées, ils quittaient l'endroit et poussaient leurs troupeaux un peu plus loin vers la Frontière, en un territoire plus dangereux mais plus herbu aussi.

Le Maître d'école tira le Policier de ses pensées.

« Les autorités sont-elles prévenues de la situation ?

Nourio se tourna vers le vieil homme qui continuait malgré son âge – il avait dépassé les soixante-dix ans – à faire la leçon aux enfants. Il avait parlé avec un filet de crainte dans la voix. Il faisait partie de cette majorité d'habitants qui considéraient que moins la petite ville avait de rapports avec sa préfecture de rattachement, mieux elle s'en portait.

Beaucoup ici appréciaient cet *écart* avec le monde réel. Le plateau et les terres qui l'entouraient constituaient un repli paradoxal, à ciel ouvert, dans lequel avait prospéré depuis des siècles, et cela malgré la présence souvent menaçante de la Frontière, le sentiment d'un confortable abandon. Ce qui sans doute il y a longtemps avait été vécu avec dépit s'était aujourd'hui mué en bienfait, voire en vertu. Tout tremblement ou soubresaut de la civilisation était ici savouré, grâce à la distance géographique et à l'espacement du temps, avec un amortissement qui permettait à

64

plus d'un, sans que jamais cela soit évidemment pensé en ces termes, de se croire épargné. La petite ville, imitant les nourrissons qui se pensent invisibles dès lors qu'ils cachent leur regard derrière leurs mains potelées, se croyait à l'abri des fracas parce qu'elle se situait à deux journées de cheval de T., sur une terre impropre à toute vie facile, à toute éruption de richesse, et qui en cela n'engendrait aucun désir immédiat de conquête. Elle savourait cette illusion qui avait aussi le pouvoir des narcotiques.

S'il en était un qui se désolait de tout cela, c'était bien Nourio. Et il voyait dans le meurtre du Curé la possibilité de se raccrocher à ce cours du temps frénétique et violent, impétueux comme les torrents qui naissaient durant la brève saison chaude, dont il était constamment privé. Ce qu'il craignait tout de même, c'était que son autorité de tutelle, devant l'étrangeté de l'affaire, ne décide de lui retirer la direction de l'enquête et n'envoie un fonctionnaire de T. qui viendrait le traiter de haut et lui gâcher son plaisir.

Il répondit posément au vieil Instituteur.

« Demain matin, Baraj partira avec le rapport que vous voudrez bien lui confier. Jamais un homme n'aurait pu rejoindre T. avec cette tempête de neige. J'attendais qu'elle se calme, et je voulais vos avis. Je resterai ici pour poursuivre l'enquête. »

L'Adjoint, qui avait cru pouvoir profiter de l'intérêt provoqué par l'apparition de l'arme du crime, s'était assoupi sur son tabouret. Il se réveilla brutalement à l'énoncé de son nom, et manqua de tomber. Il acquiesça aux propos de son supérieur sans bien les avoir entendus.

Il comprit simplement qu'il lui faudrait se geler les fesses sur sa rosse dès le lendemain, pendant des heures et des heures, mais après tout il se dit que cette équipée dans le vent, l'hiver et la tourmente le divertirait, et durant tout ce temps passé seul, il serait son unique Maître, ce qui à ses yeux représentait le plus haut degré du bonheur.

Le Rapporteur de l'Administration impériale, avec son beau visage rond de constant cocu, son nez à l'arête saillante et son œil gauche mort dissimulé sous un coussinet de cuir noir, ce qui lui donnait un air de pirate à l'ancienne, demanda l'autorisation au Maire de se servir de son bureau, et sous la dictée et correction des uns et des autres, à l'exception du Policier qui avait allumé enfin son cigare et prenait ses aises sur le canapé, jouant de ses lèvres avec la fumée bleue, il rédigea une note ampoulée rendant compte de l'événement formidable, note qu'il relut, et qui fut pompeusement paraphée par tous les élus présents, sous la signature desquels le Maire ajouta la sienne, en lettres deux fois plus grosses, agrémentées de petites taches qui dessinèrent une volée d'étoiles mortes.

Puis on cacheta le document. On le remit gravement à Nourio, qui aussitôt, d'une façon non moins solennelle, le confia à Baraj.

Il était onze heures quand chacun prit congé.

Au-dehors, la neige poursuivait son désastre ordinaire.

VI

Le lendemain matin, le Policier traîna en savates et caleçon, pas même rasé, à chauffer son petit corps noueux contre le poêle de la maison. Sa femme en fut tout étonnée, qui savait désormais comme chaque habitant ce qui avait eu lieu. Elle portait son gros ventre à la façon d'un fardeau mal amarré, le soutenant d'une main, et se déplaçait les pieds en canard autour de la table, versant du lait chaud aux enfants mal réveillés et qui se chamaillaient déjà.

Son mari avait de temps à autre un curieux sourire, qu'elle apercevait entre deux cris et trois pleurs, et qu'elle ne connaissait que trop. Quand la marmaille fut partie vers l'école, elle se posa sur une chaise et soulagea ses reins en les massant longuement de ses deux mains. Dans son ventre, l'enfant venait de s'éveiller et lançait des coups de pied et de poing. Un garçon encore, songea-t-elle avec amertume. Elle soupira.

Nourio s'assit près d'elle, lui prit la main et la baisa, puis il remonta vers le poignet, l'avant-bras, le bras qu'il dénuda en troussant la manche de la chemise. Il saisit le sein de sa femme harassée, levée tôt, mais qui se laissa faire, sans rien oser dire, et il caressa l'autre sein, le ventre, lui fit écarter les cuisses, là, près du feu dont la fonte excédée était devenue d'un rouge de viande, ce même rouge qu'il voyait maintenant sur les joues de sa femme qui soufflait, fermait les yeux, alors les doigts de Nourio plongèrent sous l'enfant au chaud dans le ventre de sa mère, derrière la peau bombée, l'enfant qui avait les yeux clos dans le grand liquide obscur qui était un continent, un monde à lui seul.

Lorsqu'une heure plus tard il poussa la porte du Poste de police, il s'aperçut que le feu était mort. Baraj était parti avant l'aube et, dans l'âtre, les braises en avaient profité pour s'éteindre. Ses doigts qu'il respirait de temps à autre sentaient encore la moiteur saline de sa femme.

C'était le parfum le plus tenace qu'il connaissait, plus qu'un parfum d'ailleurs, une odeur sauvage, animale, ancestrale, quelque chose qui avait à voir avec le puits lointain des origines. Il ne se laverait pas les mains de tout le jour, et ainsi il pourrait retrouver, quand bon lui semblerait et sans que quiconque s'en rende compte, cette haleine d'entrailles et de foutre, et il sentirait de nouveau son membre se dresser et penserait aux seins de sa femme, à ses cuisses, à sa langue, à ses yeux dérivant dans ce qu'il croyait être le plaisir mais qui n'était que lassitude.

Il s'activa à faire repartir le feu, et quand la flambée éclaira de nouveau la pièce et réchauffa les murs, il tira la chaise près de la fenêtre et s'installa à cette place qu'il aimait et d'où son regard savait trouver une perspective agencée agréablement par une succession de vues, au premier plan desquelles, toute proche, celle de la cour du Poste où durant les mois cléments on laissait aller les deux chevaux qui, ne sachant que faire de cette liberté relative, tournaient alors inlassablement en rond, arrachant de temps à autre une touffe d'herbe filasse qu'ils mâchaient de leurs dents jaunes, parce qu'il fallait bien mâcher quelque chose, tandis que leurs gros yeux se posaient sur les murs chaulés, qui étaient pour eux les limites blanches et sûres de leur grand univers.

Après le muret de la cour, c'était le côté bas du cimetière, qui dans la petite ville avait la particularité d'être en pente forte, commençant son alignement de tombes contre le flanc ouest de l'église et dévalait dans son hérissement cascadeux de croix et de dalles la faible éminence sur laquelle l'édifice avait été dressé pour venir buter contre deux gros blocs de roche qui en signaient la fin, et que Nourio apercevait sous la couche de neige qui les faisait ressembler aux corps de gigantesques animaux marins halés par des chaluts, très loin de leurs

71

abysses, dans l'attente d'être dépecés en d'immenses quartiers gélatineux.

Au-delà du cimetière, de grands champs ondulaient jusqu'à la route de T. Elle les cinglait en deux d'une franche saignée qui selon les saisons devenait tour à tour brunâtre et pulvérulente, ou boueuse, ou cassante, ou lisse et insoupçonnable dans l'aplat de blancheur, comme c'était le cas en ce jour. Après la route, les champs poursuivaient leur monotonie couchée jusqu'au flanc pierreux des premiers reliefs, qui commençaient avec timidité à griffer la surface du plateau, le nervurant de buttes variqueuses, de bosses et d'échines, de kystes, de conques, de dolines et de saillies, prenant progressivement possession de la matière minérale, pour la pétrir à la manière d'une pâte et l'ériger ensuite en de longues inclinaisons feuilletées qui filaient en tremplin vers l'horizon, et s'arrêtaient à son bord, comme les griffes d'un peigne à l'approche d'une immense chevelure. Au-delà encore moussait le couvert des hautes forêts résineuses des monts Korija.

Le Policier aimait rester ainsi, en fumant ses petits cigares tordus, et laisser son regard se perdre dans l'encadrement de la fenêtre qui érigeait le paysage en un sujet de peinture et donnait une rigoureuse idée de la profondeur et de la permanence des lieux, et aussi, pour qui voulait se faire un peu de mal, de l'insignifiance de celui qui prenait le loisir de les contempler.

Il pensa à Baraj qui devait ressembler à cette heure à une statue de glace et de neige sur son cheval, luttant contre le vent, sans doute seul sur la route – qui d'autre en effet se risquerait par un temps pareil à voyager ? – et qui tenait dans sa sacoche la nouvelle de la mort du Curé.

Il le voyait avancer de façon têtue, le bord de ses cheveux décoré de cristaux pâles, les jambes bien au chaud sous la fourrure d'ours qui protégeait aussi les flancs du cheval, ne pensant à rien dans ce balancement monotone de l'allure lente, si propice à l'assoupissement et au rêve.

Bien des légendes racontaient, dans le pays, que plus d'une fois des hommes étaient morts ainsi, en s'endormant sur leurs chevaux, emportés hors de la vie par le rythme lent de la marche et par le froid, sans même s'être aperçus qu'ils avaient passé la frontière invisible du sommeil. Mais après tout, n'était-ce pas là sinon la plus belle des morts, du moins une des plus romanesques et douces, qui versait celui qu'elle prenait dans le giron des contes et le faisait ensuite revivre dans de grands livres d'images lus par des enfants rêveurs ?

On frappa à la porte.

Baraj disparut des pensées de Nourio.

Le Policier alla ouvrir. Devant lui se tenait l'Imam. Celui-ci s'appelait Guedj. Il était dans son habit d'hiver, une manière de houppelande beige et trapézoïdale qui lui arrivait aux pieds et couvrait tout son corps, escamotant jambes, bras et mains. Sa barbe longue était de la même couleur que le vêtement, si bien qu'on avait l'impression en le regardant que le visage était réduit à une maigre portion puisque ne se dégageaient de la masse uniformément sombre qu'un peu de front clair sous la coiffe de laine en forme de calotte, un peu d'yeux, un peu de joues, un peu de nez, pas davantage car même la bouche était invisible et les mots qu'il prononça parurent sortir d'un buisson de broussailles.

« Puis-je vous déranger, Capitaine ?

Le Policier fit un geste pour l'inviter à entrer. Guedj tapa ses pieds l'un contre l'autre pour en faire tomber la neige. Nourio referma la porte derrière lui et l'invita à s'asseoir près du feu.

Les règles de bienséance auraient voulu que Nourio offrît du thé au visiteur. Même dans les plus misérables des familles on ne manquait jamais à cette coutume et toujours dans le samovar de l'eau frémissait pour cela, et quand le thé manquait, qu'on ne pouvait plus en acheter une carotte ni même quelques feuilles, des herbes séchées, serpolet mauve, graines de jamine, menthe sauvage ou fleurs de pachaume faisaient l'affaire. Guedj frotta ses mains près du feu, un peu plus longuement qu'il n'en avait besoin, dans l'attente d'une tasse brûlante qui saurait le réchauffer, mais quand il vit que le Policier s'asseyait sur l'autre chaise et ne lui proposerait rien, il en fut peiné et comprit qu'il fallait faire au plus court.

Il se lança, tout en essayant de masquer son dépit devant ce que beaucoup auraient pris pour un affront.

« Je suis venu vous voir suite à cet horrible drame... »

Il laissa rouler sa phrase, ainsi que le silence qui la suivait. Il espérait un signe, un mot d'encouragement à poursuivre de la part du Policier, mais celui-ci ne disait rien.

Nourio sans doute se rendit compte du trouble de l'Imam car il se racla la gorge, se redressa sur sa chaise et fit disparaître ses mains dans ses poches afin d'entendre ce que Guedj avait à lui dire. D'un signe du menton, il lui indiqua de poursuivre.

« Nous avions, le Curé Pernieg et moi, les meilleures relations du monde, alors que nous étions tous deux les représentants de religions qu'en ces temps difficiles on veut souvent opposer. Je ne pense pas exagérer en disant qu'il me témoignait de l'estime et je vous prie de me croire quand je vous dis que moi-même je le respectais infiniment. Qu'Allah ait son âme et la chérisse ! Les hommes sont des créatures faibles, qui ne sont rien sans Dieu, et lorsque le berger de Dieu n'est plus là, lorsqu'on a tué ce berger, les mauvais élans des hommes sont des bêtes errantes qui peu à peu reviennent à la vie sauvage, et dépècent ce qu'hier elles craignaient. J'ai peur, Capitaine, que la mort du pauvre Curé Pernieg, qu'Allah le Grand le prenne contre son sein, ne brise le calme de notre ville si le coupable n'est pas très vite démasqué.

Guedj se tut et Nourio se frotta le visage, enivré par l'odeur du sexe de sa femme qui revivait sur ses doigts. Il fixa le religieux avec un regard vide qui mit son visiteur très mal à l'aise au point qu'il baissa les yeux, ne sachant plus trop ni quoi faire ni quoi dire.

Le Policier se leva, prit une bûche à côté de l'âtre et la posa sur les braises. Aussitôt de courtes flammes d'un rose orangé se risquèrent à la laper et un ronronnement sourd monta du foyer comme si un animal de feu disait là son plaisir d'avoir été nourri. Nourio resta debout.

« Vous parlez par énigmes, et je ne suis pas devin : si vous avez des choses à me dire, dites-les vraiment.

L'Imam se tortilla sur sa chaise.

« S'il s'avère, je dis bien *si*, que le coupable de ce péché majeur est un fils d'Allah, vous imaginez, Capitaine, ce qui pourrait arriver.

« Avez-vous des raisons de croire que c'est le cas ?

« Aucune, aucune ! Mais les gens parlent.

« Ils parlent… ?

« Oui.

« Eh bien ?

« Vous savez que nous autres ici sommes peu nombreux. Celui qui est différent est toléré quand le monde va comme la corde dans la gorge de la poulie, mais il suffit d'une poussière, d'un grain de sable, d'une écorchure sur le chanvre, d'un trou dans le seau du puits, d'un mal qui frappe le troupeau, d'une source tarie, et alors les doigts se tendent et désignent. Quand on veut noyer son chat, on l'accuse de mordre.

« Depuis que je suis en poste dans cette ville, et cela fait déjà quelques années, les gestes hostiles à votre encontre ont été infiniment rares, voire inexistants, ou ai-je la mémoire paresseuse ?

« Il est vrai, Capitaine, mais le passé, même le plus lointain et le plus assoupi, est souvent le père oublié du présent. L'aujourd'hui est un fils prompt à toutes les folies. Il n'a ni mémoire ni sentiment. J'ai de la crainte pour mes fidèles. Hier au soir une des femmes de Rudjic, le Ferblantier, s'est fait traiter de "rate puante". On a tenté de lui arracher son voile. On l'a bousculée, alors qu'elle attend un enfant, Allah – qu'Il soit loué – la prenne en Sa protection ! Elle s'est enfuie en pleurant.

Nourio regarda cet homme, tout tassé sur sa chaise, tant recroquevillé qu'on aurait pu croire que son habit n'enrobait aucun corps, seulement une paire d'yeux craintifs, une créature atrophiée, si peu humaine.

« La justice, avança le Policier, est au-dessus des hommes, et permettez-moi de le dire sans que vous preniez cela pour un blasphème, au-dessus des lois divines. Elle suit son cours qui est tracé par le seul souci de vérité. Le coupable sera découvert, et châtié, je vous en fais le serment. Qu'il soit chrétien ou musulman. Son geste l'a engagé lui seul et non sa foi. Rien n'indique d'ailleurs que ce meurtre ait une signification religieuse. Aussi rien ne laisse croire que ses conséquences le seront, d'une façon ou d'une autre. Soyez tranquille. Je suis là pour y veiller, et mon rôle n'est pas de régimenter les cultes, de faire prédominer l'un sur l'autre. Veuillez rassurer les vôtres et laissez-moi faire mon métier. Tout ceci n'est qu'une question d'hommes. Dieu, s'il existe, ne ramasse pas des pierres et n'en fait pas des armes. Allez en paix, monsieur l'Imam.

« Vous parlez comme un saint, Capitaine, et cela ne m'étonne pas de vous, qui avez le visage et l'âme d'un homme bon et juste. Qu'Allah vous garde dans Sa pieuse miséricorde ! »

L'Imam paraissait réconforté. Il sourit et découvrit d'un coup toutes ses dents moribondes.

Nourio se dirigea vers la porte.

L'Imam comprit qu'il lui fallait prendre congé. Il enfonça sa calotte de feutre, rabattit la capuche de son vêtement, s'inclina devant Nourio et sortit en le remerciant de son accueil. Il s'éloigna du Poste dans un tumulte affolé de flocons de neige qui bientôt l'effacèrent.

Par la porte ouverte, le vent chargé de froidure gifla le visage du Policier. Dans son dos, le feu, attisé par le courant d'air, agita ses flammes en tous sens. Alors soudain, dans son pantalon, le Policier sentit son sexe tendu se frotter au linge, en un énervement délicieusement douloureux. Son esprit de nouveau s'encombra d'accouplement et de luxure. La très petite chose qu'il était entra en elle-même, et le monde, celui du Curé mort et de l'Imam inquiet, de la petite ville effrayée par le meurtre d'un des siens, de la contrée tout entière prise dans les serres du grand hiver, n'eut soudain, et radicalement, plus aucune importance.

VII

Baraj revint quatre jours plus tard, avec dans sa sacoche de cuir une lettre pour son supérieur, et dans une carriole au côté de laquelle il avait trottiné, un Évêque.

L'Adjoint avait effectué le voyage de retour comme il avait fait celui de l'aller, sur le dos de sa vieille jument, mais cela avait pris moins de temps car la tempête de neige s'était calmée et les routes, bordées de hautes congères, étaient redevenues praticables.

On lui avait donné l'ordre de veiller à la sécurité de l'Évêque et à son confort, mais de confort le religieux n'en manquait pas car l'intérieur de sa voiture – qu'il ne quitta jamais, passant tout le trajet en compagnie du Vicaire Rajko, son secrétaire, qui était aussi le Prêtre exorciste de l'évêché – se révélait aussi douillet et remarquable que l'extérieur pouvait en paraître austère, avec ses ferrures larges et ses parois de bois goudronnées, renforcées de toutes parts de rivets forgés à froid et de calfeutrements en bourre de passe qui lui donnaient des allures de malle moyenâgeuse.

En plus de Baraj, quatre hommes de la maison de l'Évêque composaient le convoi. Eux aussi chevauchaient, mais l'un descendait souvent de sa monture pour satisfaire les besoins de son Maître qui l'appelait en frappant de grands coups contre le toit de la voiture.

Baraj, qui préférait garder le silence plutôt que lier connaissance avec ces hommes, se dit qu'il devait s'agir du Valet de pied de l'Évêque. Il n'était pas bien gras et avait le visage d'une jeune fille, rose, délicat, et finement dessiné, même si c'était, à n'en pas douter, un homme car il pouvait boire et jurer en véritable soudard ainsi que Baraj s'en rendit compte le soir où le convoi passa la nuit dans l'auberge des Quatre Bornes, qui se trouve à mi-chemin entre T. et la petite ville.

Au terme du voyage, on logea l'Évêque et sa suite dans ce qu'on nommait ici le Palais d'État. La cure était trop modeste, et en taille et en apparat, pour un personnage de cette importance à propos duquel ceux qui l'accueillirent, le Maire, le Rapporteur de l'Administration impériale, le Policier, prévenus par Baraj qui avait quitté pour cela le convoi quelques heures avant son arrivée, éperonnant sa monture et tentant un galop qui tourna court en raison du souffle asthmatique de la carne, ne remarquèrent que deux faits.

Premièrement, son âge biblique. L'Évêque paraissait avoir cent ans ou davantage et son visage chiffonné de rides et de pliures n'avait plus de couleur. À le voir, on songeait aux vieux cartonnages oubliés dans les greniers aux lunes et aux soleils des lucarnes, tandis que son corps amoindri, résumé, desséché – ses longs doigts n'étaient que des os saillants sous la peau de cire mince – semblait cassable.

Secondement, ses délicats souliers de cuir rouge, bordés à la cheville d'une fourrure blanche qui pouvait être de l'hermine, souliers tombés d'une autre planète, faits pour des lieux raffinés, des salles de concile, des parquets cirés, romains, des climats cléments, chacun ici étant chaussé de bottes au cuir épais, informes, fourrées de paille ou de laine de mouton, et ces souliers, l'Évêque ne sut où les poser tant la neige, sur laquelle pourtant on avait répandu du sable, du sel et des cendres, avait pris l'aspect d'une pâte grumeleuse, une lave froide dont l'épaisseur collante faisait craindre de s'y enfoncer tout entier.

L'Évêque, chevrotant, s'immobilisa sur le marchepied de la voiture et parut tout désemparé, contemplant le sol avec une horreur panique en ouvrant sa petite bouche blanche aux commissures ennuagées d'écume, d'où ne sortit aucun son.

Le Maire s'avança et lui présenta ses respects. Il tenta de baiser la bague de rubis en penchant ses lèvres vers la main de l'Évêque, ainsi qu'on doit le faire, mais l'Évêque ne sembla pas le voir, et le Maire renonça à baiser la pierre car la main du vieil ecclésiastique ne cessait de trembloter.

Derrière lui apparut le Vicaire Rajko, vêtu à la façon des moines d'une longue bure de gros drap noir, les pieds nus, très onglés, chaussés de sandales. Nourio se fit la remarque qu'il avait le regard et la barbe d'un fou, et d'un fou aussi la détermination qui le fit sans hésiter sauter à terre, indifférent à la brûlure glacée de la mélasse neigeuse sur sa peau nue, et donner des ordres aux membres de l'escorte afin qu'ils portent l'Évêque, ce qui fut fait dans la seconde, et l'Évêque se changea subitement en un léger fardeau, très peu sacré, enrubanné de tissu écarlate, qui fut déposé en un clin d'œil sur le dallage noir et ocre de la salle d'apparat du Palais d'État, où il sembla encore plus idiot que sur le marchepied de sa voiture, roulant tour à tour son regard effaré vers la délégation du Maire, croyant peut-être qu'il avait face à lui un bestiaire monstrueux, et vers les basses voûtes de l'édifice, qui semblaient condenser le poids des siècles dans leurs masses formidables, ramenant celui qui se trouvait sous elles aux proportions d'un ciron.

Le Palais d'État n'avait de palais que le nom. Il était, avec l'église, le plus ancien édifice de la ville. Un jour, aux archives, le Conservateur avait montré à Nourio un parchemin, orné de cinq sceaux de cire de la taille d'une galette et retenus au document par des rubans friables, qui affirmait déjà son existence en 1157 de l'ère chrétienne.

Il y était décrit comme une maison forte appartenant aux Princes de Maser et de laquelle on disait que les habitants libres de la Principauté ainsi que les serfs pouvaient y trouver refuge *en cas d'attaques, de sièges, d'épidémies et autres calamités naturelles ou engendrées par les hommes.*

Au fil du temps, et après l'extinction de la lignée des Maser, les vicissitudes politiques, la redistribution des terres et des pouvoirs, l'édifice avait servi selon les moments de réserve à grain, de casernement, de grenier à poudre quand les tensions sur la Frontière faisaient craindre une guerre, de halle aux viandes, et enfin de résidence pour les visiteurs de marque de passage dans la contrée.

C'était, avec l'église, mais aussi le minaret de la mosquée, le plus haut bâtiment de la ville grâce à sa tour de guet, et lorsqu'on arrivait par la plaine de l'ouest et qu'on ne distinguait encore rien vraiment sur le plateau qu'un moutonnement de possibles toits qui se confondait avec la monotonie sablonneuse des sols et celle, bronze, des friches et des champs, l'œil remarquait alors les trois éminences, clocher, minaret et tour carrée du Palais d'État, et cela confirmait au voyageur dubitatif l'existence d'une ville.

Ses murs avaient deux mètres d'épaisseur. Il y régnait une vive fraîcheur quand au-dehors le soleil calcinait rues et maisons, et durant l'hiver, malgré les grands feux qu'on allumait dans ses cheminées, le froid s'y pavanait en monarque. En bref, c'était une maison superbe et inhabitable, sauf par les fantômes des temps passés et la mémoire des siècles qui n'a ni chair ni peau.

Le Maire, le Policier, le Rapporteur de l'Administration impériale et Baraj se retirèrent, perplexes, sans que l'Évêque leur ait dit un seul mot, ou ait fixé l'heure et la date des funérailles du Curé Pernieg, raison majeure et peut-être unique de la venue du haut ecclésiastique.

Nourio empocha la lettre que lui remit cérémonieusement son Adjoint et l'envoya se reposer, lui disant de le retrouver en fin de journée, puis il rentra chez lui, se disant qu'il y serait bien mieux qu'au Poste, et qu'il pourrait tout à loisir boire de la soupe et du thé, contempler sa femme, la sentir à ses côtés, la frôler et se repaître de sa chaleur et de ses odeurs.

Tandis qu'il marchait sur les trottoirs enneigés, penser à sa femme le ramena à la visite qu'il avait faite la veille chez les Pakmur, afin de revoir les enfants Lémia et Douri qui avaient découvert le corps du Curé assassiné.

Le père était sabotier. Il vivait seul avec sa fille et son fils depuis la mort de sa femme, quelques années plus tôt. La maison qu'ils occupaient était une des plus misérables de la ville. C'était un ancien appentis d'étable, situé dans les marges, en planches brutes et torchis, qu'on avait aménagé à la diable et qui comportait une seule grande pièce au sol de terre battue, couvert à certains endroits de tapis disparates dont on ne pouvait plus distinguer la couleur ni le motif à force d'usure.

Elle servait tout à la fois d'atelier, de chambre, de cuisine et de pièce à vivre. On devinait les fondations de la maison rongées par le salpêtre car de vastes efflorescences blanchâtres naissaient sur le bas des murs. On pouvait craindre que son existence même fût en sursis. Le Policier n'aurait pas été surpris si un jour on l'avait averti qu'elle venait de s'effondrer sur elle-même, et qu'il n'en restait rien. Après tout, il en va des demeures comme de ceux qui les habitent. Ils sont là, et puis l'instant d'après, il n'en subsiste plus rien.

Lorsque Nourio avait frappé à la porte, c'était la fillette, Lémia, qui lui avait ouvert. Le père était ailleurs, on ne savait où, ivre mort à l'Auberge, ou allongé quelque part sur un trottoir à cuver son vin. Douri était parti à sa recherche. Elle avait fait entrer le Policier, tout en ajustant autour d'elle une couverture qui enveloppait tout son corps. Elle était pieds nus. Un coup d'œil avait suffi à Nourio pour lui confirmer que le père vidait plus de bouteilles qu'il ne fabriquait de sabots. De la poussière recouvrait les outils abandonnés et le tas de copeaux était moins important que celui des cruchons et des bonbonnes vides.

Près du feu, une bassine de bois remplie d'eau fumante dégageait une odeur de savon qui parvenait presque à faire oublier celle d'anciennes vomissures. La fillette avait profité de l'absence du père et du frère pour se laver et le Policier l'avait dérangée en pleine toilette. L'extrémité de ses cheveux était mouillée et dégouttait sur la laine. Ses joues semblaient avoir été frottées avec une brosse tant elles étaient blanches et polies. Elle s'assit sur le rebord d'un lit qui devait être le sien. Nourio s'approcha du feu. Quelques cheveux blonds nageaient à la surface de la bassine et le firent songer à de très fins serpents.

« T'es-tu rappelé certains détails depuis l'autre soir ? Peut-être des éléments te sont-ils revenus en mémoire, à toi ou à ton frère ? »

La fillette qui évitait le regard du Policier et frottait ses pieds l'un contre l'autre, d'un mouvement très enfantin, fit non de la tête. Nourio détailla son visage. Dans la nuit l'autre soir, elle lui avait fait l'impression d'un rongeur farouche aux traits ingrats. Mais en vérité, débarrassée du froid, des ténèbres, de la crainte et de son vêtement en poil de chèvre bien trop grand pour son corps, elle apparaissait tout autre, petite créature d'une douce beauté et que le rose qui lui montait aux joues faisait ressembler à une pivoine ou un œillet des steppes.

Quel âge pouvait-elle avoir ? Treize ans ? Elle en paraissait pourtant davantage, la mort de la mère l'ayant sans doute grandie d'un coup en faisant peser sur ses épaules un fardeau d'adulte.

88

Le Policier quitta le feu et vint s'asseoir près d'elle. Il vit qu'elle en était gênée, mais pour autant il resta à cette place, trouvant cette gêne charmante et capiteuse. Elle resserra la couverture autour d'elle et Nourio songea seulement à cet instant qu'elle devait être nue en dessous. Cette pensée le troubla.

« Je veux que tu me racontes une fois encore comment s'est produite la découverte du corps du Curé. Il y a peut-être de menus faits auxquels tu n'avais pas pensé et qui surgiront soudain. »

La fillette s'exécuta. Elle reprit le récit qu'elle avait fait le soir du crime, dévidant sa litanie d'une voix terne, et le Policier se dit qu'ainsi devaient naître les légendes, que les siècles et les bouches ressassaient pour n'en garder que l'or le plus fin.

Le père était absent. Elle s'était aperçue que le lait manquait. Elle avait décidé d'aller en chercher un bidon à l'heure de la dernière traite, dans la ferme la plus proche, celle des Bazki. Le jour était presque couché mais il y avait encore un peu de clarté.

À la ferme, on avait pris du retard et les bêtes n'étaient pas traites. Les enfants durent attendre, au chaud dans un coin de l'étable, que le dernier des fils Bazki, un simplet surnommé Fédour qui de surcroît était muet, soulage le lourd pis des bêtes. Il ne consentit à les servir que lorsqu'il eut fini tout le travail, c'est-à-dire quand il eut trait les douze laitières de race sarine, courtes sur jambes et maigrelettes, mais solides et peu regardantes sur la qualité de l'herbe.

Tandis que Lémia racontait la scène au Policier, de sa voix monotone et tout à la fois charmante, un chat sorti de nulle part était venu en miaulant vers elle et avait fini par sauter sur ses genoux et s'y blottir. Il avait un temps regardé Nourio, sentant l'intrus dans ce petit personnage au visage olivâtre, puis il avait fermé les yeux et sous les caresses de la fillette s'était mis à ronronner.

Fédour remplit de lait le bidon des enfants, et la fillette réveilla son frère que la chaleur de l'étable et le souffle des bêtes avaient endormi. L'innocent muet tenta de les retenir en faisant le clown, avec de grands gestes et des grimaces. Il sortit aussi son membre de sa culotte et l'agita avec la main, comme une grosse saucisse de viande vermillonnée, ainsi qu'il le faisait souvent, en tous lieux, mais voyant que cela ne les amusait ni ne les effrayait, dépité, il le rangea très vite et retourna à ses bêtes après avoir haussé les épaules et craché en leur direction. Elle avait raconté cela sans gêne, comme une chose naturelle.

Ensuite, tous deux sortirent.

C'était la nuit.

Ils ne prirent pas le plus court chemin mais préférèrent revenir par la ruelle qu'on appelait « du Mauvais Pied ». La fillette marchait en tenant d'une main le bidon et de l'autre son frère. C'est alors, dit-elle, que la neige se mit à tomber. Le vent se leva et sans doute fut-ce lui qui éteignit, avant que les enfants l'atteignent, la lanterne derrière l'église où la ruelle s'élargit comme un boyau d'animal encombré d'une grosseur, et qui ce soir-là baignait dans la réglisse.

Ils pressèrent un peu le pas, inquiétés par la flaque de ténèbres, et c'est précisément à ce moment que le petit garçon, à qui la nuit faisait battre le cœur plus vite, heurta une chose longue et toute chiffe, étendue à terre. La fillette le retint de tomber. Tous deux s'accoutumèrent à la noirceur et reconnurent dans le gisant le Curé. Ils se tinrent immobiles, roides, peut-être une minute, pas davantage, et Lémia, qui la première reprit ses esprits, envoya son frère chercher le Policier. Le petit partit en courant.

Voilà.

C'était tout.

« Quand nous sommes arrivés avec Baraj vous ne sembliez pas avoir peur tous les deux. N'avez-vous pas été effrayés par votre découverte ? Et toi, de rester seule près du cadavre, n'étais-tu pas inquiète, l'Assassin aurait pu encore se trouver là et te tuer aussi ? »

La fillette ne répondit pas tout de suite. Elle baissa la tête et caressa son chat qui se tourna dans son sommeil et offrit son ventre blanc aux doigts de l'enfant, tout en écartant les pattes et en singeant un combat ralenti. Elle finit par hausser les épaules pour dire non.

« As-tu touché le corps pour te rendre compte s'il était blessé, s'il avait besoin d'aide ?

« Il était mort. Je le savais.

« Tu le savais ? Avais-tu déjà vu des morts ? »

Lémia fit oui de la tête et revint au chat qui ronronnait en monarque bienheureux.

Nourio réfléchit. Il ferma les yeux pour refaire le trajet des enfants, de la ferme Bazki au lieu du crime. Il alla lentement, mètre par mètre, mais son parcours ne l'amena à rien. Il rouvrit les yeux. La fillette ressemblait au sujet d'un tableau. Il en avait vu jadis de semblables dans les cathédrales des grandes villes et n'aurait jamais imaginé un jour pouvoir en approcher un modèle.

Sans qu'elle s'en fût rendu compte, la couverture avait glissé sur son épaule et découvrait la naissance de son sein droit. Elle était tout occupée du chat, et ne paraissait plus avoir conscience de la présence du Policier. La peau de son épaule se dorait des lueurs du feu, et son sein, très clair en sa partie haute, plongeait dans un velours ombré qui l'anéantissait dans l'obscur tout en soulignant sa courbe.

De la petite chair montait le parfum de l'eau du bain, du savon mais aussi du corps lui-même, chaud et amolli, muscadé et qui faisait songer à de la menthe sauvage broyée dans un mortier.

D'un bond, le Policier se leva. Il fallait qu'il parte. Ce corps nu tout à côté de lui. Cette chair si fraîche. Le feu. Les flammes. Les lueurs. La scène et le visage de la petite, sainte à demi nue, sainte c'est-à-dire pure et lointaine, enfant à jamais, mais aussi nue absolument, dans le même temps et le même espace, c'est-à-dire de peau vulnérable et douce, faite d'un corps formé et caressable, et qui pouvait – elle avait l'âge après tout – déjà s'unir à l'homme. Il sentait dans ses pantalons durcir son membre. Il en fut apeuré. Se pouvait-il qu'il soit à ce point empoisonné par ses élans qu'il en vienne à concevoir du désir pour une enfant ? Cela avait tout d'un piège. Qui donc le lui tendait ?

Il marmonna deux mots dont il ne se souvint même plus dans la seconde qui suivit et, le front brûlant, sortit sans plus regarder la fillette. À peine se rappela-t-il que, tandis qu'il passait la porte, le chat lança un miaulement qui coula interminablement sur sa nuque, salive acide, et le lendemain, au matin, quand il jouit dans sa femme allongée sur la table de la cuisine, et qu'explosa sa pensée au moment du grand plaisir, c'est le visage de Lémia qui se dessina sur l'envers de ses paupières closes.

VIII

Nourio lut deux fois la lettre que son Adjoint avait rapportée de T. Elle avait été écrite par son supérieur, le Commandant Sroh, et ne contenait rien de véritablement important. Le Commandant, qui était un homme pusillanime, mettait en garde Nourio : l'assassinat du Curé était un des faits les plus incohérents, et rarissimes – le mot, rayé deux fois tant l'officier avait hésité sur son orthographe, était souligné de trois traits –, qu'il lui avait été donné de connaître durant sa longue carrière. Il convenait de mener l'enquête avec diligence mais aussi prudence, car on ne savait pas ce qui avait présidé à pareil drame ni ce qu'il pouvait enfanter.

Le Commandant précisait aussi qu'il avait immédiatement alerté le Ministère car un crime de ce type, perpétré dans une région aussi sensible que celle de la Frontière, prenait une dimension que ni lui ni Nourio n'étaient capables de mesurer.

Il ajoutait que le Ministère, en la personne d'un sous-chef de la division des Marches orientales, l'en avait remercié et souhaitait être informé le plus souvent possible des progrès de l'enquête. Au besoin, des instructions suivraient.

Le Policier replia la lettre et la rangea dans un dossier qui contenait toute la correspondance officielle provenant de T. Il soupira.

Le Commandant se chauffait les pieds dans un bureau, et chaque soir allait boire sa tasse de punch dans une des grandes brasseries de la ville, peuplée de femmes poudrées et peu farouches, bercé par l'orchestre qui y jouait des airs enjôleurs. Sa vie se frottait d'encaustique, de papier buvard, de viande marinée, de bières, de filles et de vêtements de bonne coupe. Son regard de myope le faisait paraître profond derrière ses lunettes, et sa tête chauve, hydrocéphale, laissait supposer une formidable cervelle, mais il n'était en vérité que lent et besogneux. Il avait mené sa carrière comme une interminable partie d'échecs, sans faire preuve de génie, usant ses adversaires par sa lenteur à décider, et il se trouvait là où il était, dans la ville pleine de lumières, de voix et de jolis visages, sans jamais craindre de tremper ses belles bottes vernies dans des mares de boue ni de poursuivre un voleur de bétail durant des jours sur le plateau venteux et dans le plus opaque des brouillards.

Nourio lança dans le feu le *krumme* qu'il avait mâchonné sans le fumer. La vie était décidément mal faite. S'il y avait un Dieu, ce ne pouvait être qu'un idiot ou un esprit bancal pour disposer ainsi des hommes. Il songea à cet avorton d'Évêque qu'on avait envoyé ici, à son corps blet sous l'habit, à son pauvre regard aux yeux dilués, à sa bouche décousue et baveuse. Son Dieu était-il à son image, cacochyme et impotent ? Il était à souhaiter que les courants d'air du Palais d'État n'éteignent pas avec un peu d'avance la vie qui semblait déjà le fuir de toute part, comme l'eau d'une outre crevée, car s'il venait à mourir dans la petite ville, quel surcroît d'embarras !

Lorsqu'il était rentré chez lui, pour y retrouver sa femme, la maison était en désordre. Les deux plus jeunes de ses enfants, le menton croûteux de morve, se chamaillaient au sol, le cul souillé dans leurs langes. Il eut beau appeler sa femme pour qu'elle vienne les calmer, elle ne répondit pas. Il coupa en deux une tranche de pain et leur fourra à chacun un morceau dans la bouche, avant de monter dans la chambre, soudain pris d'inquiétude. Sa femme somnolait sur le lit, les paupières à demi closes, le front très rouge et suant. Les draps étaient trempés. La pièce sentait l'urine. La chaleur y était oppressante. Il ouvrit la fenêtre. L'air froid entra, amenant quelques flocons.

Nourio s'approcha de sa femme qui fit un geste vers lui, mais laissa retomber son bras sur le lit.

Il posa la main sur son front. Il était brûlant. Il souleva les draps d'un mouvement vif. Le ventre apparaissait énorme, chaud lui aussi d'une chaleur rance et moite, aigrelette, et au-dedans on devinait toujours l'enfant tambouriner à la façon d'un forçat dans sa cellule.

Le Policier rabattit les draps et prit la main de sa femme. Son pouls battait la chamade. Elle demanda de l'eau et il fut bien content de quitter la pièce pour aller lui en chercher. Les deux marmots s'étaient calmés. Ils mouillaient le morceau de pain et le suçaient comme un sein. Il tira du bac une carafe d'eau claire et remonta dans la chambre. Sa femme s'était un peu redressée dans le lit, animal encombré, souffrant et congestionné. Sous son menton, sa peau dessinait trois replis. Ses seins butaient contre son ventre. Ses cheveux emmêlés se collaient les uns aux autres et formaient des paquets gras.

Quelques minutes plus tôt, tandis qu'il arrivait à la maison, il avait rêvé une fois de plus de caresses, sentant son corps se raidir à cette pensée et à celle de la fillette du Sabotier, mais dans ce décor familier soudain corrompu par la fièvre, les odeurs fétides qui émanaient du seau et le climat d'étuve sale, sa femme lui parut repoussante.

Son désir partit en quenouille.

Il se rappela le corps de Lémia sortie du bain. Le satin de sa peau. Le parfum de chair souple et savonnée de l'enfant au seuil de l'adolescence. La naissance du sein et l'ombre qui le mangeait.

« Veux-tu que j'aille chercher le Médecin ? »

Il avait prononcé les mots d'une voix qu'il avait tenté de rendre douce. Sa femme fit non de la tête, lui murmura, très faible, que l'enfant lui prenait toutes ses forces, qu'il l'emplissait et la vidait dans le même temps, qu'à n'en pas douter c'était un garçon. Que ce ne pouvait être qu'un garçon. Et elle avait dit cette dernière phrase sur un ton désolé.

Elle but avidement l'eau qu'il lui tendait. Et tous deux restèrent ensuite à ne rien se dire, à se regarder un peu. Nourio faisait aller sa main sur celle de sa femme. Il n'avait qu'une envie, c'était de quitter la chambre, sortir de la maison, mais il essayait de ne pas le montrer. Bientôt les deux aînés rentreraient de l'école. Au silence tout empli d'odeurs succéderaient le vacarme piaillant et les chamailleries, les plaintes, les cris, les pleurs. Il ne voulait pas entendre cela.

Il n'avait que peu d'affection pour sa progéniture. Tous les quatre étaient encore dans un âge très jeune de la vie. Il ne voyait en eux que des créatures incomplètement achevées, avec lesquelles un adulte ne pouvait entretenir aucun commerce. Il fallait que le temps passe, que la mort les épargne. Alors, sans doute, il commencerait à les trouver aimables.

« Je ne peux rester plus longtemps. Es-tu certaine de ne pas vouloir le Médecin ? »

Sa femme esquissa un sourire. À cet instant elle retrouva un peu de sa beauté. Elle lui dit de partir, que tout irait bien. Que ce n'était pas le premier enfant. Que les autres lui avaient déjà fait subir cela. Qu'elle avait l'habitude.

Nourio se pencha sur elle et embrassa son front. Il partit sans se retourner. En bas, les deux petits jouaient maintenant avec leurs poupées. Ils les opposaient dans un combat féroce. Tout cela en silence. Les coups s'étouffaient. Les marmots ne disaient rien. La mort se confinait dans une violence de peluches. Ils ne prêtèrent pas attention au départ de leur père.

Baraj le rejoignit au Poste en fin de journée, comme il en avait été convenu. L'Adjoint ne s'était pas changé depuis son équipée mais il avait dormi car sa face épaisse paraissait rajeunie et le côté gauche de sa chevelure laineuse était encore talé par l'oreiller. Il tira de l'eau du samovar et prépara le thé. Il en versa dans deux tasses, en posa une devant le Policier, puis s'assit face à lui et aspira la boisson avec un bruit goitreux. Il regarda son supérieur, attendant que celui-ci le questionne, mais rien ne sortait de sa bouche et ce fut lui qui pour une fois se lança.

« La ville n'est pas comme d'habitude.

Le Policier tenait sa tasse entre ses mains. La fumée du thé montait le long de ses joues, jusqu'à

ses yeux. Elle déposait sur ses pommettes angu-
leuses des gouttelettes qui roulaient ensuite
jusqu'à sa moustache.

« Cela t'étonne ? Pourquoi voudrais-tu que la
ville soit comme d'habitude après l'assassinat du
Curé ?

« Capitaine, je ne parle pas de notre petite ville,
reprit l'Adjoint, je parle de T. Il y règne une sorte
de... tension palpable.

Nourio fut surpris par les mots de l'Adjoint, et
surtout par cette expression de *tension palpable*,
qu'il ne lui avait jamais entendue, qui était bien
trop savante et précieuse pour lui. Qui n'était, il
l'aurait juré, pas de lui. Trop précise. Trop léchée.
Il avait dû l'entendre quelque part et la ramasser,
la plier dans sa mémoire et la garder pour la lui
resservir.

« Qu'entends-tu par là ?

Baraj posa sa tasse, redécouvrit soudain ses
larges mains qu'il mit sur la table, puis sous ses
aisselles, puis finalement sous ses fesses, coincées
entre son pantalon et la peau d'âne qui recouvrait
le banc de bois. Invisibles. Il se tortilla un peu et
se lança de nouveau.

« Je n'y vais guère, certes, mais les rues, elles
étaient différentes. Tout encombrées, nerveuses.
Les passants. Même les chevaux. Et pas de sourire.
Aucun sourire. Même les visages derrière les vitres
des cafés. On aurait cru que tout le monde attendait quelque chose. Ou craignait que quelque

101

chose arrive. Cela m'a fait penser aux bêtes chez nous avant l'orage ou le vent de sable, vous comprenez, Capitaine ? Et puis, ce qui était étrange, vraiment, c'était le silence. On n'entendait rien. Les gens ne parlaient pas, ou si peu. On aurait cru qu'ils attendaient qu'une voix s'élève. Qu'ils attendaient un message ou un ordre important.

Pendant un instant, le Policier se demanda si son Adjoint n'avait pas perdu la raison. Mais Baraj avait sa mine habituelle, dans laquelle roulaient deux grands yeux naïfs et noirs. Une sorte d'enfant dans un corps d'adulte maladroit. Un esprit qui flottait dans une enveloppe bien trop large pour lui, sans malice et sans calcul, protégé de la folie et des tourments de l'intelligence.

« Tu te fais des idées. Vivre ici fait de nous des êtres malhabiles, inaptes à comprendre comment une société assemble ses rouages et les fait fonctionner. T. est une mécanique complexe, tu ne peux la saisir si tu t'en tiens à notre petit modèle, perdu dans ce trou du cul de plateau, si loin de tout et de tous.

Baraj fixa Nourio. Celui-ci eut l'impression que son Adjoint faisait circuler ce qu'il venait de dire dans tout son organisme, le transfusant dans ses veines et dans ses muscles, dans tous ses organes, pour en extraire le sens profond. Il hocha la tête, enleva ses mains de sous ses fesses, se gratta les cheveux.

« Bien sûr, finit-il par dire. Deux mots qui ne l'engageaient en rien. Puis il demanda la permission de se retirer, que lui accorda Nourio.

L'Adjoint se leva, un peu plus lourd qu'avant, alors qu'il avait espéré que ce qu'il avait livré à son supérieur l'allégerait de ce poids intérieur, informe et sans nature, qu'il avait rapporté de T. en même temps que la lettre et en même temps que l'Évêque. C'est quand il allait franchir le seuil que le Policier lui annonça la nouvelle :

« Les funérailles du Curé auront lieu demain à la première heure de l'après-midi. J'ai croisé en venant ici un des gardes de l'Évêque. Il y aura aussi une procession, une fois le corps en terre. Pour purifier la ville. C'est le Vicaire Rajko qui la mènera.

« Une procession… ? reprit Baraj en ouvrant grand la bouche. Le mot avait cogné sa tête et l'avait ébranlée.

« Il y aura de la foule, de l'encens, de la musique et des chants. Prends cela comme une promesse de divertissement.

Le Policier parlait brouillard pour l'Adjoint mais celui-ci fit mine d'avoir compris.

« Bien sûr », dit-il encore une fois, en saluant, avant de passer la porte.

Nourio se resservit une tasse de thé et alluma un de ses cigares. Il le téta en songeant à un sein voluptueux, se regarda dans un miroir qui ne quittait jamais sa poche, lissa avec un peu de salive sa moustache et se sourit à lui-même en songeant aux lèvres de la fille du Sabotier.

La petite ville allait s'ébrouer sous sa calotte de neige. Qu'importait le motif de la procession, ce spectacle donnerait l'illusion du nombre et de la magnificence. Pendant quelques heures, chacun oublierait l'hiver, ses soucis, le plateau et ses vents, l'ennui, le meurtre même.

L'Église savait y faire pour fabriquer de la poudre bien dorée et la jeter aux yeux de tous ceux qui voulaient bien les ouvrir. Et puis, se dit Nourio, cela lui donnerait encore un peu plus de temps pour savourer le mystère de l'enquête, pour ne pas avancer trop vite, pour garder opaques les ténèbres, et faire de chaque visage croisé dans le fil de la procession celui d'un possible Assassin.

Il goûta cette idée, l'aspira, la roula en lui, et en jouit plus que de son cigare.

IX

La nuit précédant l'enterrement du Curé Pernieg, à côté de sa femme toujours souffrante et
moite, le Policier fit un rêve.

Il errait dans une forêt dont le faîte des arbres
se perdait dans un ciel laiteux. Le sol était encombré de branches mortes, de sphaignes, de souches
spongieuses, de racines de bruyère et de cailloux
friables, ce qui entravait sa marche, d'autant que
son corps était d'une faiblesse anormale, comme
s'il avait été privé de nourriture et d'eau durant
des jours. Il marchait, titubant, sans suivre de
route véritable. Il ne lui semblait pas avoir de but.
Quand soudain, de derrière un tronc couché et à
demi pourri, surgit un animal qui, apercevant
Nourio, se figea face à lui.

C'était un très jeune faon, mal assuré sur ses
pattes, et dont le pelage rouille tacheté de blanc
paraissait d'une douceur onctueuse. Le Policier

approcha de la bête qui ne bougeait toujours pas, subjuguée par l'apparition humaine.

Nourio tendit la main et toucha le faon qui trembla sous ses doigts mais ne fuyait pas pour autant. Le Policier s'enhardit et posa ses doigts autour du cou. L'animal était paralysé. Nourio se surprit à crisper les mains de plus en plus tandis que les grands arbres tournoyaient au-dessus de sa tête et qu'un rire sorti de nulle part tombait en cascade sur ses épaules. Il acheva d'étrangler le faon, dont le corps devint aussi mou qu'un chiffon, avant de déchiqueter sa gorge et son ventre avec ses dents, mordant la chair crue, se repaissant du sang chaud et fluide, broyant le fin squelette, suçant la moelle des os, mastiquant le tout à la manière d'un fauve.

Il se réveilla en sueur.

C'était encore nuit noire.

Quelques heures plus tard, au matin, tandis qu'il se rendait au Poste après avoir confié ses enfants à la voisine et demandé qu'elle appelle le Médecin, à de nombreuses reprises il s'essuya vigoureusement les lèvres d'un revers de manche. Il lui semblait encore sentir dans sa bouche un goût de sang, de graisse tiède et d'os brisés de l'animal du rêve tandis qu'il ne parvenait pas à chasser de son esprit le beau visage de la jeune Lémia et le satin de sa peau lavée.

Ce ne fut qu'assis à son bureau, après avoir fouillé les braises et alimenté le feu, qu'il reprit ses esprits, aidé en cela par la monotonie de la rédaction du rapport des événements de la veille qu'il entreprenait quotidiennement.

L'usage de la plume, de l'encre et du papier lui procura une sérénité simple qui l'effaçait du moment présent, le décalait dans un autre espace où ni la saison, ni l'heure, ni les faits domestiques, ni les vicissitudes, ni même les variations de son état d'âme n'avaient d'importance.

Cela lui prit un peu plus d'une heure. Suite à quoi, il déjeuna d'un oignon, d'une tranche de pain bis et de thé abondamment sucré. Baraj n'était toujours pas réapparu. Il l'avait envoyé au Palais d'État, sitôt qu'il s'était présenté au Poste, afin qu'on lui communique le trajet de la procession, à charge pour lui ensuite de veiller à ce que la chaussée soit libre, que les trottoirs ne soient encombrés d'aucun objet, et que les commerces fassent disparaître leurs étals.

Depuis le milieu de la matinée, on entendait les cloches sonner, sourdes et lugubres, annonce lancinante de la cérémonie à venir. Le rythme ne variait pas, infiniment lent, macabre, et seules les cloches les plus graves étaient actionnées. Il y avait bien longtemps qu'on n'avait entendu cela. C'était comme si soudain on se rappelait une pratique qu'on avait négligée, on ne savait plus trop pourquoi.

Durant les dernières décennies, l'usage de la religion chrétienne dans la petite ville, mais il en était ainsi dans la majeure partie de l'Empire, semblait s'être amoindrie. Un ciment millénaire s'effritait, sans qu'on sache exactement ce qui le rongeait. Les journaux que le Policier recevait irrégulièrement parlaient en termes pompeux de *chute de l'Occident chrétien* et certains philosophes, dont il parcourait les essais dans de petites brochures aux couvertures bistre, évoquaient *la mort de Dieu*.

Certes, on conservait les gestes et les rites, mais on les avait peu à peu vidés de leur âme, comme un poulet de ses entrailles. Ne restaient pour la plupart des gens que des apparences, prières, cérémonies, fêtes majeures, une pincée de morale et de préceptes, guère davantage. On avait fait de Dieu un outil rustique qui ne servait plus à grand-chose, mais qu'on n'avait malgré tout pas osé jeter. Remisé dans un placard, on le sortait de temps à autre pour le montrer aux enfants, les effrayer avec, ou le nettoyer un brin.

Il arrivait tout de même que le grand âge ou la proximité de la mort convainquent certains de s'amender et de retrouver le chemin de la piété, de faire semblant en tout cas, et c'est pour cette raison que chaque messe devenait le rassemblement d'un troupeau boiteux, aux trognes pelées et ridées de vieilles bourses, la dent aussi rare que le cheveu et qui raclaient le fond de leur mémoire branlante pour y retrouver des bribes de prières et de chants sacrés.

C'est devant ces assemblées clairsemées, souvent sourdes d'une oreille ou des deux, incontinentes, dans une église empestant l'urine que les aspersions d'encens ne parvenaient pas à purifier, que le Curé Pernieg avait célébré toutes ces dernières années la liturgie.

Les baptêmes et les mariages donnaient l'occasion d'étoffer les rangs et de les rajeunir aussi, mais ce n'était au fond que des feux de paille, qui ne dupaient personne, et surtout pas Pernieg qui pour autant ne mettait aucune eau dans son vin, poursuivant avec la rigidité du métal l'exercice de son ministère, refusant de rendre aimable, par quelques tours, aménagements ou sourires, ce qui déjà n'était plus aimé ni craint.

Un vieux monde s'affaissait, dans un sommeil épais, et s'enroulait dans sa léthargie comme un escargot fainéant bâille dans sa coquille, en faisant reluire de bave ses souvenirs de vermeil oxydé.

De l'autre côté de la Frontière, dans le pays dont la bannière se frappait d'un croissant d'or, c'était au contraire un sang jeune qui faisait trembler les temps, et qui puisait sa force dans une ferveur fougueuse, turbulente et fanatique. Sa vibration donnait à chaque arpent de terre le mouvement d'une peau de tambour et des résonances qui remuaient au plus profond les ventres et les cœurs. On disait que chaque semaine naissait là-bas une nouvelle mosquée, et on songeait que jadis, il y a bien des siècles, c'étaient les hautes cathédrales qui surgissaient ainsi en pays chrétien.

L'Empire soupesait les rapports de ses diplomates et de ses espions avec circonspection, se demandant s'il fallait laisser faire ou écraser d'un coup de talon, tant qu'il en avait les moyens, ce remue-ménage qui grandissait à sa porte et menaçait de la fracasser un jour d'un coup d'épaule.

Durant leurs inspections, quand le Policier et son Adjoint suivaient la ligne de crête et que le temps suffisamment clair leur permettait de voir vers l'autre pays, par-delà la Frontière, tous deux étaient frappés par un étrange phénomène : on aurait cru que là-bas, au loin, on battait le sol à la façon des tapis qu'on veut revigorer. De mille endroits s'élevaient des colonnes de poussière, en tourbillons, spirales, fumerolles, et ce qui n'était peut-être que la trace de déplacements de convois ou de fêtes équestres prenait la dimension surnaturelle d'une puissante activité, enthousiaste et prometteuse, d'un usage passionné du monde, plein d'espérances, ou de manœuvres militaires.

Tout cela avait pour conséquence immédiate de barrer le front de Nourio d'une longue ride soucieuse, mais il avait tôt fait de masquer cette inquiétude dans ses rapports, et de minorer ces manifestations dont le but de toute façon lui échappait, car il ne craignait rien tant qu'être dérangé ou soumis à une surveillance plus étroite de la part des autorités de T.

Lorsque, plus tard dans la journée, à l'heure des funérailles, le Policier poussa la porte de l'église, il crut entrer dans un songe.

Jamais les murs du vieil édifice n'avaient dans leur enceinte contenu autant d'âmes ni de corps. Toute la petite ville s'était pressée là, enfants, pères et mères, vieilles gens. Et chacun tenait à la main un cierge, si bien que le tremblement des flammes donnait l'illusion que c'était le lieu lui-même qui tremblait et s'animait, frissonnant d'une commune respiration.

Le bâtiment perdait ainsi son aspect grossier et les murs, que Nourio avaient toujours vus gris, pesants comme un cauchemar et suintant d'une humidité de caverne, devenaient, par la magie des mille lueurs, d'une blondeur de miel. Et ce qui donnait aussi une dimension étrange à la scène, c'est que la lumière des innombrables cierges, dressés les uns à côté des autres, éclairait tous les visages en les sculptant d'or et de noir, les rendant méconnaissables à mesure que les petites flammes étiraient des nez, des mentons, écarquillaient des yeux, bombaient des fronts, démesuraient des chevelures ou des oreilles en de grotesques ou de sublimes étirements.

On aurait cru soudain que l'assemblée pressée là subissait une de ces métamorphoses que d'antiques poètes ont célébrées et qui conduisent les hommes à prendre des faces de bêtes. Ce n'était pas à proprement parler la laideur de chacun qui se révélait ainsi, par un jeu d'éclairage et d'ombres, mais son origine irrémédiablement animale, cette bestialité tapie en chaque être humain, maquillée de manières et d'habits, qui n'attend que son heure pour éclore et pousser son groin au grand jour.

Nourio eut bien du mal à parvenir jusqu'au chœur : la nef, les bas-côtés, l'allée centrale étaient pleins d'une foule agglutinée et immobile, de l'épaisseur d'un plâtre qu'un apprenti malhabile a trop gâché.

Les uns et les autres regardaient Nourio de leurs yeux rongés par la flamme du cierge qu'ils tenaient, mais ils ne le voyaient pas, et quand il les repoussait pour se frayer un chemin, jouant des mains, des coudes, des hanches aussi, afin de ne pas rester prisonnier de la masse, ils se laissaient faire comme de paisibles ruminants.

Le cercueil de Pernieg était recouvert d'un drap de velours noir qui tombait jusqu'au sol, et sur lequel on avait disposé sa soutane et la croix de fer étamé que durant toute son existence il avait portée à son cou.

Au moment où le Policier arriva au premier rang de la foule, le Vicaire Rajko en faisait le tour, avec un encensoir, balançant la boule métallique d'où s'échappaient des fumerolles d'un gris jaune qui composaient un brouillard protecteur autour du mort.

L'homme était toujours vêtu de sa robe de bure. Il gardait les yeux clos et une prière inaudible parcourait ses lèvres embroussaillées de barbe folle. Il avait les pieds nus, comme lors de son arrivée, mais cette fois il ne portait plus de sandales et foulait ainsi les dalles glacées.

Le vieil Évêque avait été déposé sur une haute chaise, à droite de l'autel. Assis, il paraissait encore plus minuscule et ressemblait à un lérot. En l'apercevant, on aurait cru à un tableau de carnaval, quand le fou devient roi, et qu'il est permis de vêtir des bêtes avec des habits consacrés. Il hochait la tête à la façon d'un automate dont on a remonté à bloc le mécanisme intérieur. Ses yeux blancs semblaient perdus, comme lui. Il tenait sa crosse argentée ainsi qu'un enfant le fait d'un sucre d'orge. Ratatiné, les lèvres brillant d'une bave mousseuse, le corps malingre et bossu, il aurait pu tout entier entrer dans sa mitre. C'était une toute petite chose enrubannée de soieries précieuses et de broderies, inoffensive et débile, pour laquelle le Policier ne savait pas s'il fallait éprouver de la pitié ou du dédain.

Le Vicaire en avait fini avec ses fumigations. Il monta les trois marches qui menaient à l'autel, s'agenouilla face à lui et s'inclina jusqu'à poser son front contre l'estrade tandis que ses bras à l'équerre de son corps dessinaient une grande croix. Il resta ainsi un long moment et Nourio eut tout le loisir d'admirer la voûte noire de ses pieds qu'on aurait pu confondre à quelques mètres avec des sabots.

Puis il se releva, contourna l'autel et vint se mettre face à la foule qu'il regarda de ses yeux fixes avant de pousser un long cri, un cri interminable qui perça la peau de toutes celles et ceux réunis dans l'église. Un cri qui monta vers les chapiteaux, se cogna aux arcs, fit trembler les vitraux. Un cri démesuré dont on peinait à saisir l'origine humaine, qui ne semblait pas faiblir, qui trouait les oreilles et entrait dans le crâne comme une vis sans fin, un cri majeur qui par imitation ou ricochet en provoqua un autre, puis un autre, puis un autre encore, puis des dizaines, des centaines d'autres car soudain ce qui possédait le Vicaire posséda tous les hommes, femmes, vieux, enfants présents, à l'exception de quelques-uns, du Policier par exemple, qui songea à l'antique légende d'Ulysse et des Sirènes, ou de l'Adjoint dont on apercevait, non loin du baptistère, la haute stature encombrée et dont la stupéfaction ne parvenait pas à oblitérer le bon sens primaire.

Quand plus tard, le soir tombé, tous deux se retrouvèrent au Poste, Baraj osa une question à propos du Vicaire et de ce qu'il avait fait :

« Est-ce un fou que cet homme, Maître ? »

Le Policier tirait sur son cigare et souriait. Il prit son temps avant de répondre.

« Pas plus fou que toi et moi. C'est un être qui connaît la nature des hommes, et celle des foules. C'est tout. Il en joue comme d'un serpent autour d'un bâton. Il sait les faire danser. Tu connais la fable du joueur de flûte ?

L'Adjoint se gratta les cheveux, fouilla dans ses souvenirs qui manquaient d'ordre.

« À l'école, Oresz Mlaver nous la lisait.

« Eh bien remplace le joueur de flûte par ce Vicaire aux pieds nus, et tu y es. »

Baraj se rappelait en partie l'histoire, la ville infestée par les rats, le musicien magicien dont on se sert et qu'on ne veut plus payer une fois la ville assainie, et puis la noyade des enfants. Mais il ne comprenait pas trop pourquoi le Policier évoquait cette légende. Qui allait-on noyer ? Il préféra toutefois garder la question pour lui seul, craignant que la réponse ne lui fît plus mal à la tête que son absence.

Le Policier s'était régalé quant à lui de ce spasme collectif, comme on apprécie un bon ragoût au cumin arrosé d'un verre de tokaj. Il avait même envié le Vicaire qui parvenait, en roulant simplement ses yeux déments, en hurlant des borborygmes incompréhensibles et tout à fait idiots, en pointant un index à l'ongle sale vers le cercueil de Pernieg, à souder en un instant la masse humaine, et à la tenir à sa merci.

D'un geste sec de la main, à la manière des chefs d'orchestre dans les kiosques à musique, le Vicaire commanda que les cris cessent.

Le silence succéda à la fureur.

On n'entendit plus qu'un léger bruit, agaçant, que le Policier prit dans un premier temps pour le grignotement d'un rongeur mais qui provenait en vérité de l'Évêque perché sur sa haute chaise. En raison du branlement qui agitait son maigre visage, sa mitre ne cessait de se frotter à sa crosse, produisant un son aigrelet de pierre à briquet. Ses pieds qui ne touchaient pas terre ballaient dans le vide, et ce mouvement avait fait chuter sur le sol une de ses précieuses chaussures rouges qui y dessinait une tache de sang figé.

Le Vicaire fit durer le silence. Il paraissait fouiller le troupeau de ses yeux écarquillés que la lueur des mille cierges rendait plus bleus encore, clouant de ses pupilles claires chacun des visages sur lesquels il s'arrêtait un instant, comme s'il cherchait à deviner la difformité du cervelet qui se cachait derrière.

Si on pouvait arracher d'un coup la peau des êtres et mettre à nu ainsi, en pleine lumière, leur âme sanguinolente, qui supporterait le spectacle ?

Nourio, qui connaissait bien les habitants, lisait en eux à livre ouvert : chacun attendait la sentence, car chacun se savait sale d'une faute ou d'un manquement, d'un péché ou d'une erreur, d'un désir malpropre, d'une pensée impure.

L'effroyable hurlement du Vicaire puis son silence plus effroyable encore avaient eu la vertu de ramener chaque être présent dans l'église vers les profondeurs de lui-même. La présence du corps du Curé assassiné, enfermé à jamais dans la pauvre boîte en bois, agissait à la façon d'une relique supérieure exigeant la vérité : devant lui on ne pouvait avancer aucun mensonge ni tenter aucune fuite.

La voix du Vicaire s'éleva alors aussi coupante qu'un éclat de miroir. Il parla avec une extrême lenteur, détachant chaque mot, les asphyxiant en les enrobant d'un vide qui en révélait tout le noyau :

« Je vois ici, dans ces murs et au-delà de ces murs, des hommes bons. Mais je vois aussi des monstres. Des monstres qui vivent près de vos maisons, que vous croisez chaque jour, avec lesquels vous échangez des paroles, avec lesquels vous souriez, et dans les veines desquels coule non pas du sang, non pas votre sang, mais un fiel souillé et mortifère. Des monstres au visage hypocrite de voisin, d'ami, de frère, de mari, d'épouse, de fils, des monstres dont la main serre votre main, dont les sourires sont des masques et les mots de constantes tromperies.

» C'est l'un de ces monstres qui a tué.

» C'est l'un de ces monstres qui se croyant l'égal de Dieu a donné la mort à votre Curé.

» Il n'est plus mais son âme emplit cette église. Son âme éternelle revenue dans le giron de Dieu. Je la sais nous écouter et nous voir dans cette église qui fut sa maison. Oui, je sens l'âme du berger qui veille encore avec sa joie et sa bonté sur son troupeau égaré.

» Le berger est mort pour vous ! La puissance de son sacrifice doit éclairer vos cœurs ! Repentez-vous !

» Satan a mille apparences. Satan a mille tromperies ! Satan s'est arrêté dans votre communauté ! Repentez-vous !

» Satan est là. Parmi vous. Autour de vous ! Et je vous le dis aujourd'hui, devant le corps mutilé et froid de notre frère, il n'existe qu'un remède et ce remède est Dieu, de même qu'il n'existe qu'un seul Dieu, et ce Dieu est le nôtre. Repentez-vous !

» Un seul Dieu de vérité !

» Quiconque adore un autre dieu s'avance vers le monstre !

» Repentez-vous !

» REPENTEZ-VOUS ! »

Le Vicaire se tut.

Il laissa retomber ses bras le long de son corps et sa tête s'inclina comme si une pensée trop lourde l'habitait soudain et qu'il en était épuisé. La foule semblait stupéfaite. Les paroles de l'illuminé couraient dans les boîtes crâniennes en se cognant aux parois. Tout cela faisait mal. On manquait d'air. L'encens piquait les yeux.

À contempler les visages ainsi que le faisait le Policier, on découvrait le grand livre du désarroi et de l'ignorance. Les mots du Vicaire étaient des étincelles sur des pincées de poudre à fusil qui ne demandaient qu'à exploser. À la vérité, peu d'habitants portaient le Curé dans leur cœur avant sa mort, et il n'avait jamais manqué à personne, mais il suffisait qu'il ne soit plus là pour qu'il prenne soudain une place considérable.

Le Policier songea que Pernieg était un mort fort commode, et qui allait servir. Il ne savait pas encore comment, mais des esprits plus instruits que lui de la marche du monde le savaient et s'en occupaient déjà probablement.

La procession ne fit que confirmer ce que Nourio pressentait. Si on avait fait venir le Vicaire, c'était moins pour rendre hommage à Pernieg que pour préparer la population, la tendre comme un arc, l'aiguiser comme un couteau. Le meurtre, involontairement, était le prélude d'une construction dramatique dont la culmination aurait sans doute l'apparence d'un bûcher ou d'un billot, et dont les funérailles et la procession devenaient le premier acte.

Il y avait de l'intelligence derrière tout cela. Une intelligence qui dépassait le Policier, qui dépassait la ville, qui dépassait peut-être le Vicaire lui-même, et qui avait mûri dans les hauts esprits de l'Empire, au cours de discussions mesurées, d'une précision d'équations mathématiques, dans lesquelles on évoque les hommes et leur destin, sans émotion ni trouble, comme si on parlait scientifiquement du poids infinitésimal de l'ivraie assujettie à la vitesse du vent.

La procession dura plus de deux heures. Dès la sortie de l'église, les cierges furent remplacés par des flambeaux, que les uns et les autres saisissaient dans de grands pots de terre, et la lumière douce qui avait coulé, jaune et onctueuse, sur les flancs de cire durant l'office laissa la place à des embrasements barbares, des flammes violentes et brouillonnes qui dégageaient des odeurs sauvages de résine et de goudron, de graisse et de poix qui commencèrent à enivrer la foule mieux que toutes les eaux-de-vie.

Le Vicaire marcha seul en tête, toujours pieds nus dans la neige sale et mouillée, indifférent au froid. Puis venait le cercueil de Pernieg porté par quatre hommes, des charpentiers, les frères Sandjaraï, qui faisaient aussi office de fossoyeurs et vivaient en moines, n'ayant jamais pris de femme, les langues amères affirmant qu'ils pratiquaient entre eux la sodomie. Ils n'avaient jamais manqué un office depuis leur plus jeune âge. Durant les deux jours précédents, tout en versant des flots de larmes et en psalmodiant des prières, ils avaient uni leurs forces pour creuser la tombe du Curé dans le sol gelé sur plus d'un mètre, à coups de pique et de barre de fer.

Ensuite venait l'Évêque, toujours juché sur sa haute chaise entre les pattes de laquelle on avait glissé de forts bâtons et que portaient les hommes

qui composaient sa suite, et notamment son Secrétaire avec son visage de fille rose qui avait jeté sur
les maigres épaules de son Maître une fourrure
cousue de peaux de visons, large et souple,
l'emmitouflant contre la froidure, et l'en préser-
vant si bien que l'Évêque ne tarda pas à s'endormir
et à ronfler.

Les cloches s'étaient tues.

On se mit en marche derrière ces curieuses
figures.

On n'entendit au début que le bruit des pas de
la foule sur le sol d'hiver, puis la voix du Vicaire
s'éleva, répétant à trois reprises une seule et même
phrase, « Repentez-vous ! », avant que la foule ne
la répète elle aussi trois fois, et puis de nouveau
c'était le tour du Vicaire de la dire seul, et puis de
nouveau la foule, et ainsi de suite, sans fin, jusqu'à
la nausée, jusqu'à la stupeur, jusqu'à l'abrutisse-
ment, jusqu'à faire perdre le sens des heures, du
temps et de l'espace, du jour et de la nuit.

Lorsque la procession, au terme d'une boucle,
parvint enfin au cimetière après avoir emprunté
toutes les rues de la ville sans en oublier aucune,
même la plus étroite, dans un piétinement de
légion, il faisait nuit noire.

Quand on fit glisser le cercueil dans la fosse,
celle-ci parut ne pas avoir de fond. Le ciel bas se
déchira un instant et la lune, presque pleine, fromage pâle parsemé de moisissure, apparut. Mais

X

La plume du Policier courait sur le papier.
Il avait toujours aimé écrire. Le geste le divertis-
sait. Cela le détachait de sa condition peu flatteuse
de fonctionnaire subalterne perdu aux confins du
monde, loin de sa terre natale, dans une de ces
nombreuses ornières administratives où il ne se
passait pas grand-chose et dont la plupart des
sujets de l'Empereur ignoraient le nom et l'existence.

Choisir les mots adéquats, les lier, composer
des phrases parfaites lui faisait oublier aussi qu'il
était le père de quatre marmots, et d'un cinquième
qui s'impatientait dans le ventre tendu de sa
femme, un de plus qu'il faudrait nourrir, mou-
cher, torcher, supporter, éduquer plus tard.

Le crissement aigre de la plume sur le papier,
l'odeur de l'encre parvenaient même à étouffer
ses pensées impures, l'embrasement de sa verge,
les idées d'accouplement qui le martyrisaient et

l'accaparaient trop souvent, le forçant à se caresser en cachette dans le Poste, après avoir envoyé l'Adjoint exécuter quelque tâche inutile au diable vauvert.

Quand il s'appliquait à produire une calligraphie parfaite, cela lui faisait même oublier Lémia, son visage impassible, la naissance de ses seins, sa peau assouplie par l'eau chaude du bain et les bulles de salive entre ses lèvres de fruit rouge, tous les éléments de la scène qu'il avait surprise quelques jours plus tôt et qui le hantait avec constance.

D'ordinaire, le rapport quotidien était vide de tout et il fallait au Policier beaucoup d'imagination pour le nourrir un peu. Mais depuis le meurtre du Curé Pernieg, il devait au contraire se brider chaque jour pour ne pas composer un rapport qui aurait l'ampleur et la dramaturgie d'un chapitre de roman. Il savait que l'attention du Commandant Sroh n'était pas très étendue ni son intelligence, extrême. Aussi tentait-il de faire un récit bref, ce qui s'avérait un exercice délicat en ce moment de brouillard épais.

Baraj venait de recharger le feu. La chaleur suffocante exacerbait les odeurs de cuir gras, de pieds et de cigare. Au-dehors, la terre enneigée se cousait au ciel, sans accroc. La bise avait laissé l'avantage à un vent d'ouest tout chargé d'eau. Il n'y avait aucun bruit, sinon de temps à autre un pet formidable envoyé par un des canassons qui, dans l'écurie attenante, rêvassait sans doute à l'été et aux grands champs d'herbe fraîche.

L'Adjoint s'était calé sur son tabouret, dans l'angle de la fenêtre, un mur contre chaque épaule. Il regardait le Policier écrire et, ainsi hors de sa vue, espérait se faire oublier de lui.

Hormis lorsque Nourio lui lisait le rapport, ce qui arrivait peu, ou quand son regard tombait dessus si le Policier le laissait en évidence et s'absentait, l'Adjoint ne savait rien de ce que relatait son supérieur.

À dire vrai, cela ne lui manquait pas. Il faisait son travail. Les jours succédaient aux jours. Il patrouillait en ville, de sa démarche mécanique et malcommode, grondait quelques enfants à la demande des parents, vérifiait les papiers des colporteurs, inspectait les chargements, apaisait une querelle de voisinage. Au Poste, il balayait, astiquait, nettoyait, veillait à ce que constamment le samovar soit alimenté en eau chaude, sortait chercher des bûches, donnait de l'avoine et du fourrage aux chevaux.

Quand il avait un peu de temps libre, il déployait une des cartes topographiques rangées sur une étagère, et la scrutait dans ses plus petits détails, à s'en user la vue. Il rentrait chez lui le soir, chiquait une mâchée de tabac jusqu'à en faire un jus noir dont il se gargarisait longuement et trouvait son bonheur dans les caresses de Mes Beaux qui l'accueillaient joyeusement, et leurs grands yeux couleur d'automne, emplis d'amour et de reconnaissance, le contemplaient comme s'il était le centre de l'univers ainsi que son monarque.

Mais lui qui n'enviait jamais rien ni personne aurait tout de même aimé savoir écrire comme le Policier : vite, sans peine ni hésitation, ni rature, et magnifiquement. Oui, il aurait aimé pouvoir tracer sur le papier certaines pensées rapides qui parfois le traversaient, des fragments de phrases sans queue ni tête mais qui lui procuraient du plaisir, par leur musique, par leur goût, et par leur couleur aussi, ce qui était une idée grotesque puisque les mots n'ont ni saveur ni couleur, mais ces débris de phrases, sortis il ne savait d'où, se faufilaient en lui, soldats enfuis d'un défilé et qui, après avoir jeté leur fusil, leur casquette et leur cartouchière, s'égaillent en riant vers des espaces où ne règne aucun officier. Cela le ravissait, même si aucune de ses phrases ne s'installait dans sa mémoire, qui n'était pas très spacieuse.

L'Adjoint était une grande chose sans âge, battue dans l'enfance plus que de raison, dont les traits grossiers dessinés au charbon de bois laissaient supposer qu'il était un radical abruti, que son allure maladroite accentuait et que sa conversation aussi pauvre qu'une source tarie confirmait en tout point. Mais cet animal à face d'homme ingrat voyait naître en lui des bribes de poèmes merveilleux, dont il ne savait même pas qu'ils étaient des poèmes, et qu'il ne parvenait pas plus à retenir qu'une jarre percée ne peut garder le vin qu'elle contient, fût-il le vin le plus précieux du monde.

Ainsi il restait l'Adjoint, et s'en contentait, soupirant simplement de temps à autre quand il songeait à cela, sans toutefois s'en chagriner à outrance car, si comme beaucoup d'hommes Baraj était passé à côté d'une autre vie possible dont il avait manqué la porte un jour sans la remarquer, la sienne lui convenait fort bien.

« As-tu compté tous les arrêts de la procession ? »

La voix du Policier le fit sortir de sa rêverie confuse et se lever dans une sorte de garde-à-vous bancal.

« Ne reste pas dans mon dos. Viens devant moi. »

L'Adjoint retrouva son embarras. Il avait à peine compris la question ayant chassé une dizaine de mots venus le visiter – *le temps du vent n'est pas encore passé, les lisières de neige ont perdu leur sourire* – et qui s'effilochaient déjà.

« Alors ? reprit Nourio d'une voix où pointait l'agacement, ce qui eut pour effet d'anéantir à jamais le poème. Ne reste pas debout ! On dirait un tronc ! Assieds-toi et réponds-moi. »

Baraj entortilla ses hautes jambes sous la table et posa ses grosses fesses sur la peau d'âne.

« Les as-tu comptés les arrêts ? »

Durant la procession, l'Adjoint s'était concentré sur les visages. Il s'était demandé si l'Assassin aurait assez d'audace ou de folie pour suivre le

127

cercueil de sa victime, mais la litanie sans cesse répétée par le Vicaire et la foule, le froid, les flammes mouvantes des torches, leur odeur entêtante, la sensation de faim car la soupe de pois cassés et le morceau de lard du matin étaient bien loin désormais, et le flot humain qui coulait, pâteux, dans les rues, tout cela lui avait donné mal à la tête, et peu à peu son attention s'était relâchée. Il s'était bien rendu compte que parfois la procession n'avançait pas, mais il avait pris cela pour un effet de l'encombrement produit par le nombre des participants et le peu de largeur de certaines rues de la petite ville.

Il finit, penaud, par avouer à son supérieur que non, il n'avait pas compté les arrêts.

« Tu as eu tort. Il y en a eu quatorze. Tu m'entends, quatorze arrêts. Et ce n'est pas un hasard. Cela évoque-t-il quelque chose pour toi ?

Baraj détestait ces moments où le Policier le questionnait. Il avait rarement les réponses, n'étant aucunement accoutumé à penser de cette façon, à soupeser les éléments, à les confronter, à chercher leur signification, à faire éclore une vérité. Il sentait alors sa bouche devenir sèche et ses paluches inutiles trembler sur ses cuisses. Il redevenait le petit garçon lent interrogé par le maître d'école, qui demeurait bouche bée près du tableau et dont on désignait à tous les autres l'ignorance avant de l'envoyer au coin pour le reste de la classe.

Il fit tourner le nombre 14 dans sa tête. Oui, cela lui disait bien quelque chose, mais quoi ? Le Policier l'observait de son regard jaune tout en caressant sa moustache. On entendit les juments s'ébrouer dans l'étable. L'une poussa un faible hennissement. Sa compagne ne lui répondit pas. Et soudain, l'Adjoint eut une illumination qui le fit tressaillir.

« Le chemin de croix ! Les quatorze stations du chemin de croix !

« Bien ! » fit le Policier en le gratifiant d'un sourire, ce dont ne revint pas l'Adjoint qui sentit son corps se détendre.

Il essuya avec discrétion ses mains moites sur l'étoffe de son pantalon, et sourit lui aussi, un sourire avorté car il n'était pas habitué à le faire, sa nature étant plutôt placide et sa honte trop grande d'exhiber ses dents noires de chiqueur.

Le Policier posa sa plume, se leva avec vivacité, tira sur son gilet, et se mit à marcher autour de la table, les mains dans le dos, courbé, comme il le faisait quand il s'apprêtait à parler longuement.

D'une voix fiévreuse, le Policier expliqua à l'Adjoint qu'il avait tout d'abord pensé la même chose que lui. Tout se prêtait à cette explication. Quatorze arrêts. Quatorze stations. Le chemin de croix. Le calvaire du Christ. Pernieg assimilé par le Vicaire à un nouveau Messie, en tout cas un martyr. Évidemment ! Mais il avait commencé à avoir un doute au cinquième arrêt. Un doute et une intuition qui avaient grandi au sixième arrêt, qui s'étaient fortifiés au septième. Au huitième arrêt, ce qu'il pressentait devint une certitude, à tel point qu'il put prévoir quels seraient les arrêts suivants jusqu'au quatorzième.

Et il ne se trompa pas.

« Prends mon calepin et regarde la page de droite. »

Baraj se saisit du carnet de son supérieur avec des précautions qu'on a d'ordinaire pour les manuscrits précieux.

« Lis à haute voix ce que j'ai noté. »

L'Adjoint inspira profondément, se racla la gorge deux fois et se lança dans la lecture avec la crainte de buter sur chaque mot :

« Première station : Antovic. Deuxième station : Kadar. Troisième station : Bedjej. Quatrième station : Krashmir. Cinquième station : Drakjo. Sixième station : Kouechi. Septième station : Pechvec. Huitième station : Velkoj. Neuvième station : Egosgh. Dixième station : Rudjic. Onzième station : Mameijka. Douzième station : Sarkejk. Treizième station : Uvguejic. Quatorzième station : Guedj.

Il se tut. L'effort l'avait épuisé. Sa bouche était sèche mais il n'osa pas se resservir du thé.

« Alors ? Est-ce clair ? »

Baraj n'y comprenait goutte, mais il eut peur de le dire. L'expérience lui avait enseigné qu'il suffisait d'attendre. Tout allait se révéler car le Policier aimait expliquer ses raisonnements.

Il se contenta de secouer lentement la tête d'un air entendu.

« Toutes les familles ! Les quatorze familles musulmanes de notre ville. Il n'en manque pas une. Le Vicaire s'est arrêté devant la maison de chacune d'elles. Tu l'as compris, ces stations n'avaient résolument rien à voir avec le chemin de croix ! Rien ! Et tu auras noté que la dernière station a été devant le logis de l'Imam, cela n'est pas un hasard ! Pas du tout un hasard !

« Non, pas du tout un hasard... » se crut obligé de répéter l'Adjoint à qui toute cette histoire commençait à faire vraiment mal à la tête.

Le Policier rappela qu'à chaque arrêt, après un temps de silence, le Vicaire reprenait son antienne « Repentez-vous ! Repentez-vous ! Repentez-vous ! » avec une voix plus forte, et que la foule la faisait éclater à sa suite, comme les trois coups d'une formidable canonnade.

Baraj ignorait cela, et il ignorait quantité de choses. Contrairement à Nourio qui n'avait pas quitté la tête du cortège, il s'était glissé dans la foule et s'y était laissé flotter pour mieux l'observer. Aussi n'avait-il pas vu avec précision où avaient eu lieu les quatorze stations, pas plus qu'il n'avait constaté avec quel visage de fureur et de haine, en fixant les volets clos des maisons devant lesquelles il s'était arrêté, le Vicaire aux pieds nus hurlait son anathème.

Le Policier avait arrêté de tourner autour de la table et s'était approché de la fenêtre pour coller son front contre la vitre ainsi qu'il aimait le faire quand trop de pensées l'échauffaient. Il regardait la blancheur immense qui s'étalait devant lui, sans nuances ni relief. Il se sentait perdu et faible. Il lui arrivait souvent de passer ainsi de la plus grande excitation à une forme profonde d'abattement.

Approcher la complexité du monde, ou tout du moins une partie de celle-ci, n'était source d'aucune sérénité. Bien au contraire. Il pensa alors à l'Adjoint dont il entendait la respiration paisible dans son dos. Il envia son étroite intelligence.

La mort brutale du Curé lui apparut soudain un événement dérisoire. Car ce qui comptait désormais était ce que certaines forces à l'œuvre avaient décidé d'en faire. Il eut le sentiment qu'un rien ferait basculer l'enquête, dont il avait pensé pouvoir se régaler, vers une dimension au sein de laquelle ni la vérité, ni ses déductions, ni l'identité réelle du coupable, ni lui-même n'auraient la moindre importance, et tout en pressentant cela il ne parvenait pas à imaginer la manière dont il pourrait s'opposer au cours impétueux des choses.

Il se sentit ridiculement petit et sans pouvoir. Alors il serra ses poings maigres, appuya plus encore son front contre la vitre froide, presque à la faire éclater, et ferma les yeux.

XI

Il ne fut pas bien compliqué pour le Policier d'apprendre comment le Vicaire avait eu connaissance de l'emplacement des quatorze maisons.

Pendant les quelques jours où l'Évêque et sa suite avaient séjourné dans la petite ville, le vieux morceau décati d'ecclésiastique et le Vicaire n'avaient pas quitté le Palais d'État.

Le premier s'était recroquevillé dans un lit à baldaquin qui datait du temps des Seigneurs de Kodiva et où l'on aurait pu coucher dix squelettes comme lui, se nourrissant de tisanes et de bouillon de poule que le Vicaire faisait préparer à la cure par la servante de Pernieg, et que celle-ci apportait avec mille précautions, se persuadant qu'il s'agissait de nourritures célestes propres à lui ouvrir en grand les portes du Paradis.

Le Vicaire quant à lui partageait son temps entre la prière qu'il pratiquait plusieurs heures par jour, dans sa chambre ou dans la chapelle du palais qu'il avait fallu dépoussiérer pour l'occasion, et de longues conversations avec le Maire et le Rapporteur de l'Administration impériale, qu'il recevait séparément.

Malgré ses tentatives de faire parler l'un et l'autre autour d'un pot de bière, le Policier ne put rien connaître de la teneur de ces entretiens, ce qui le contraria, mais le contraria plus encore le refus qui lui fut signifié à sa proposition de se mettre à disposition du Vicaire. Un homme de la suite de l'Évêque vint lui porter la réponse, pas même écrite, simplement orale, qui disait qu'on n'avait pas besoin de lui et qu'il pouvait continuer à *vaquer à ses occupations*.

Cette dernière expression le blessa plus que la lame d'un poignard. Elle le rabaissait aussi bas que terre, en l'assimilant à un quelconque serviteur tout juste bon à récurer les sols et vider les tinettes.

Le Policier avait pensé que le Vicaire voudrait l'entendre et connaître de vive voix son avis sur le meurtre. Il se disait que ce serait pour lui une opportunité d'approcher le curieux personnage et se rendre compte de ce qu'il était en vérité, tant il lui faisait l'impression d'être davantage échappé des tréteaux d'un théâtre bouffon ou d'un asile d'aliénés que des salles d'étude du grand séminaire de T.

Et ce religieux grotesque venait de lui faire dire qu'il était inutile qu'il se déplace, qu'il pouvait continuer à *vaquer à ses occupations* ! Nourio avait toujours eu l'habitude dans la petite ville d'être traité par tous, habitants et édiles, avec respect et même déférence, ce qui avait fini par lui donner une idée fausse de lui-même et de ses missions. L'attitude cinglante du Vicaire le renvoyait à sa condition misérable mais bien réelle, celle d'une sorte de garde champêtre dont les compétences servaient davantage à régler de menues contrariétés et des problèmes de voirie que de tortueuses affaires criminelles.

Comme chez tout être encombré d'orgueil et d'une bonne pincée de suffisance, cet affront eut l'effet d'une brûlure au fer rouge et il fallut que le Policier marchât de longues heures sur le plateau enneigé, dans les bourrasques et la brume, sans direction ni but autre que de s'épuiser, pour retrouver un peu de calme et de dignité.

Pendant que l'Évêque régressait dans les âges barboteurs de la haute enfance, tétant dans le trop grand lit ses tisanes, et que le Vicaire se donnait l'importance d'un ambassadeur, les autres membres de la délégation, à savoir les trois gardes et le jeune homme efféminé, avaient pris quartier à l'Auberge de Vilok où ils buvaient ferme, mangeaient en ogres et régalaient autour d'eux les éternels ivrognes qui n'en revenaient pas de l'aubaine.

Le jeune homme était leur chef. Il était vêtu avec recherche, de velours parme et de fourrure de loup, et tout dans ses façons témoignait d'une éducation raffinée ainsi que d'une haute naissance. Il buvait autant que les autres, mais le faisait avec des manières et des grâces, tenant les verres grossiers de l'Auberge comme s'ils avaient été taillés dans le plus beau cristal.

Les trois autres avaient des têtes de soudards et d'assassins, brutales et couturées de cicatrices dont on pouvait supposer qu'elles étaient les souvenirs de rixes sanglantes ou d'engagements guerriers. Ils inspiraient à quiconque croisait leur regard une crainte immédiate et nul n'aurait aimé les rencontrer au coin d'un bois ou dans une sombre venelle.

Ils portaient des vêtements de soldats, mais de soldats sortis d'un autre âge, lansquenets ou mercenaires des siècles perdus, avec de hautes bottes à retrousse qui leur montaient au-dessus des genoux, des pantalons de feutre, des chemises bouffantes qui avaient été blanches jadis et dont les manches crevées s'échappaient de gilets en cuir d'Espagne serrés par des lacets.

On s'étonnait presque de ne pas voir de rapière apparaître contre leurs flancs, ni de dague à leur ceinture. Ils parlaient la langue du pays, avec des intonations rauques, mais en utilisaient une autre lorsqu'ils conversaient tous les quatre entre eux, une langue que le Policier ne connaissait pas, qui ne lui rappelait aucune de celles qu'il avait entendues au cours de sa vie, mais l'Empire était si vaste et si varié, réunissait tant de peuples et de cultures, qu'il était impossible de maîtriser tout ce qui s'y parlait.

Les quatre hommes occupaient toujours la même meilleure table : c'était un meuble bavarois en noyer, torsadé et massif, échoué là on ne savait comment et que Vilok avait disposé dans un angle de l'Auberge, sur une estrade, face à la porte de la cuisine et non loin du poêle de faïence bleue que l'Aubergiste bourrait jusqu'à la gueule afin de plaire à ses commensaux mais aussi d'aiguiser leur soif.

Quand le noir gagnait peu à peu sur la grisaille du jour, vers les quatre heures de l'après-midi, et qu'en plus d'alimenter le poêle de bûches carrées on allumait l'âtre et les bougies des grands lustres de fer forgé, il arrivait au passant qui jetait un regard vers l'Auberge d'apercevoir les quatre personnages ivres et riant les uns vers les autres en tenant leur verre ou quelques cartes à jouer, la pénombre mangeant à demi leur visage.

On délie les gorges en les rinçant. Les mots viennent bien aisément avec le vin, d'autant que les forts buveurs sont souvent de grands bavards. Le jeune homme aux **manières** de femme et ses trois compères surent **bien** vite ce qu'ils voulaient connaître, à savoir où logeaient ceux qui avaient choisi pour dieu celui de Mahomet, et comment ils se nommaient, et combien ils étaient.

Quelques boit-sans-soif leur indiquèrent les maisons des familles musulmanes en les accompagnant de leur démarche incertaine, tandis que les compères prétextaient un tour de ville et de tapage. Et sans doute le Maire et le Rapporteur, tout disposés à faire preuve du zèle le plus veule, confirmèrent-ils leurs informations au Vicaire.

Le jour de la procession, point n'était besoin d'expliquer aux pénitents pourquoi on piétinait à tel endroit plutôt qu'à tel autre. Les foules sont idiotes mais traversées parfois de vifs éclairs de clairvoyance. Il convient souvent d'attendre un peu afin que s'opère la révélation, et ce qui semble n'avoir aucun sens dans le moment où la chose est vécue en acquiert durant les lendemains, par l'entremise d'une sorte de digestion miraculeuse.

Un des premiers effets de cette chimie gastrique ne se fit pas attendre bien longtemps.

Trois jours après les funérailles du Curé Pernieg et la procession de repentance, alors que la veille l'Évêque branlant et sa suite avaient levé le camp et regagné T., une main anonyme souilla de sang de porc les portes des quatorze logis, en y barbouillant un approximatif symbole qui ressemblait à un croissant, après avoir attaché un goret à celle de la mosquée et l'avoir égorgé sur place.

L'annonce du meurtre du Curé avait saisi la ville d'incrédulité et de peur. Celle du sacrifice blasphématoire du cochon et de la grande peinturlurade frappa les âmes tout en les échauffant. On s'en scandalisait dans les conversations de rue tout en en riant sous cape. On s'horrifiait avant de se donner des coups de coude et des clins d'œil. On s'offusquait en public tout en approuvant dans son for intérieur.

Jamais on n'avait vécu pareille chose : en moins de deux semaines, la petite ville avait connu deux événements qui auraient suffi chacun séparément à alimenter les discussions du soir pour trois générations. On s'approchait du bord d'un abîme, c'était certain, mais lequel ? Savoir le vide tout proche, immense et insondable, ne pas en connaître la nature ni la façon dont on verrait le monde s'y précipiter, distillait autant d'inquiétude que d'excitation. L'être humain chérit les temps de possible désastre, qui donnent tout à la fois du prix à sa misérable existence et un piment violent aux lendemains dont il ne sait pas encore de quoi ils seront faits.

C'est l'Imam, accompagné du Maire, qui était venu frapper au domicile du Policier. Il avait découvert les traînées de sang sur la porte de sa maison et, quelques instants plus tard, le porc égorgé contre celle de la mosquée. Puis il avait fait le tour de ses fidèles dont certains en découvrant les souillures se frappaient le visage, gémissaient et pleuraient.

Le jour étincelait. Pour la première fois depuis plusieurs semaines le ciel était d'un bleu immaculé. Le soleil, léger et clinquant, donnait à la neige partout entassée sur les toits et les champs environnants d'insoutenables brillances.

Nourio regardait cela en plissant les yeux par-delà la fenêtre de la chambre où il était remonté porter un bol de thé à sa femme. Le ventre de celle-ci s'était encore tendu un peu plus, et l'enfant donnait d'incessants coups de pied qui la faisaient gémir. Ses cheveux étaient trempés de sueur. Elle tenait le bol des deux mains, se forçant à laper un peu de thé tout en poussant régulièrement de faibles plaintes à chaque ruade de l'enfant.

Pourtant, la grossesse n'était pas encore arrivée à son terme. Restaient trois ou quatre semaines de souffrance. Le Policier n'en pouvait plus. Sa femme ne quittait pas le lit. Leurs enfants étaient laissés à eux-mêmes. La maison prenait un fumet de bauge. Le linge souillé s'entassait. La saleté se déposait partout. Il contemplait cela avec dégoût.

Quand les coups retentirent à la porte et qu'en ouvrant il découvrit le visage rougeaud et embarrassé du Maire et celui de l'Imam, dont le regard affolé trahissait une émotion considérable, il ressentit une joie violente : quelque chose avait encore eu lieu.

Quelque chose qui allait lui donner le prétexte de quitter son logis, sa femme geignante et ses enfants insupportables. Quelque chose qui lui assignerait de nouveau une importance que certains avaient voulu lui dénier.

Nourio, le Maire et l'Iman, bientôt rejoints par Baraj que la rumeur avait prévenu, firent le tour de la ville en contemplant les profanations que chaque famille s'employait déjà à faire disparaître à grand renfort de seaux d'eau chaude.

Le Policier avait sorti son calepin et questionnait les uns et les autres tout en prenant des notes. L'Iman, très agité, tremblait de son petit corps et levait constamment les mains vers le Ciel, murmurant en arabe ce qui devait être des prières ou des imprécations. Le Maire ne savait trop quelle contenance adopter et se contentait de répéter que cela était bien préoccupant en promettant de trouver au plus vite le responsable. Quant à Baraj, il suivait le cortège à la façon d'une bête soucieuse, inoffensive et brave.

Quand l'inspection fut terminée, ce fut lui qu'on chargea de détacher le porc mort de la porte de la mosquée et de le faire disparaître. Lorsque le Policier lui confia cette mission, avec l'assentiment du Maire, Baraj sentit son cœur battre plus fort et remercia avec effusion, puis rougit comme une jeune fille quand il se rendit compte qu'il était ridicule de remercier le Policier et le Maire car il lui parut soudain évident qu'ils lui confiaient cette tâche simplement parce que personne d'autre que lui n'aurait voulu s'en charger.

Il s'en acquitta du mieux qu'il put, et après avoir frotté le sang sur la porte et fait disparaître toute trace, il détacha le goret qu'on avait ligoté par les pattes arrière et hissé à un mètre du sol. Celui-ci le regarda faire avec ses yeux bleus, doux et placides. Baraj le traîna jusqu'à une brouette où il le fit basculer. Le cadavre était encore souple et tiède, ce qui persuada l'Adjoint qu'on l'avait saigné peu avant l'aube. Le gel avait été si fort que si l'acte avait été commis dans le milieu de la nuit, le cochon au matin aurait été aussi dur qu'une pierre. Il se promit de dire cela au Policier.

Quand Baraj s'éloigna dans les rues en direction de la porte de la ville, il fut suivi par une troupe joyeuse d'enfants qui sautillaient et plaisantaient en regardant la bonne tête du cochon égorgé bringuebaler dans la brouette. L'Adjoint s'en amusa pendant un moment mais les chassa dès qu'il eut passé les dernières maisons.

On approchait de midi. Le temps était âpre et splendide. Baraj ferma les yeux et huma une longue goulée d'hiver. L'air froid entra dans ses poumons et les brûla d'un feu merveilleux. Il reprit son chemin en poussant sa brouette. Son idée était d'atteindre le bord du gouffre des Plözev et d'y basculer le cadavre.

Le plateau calcaire sur lequel la ville était posée se trouait comme un fromage de mille et une dolines, dont certaines n'étaient pas plus grosses qu'un kreuzer, tandis que d'autres au contraire avaient le diamètre d'une tour de garde. Quelques-unes, peu creusées, récoltaient au printemps l'eau de pluie et servaient d'abreuvoir aux bêtes pendant l'estive. D'autres encore semblaient sans fond et quand on y laissait choir une pierre, on l'entendait pendant d'interminables secondes heurter les parois, bondir et rebondir, dégringoler jusqu'au cul de la terre.

À mesure que l'Adjoint avançait et contemplait le cochon qui paraissait dormir d'une sieste grasse dans la brouette, il se mit à penser qu'il était stupide de jeter une aussi belle quantité de viande. Si l'Imam et ses fidèles trouvaient l'animal impur, ce n'était pas son cas, et quand son supérieur et le Maire lui avaient donné l'ordre de le faire disparaître, aucun des deux n'avait spécifié la méthode à suivre. Jeter l'animal dans un trou ou le transformer en saucisses et en jambons aboutissait au même résultat, à ceci près que la première solution causerait un chagrin durable à l'Adjoint, tandis que la deuxième lui assurerait des jours heureux de subsistance. La viande ici était chère et ses maigres appointements ne lui permettaient pas souvent de s'en procurer.

Baraj s'assura qu'il n'avait pas été suivi, que personne ne pouvait le voir, alors il changea de direction. Cheminant à l'abri des regards grâce à de hautes congères, il arriva une heure plus tard, à force de tours et de détours, à sa cabane où Mes Beaux bondirent autour de lui en jappant, léchèrent ses mains imprégnées de l'odeur du sang, avant de renifler le groin du cochon.

Pendant ce temps le Maire, le Policier et le Rapporteur de l'Administration impériale, qui les avait rejoints, se concertaient. Assis au bout de la table du Conseil, tous trois semblaient de chétives créatures dans la salle aux dimensions bien trop grandes pour eux, mais de cela, ils ne se rendaient pas compte, car les hommes se soucient peu des enseignements que leur donne l'architecture.

L'Imam avait souhaité rester avec eux mais, sur le seuil, le Policier lui avait dit que ce n'était pas souhaitable, simplement avec ces mots : *ce n'est pas souhaitable*. Guedj avait semblé si choqué qu'il n'avait pas osé demander d'explication.

« Je pense que vous avez mieux à faire dans votre mosquée et auprès des vôtres, n'est-ce pas ? avait poursuivi le Policier, sur un ton ironique qui avait été loin de déplaire au Rapporteur.

L'Imam avait fouillé dans sa barbe pour y faire naître une objection mais, ne la trouvant sans doute pas, il avait rajusté son caftan et regardé durement les trois hommes qui lui faisaient face avant de lancer :

« *Wifq Allah alshaat aldaala !*

« Est-ce que ce sont des menaces ? avait demandé le Policier.

« Pourriez-vous vous exprimer dans *notre* langue ? avait continué le Rapporteur en caressant le coussinet de cuir qui masquait son œil mort.

« Je m'exprime dans la langue de la vérité. Je parle dans la langue du Prophète, que son nom soit loué !

« Et pourriez-vous avoir l'extrême amabilité de traduire à notre intention ce que *votre* Prophète dit ? avait repris le Policier que tout agaçait dans l'attitude de l'Imam.

144

« *Qu'Allah vienne en aide aux brebis égarées !* Ce ne sont pas des menaces. C'est une prière. C'est une sourate du Livre saint.

« Est-ce à dire que vous considérez que nous sommes des brebis égarées ? avait demandé le Policier avec un sourire goguenard.

L'Imam qui jusque-là fuyait le regard de Nourio le fixa droit dans les yeux. Son visage, ses mains, tout son corps tremblait comme si on l'avait soumis à une expérience d'électricité curative, ainsi qu'il s'en pratiquait depuis quelques années dans les instituts pour les fous. Et quand il répondit au Policier, on eut l'impression qu'il crachait les mots plus qu'il ne les disait :

« Si vous ne l'êtes pas encore, j'ai bien peur que vous le deveniez. »

Puis il tourna les talons et sortit de la salle.

Même si son départ suscita le sourire du Policier et des gloussements de volaille chez le Rapporteur, il plongea le Maire dans l'embarras car celui-ci n'aimait rien moins que les contrariétés. Mais après quelques verres d'alcool de genièvre puisés dans la bouteille qu'il se fit apporter par Mirko, son homme à tout faire, qui avait pour particularité de n'avoir qu'une jambe, l'autre ayant été écrasée sous un chêne dans sa jeunesse, et remplacée par une prothèse taillée dans l'arbre même qui l'avait meurtri, le Maire retrouva son assurance imbécile et sa voix forte.

Nourio fit remarquer aux deux autres que personne pour le moment n'avait signalé de vol de cochon. Ils avaient fait le tour de la ville. L'événcment était désormais connu de tous les habitants et pourtant nul ne s'était manifesté pour dire qu'on lui avait pris un animal. Le Rapporteur, pensif, se cura le nez. Le Maire, qui ne savait comment interpréter ce que venait de dire le Policier, se resservit un verre d'alcool. Nourio fit tourner le sien entre ses doigts sans y avoir porté les lèvres.

« Qu'est-ce que cela signifie d'après vous ? demanda le Maire.

« Tout simplement qu'aucun vol n'a été commis. Quelqu'un a décidé d'utiliser un de ses porcs de la façon que nous savons. À mon avis, si quelqu'un l'a offert pour cette *cérémonie*, il n'a pas été seul pour l'exécuter. Le goret pesait près d'un quintal. Il faut être deux et peut-être même trois pour le soulever et l'accrocher à une porte. Et pour faire ensuite le petit périple sanguinolent que nous connaissons, et le faire le plus rapidement possible, mieux vaut là aussi être plusieurs. Un seul homme mettrait plus d'une heure et prendrait le risque d'être découvert, au lieu qu'à trois voire quatre, sinon davantage, le tour est joué en dix minutes. Ce qui confirme cette hypothèse, c'est qu'à la même heure, c'est-à-dire à la demie de cinq heures, Mulud Drakjo et Samir Pechvec, dont les maisons sont à l'opposé dans la ville, entendent un bruit devant chez eux. Ils pensent à

146

un animal, chien ou renard. Tous deux regardent l'horloge mais ne prennent pas la peine de sortir. Il est évident que ce qu'ils entendent, ce sont les coups de pinceau.

Le Policier pour appuyer ses propos tapota sur son carnet posé devant lui.

« Il suffirait alors de savoir à qui manque un cochon pour connaître le coupable ? avança le Rapporteur.

Le Maire leva ses bras qu'il avait curieusement courts et les laissa retomber sur la table.

« Qu'est-ce que vous croyez ? Que j'ai une liste recensant tous les cochons de la commune ? Chaque famille, hormis celles que nous savons, en possède. Certaines deux ou trois, d'autres une dizaine ! Sans parler des paysans ! Boniek ou Srolic qui en font commerce en ont de vrais troupeaux !

« Très bien, reprit le Rapporteur d'un air pincé, en ce cas, que préconisez-vous ?

Le Maire embarrassé se tourna vers le Policier. Nourio garda le silence pendant un moment, et c'était chez lui une stratégie de voir les deux hommes face à lui, qui attendaient de sa bouche une idée ou une solution comme s'il avait été un être providentiel. Il fit durer son effet puis dit d'une voix plus basse et plus grave :

« Le mieux, il me semble, est de ne rien faire.

Le Rapporteur faillit en tomber de sa chaise.

« Ne rien faire ! Ne rien faire ! Mais vous n'y pensez pas ! Si nous ne faisons rien, Dieu sait ce qui pourra se passer !

« Et que voudriez-vous qu'il se passe ? Tout cela est le résultat d'une simple équation mathématique.

À l'énoncé du mot « mathématique » qui était un peu compliqué pour lui et annonçait des perspectives indéfinies, le Maire fronça les sourcils. Il se resservit un autre verre d'alcool.

« Expliquez-vous ! exigea le Rapporteur.

« L'addition de l'assassinat de Pernieg et de la procession du Vicaire aboutit au cochon tué et aux peintures blasphématoires. Il n'y a pas de hasard et tout est lié. Vous enlevez un des membres de cette équation et les autres n'existent pas. J'ajouterai qu'elle est complète et résolue, ce qui signifie qu'elle ne peut ouvrir sur aucune suite. C'est pour cette raison que je préconise de ne rien faire. Ne rien faire par rapport à ce dernier événement. Cela ne servirait personne de connaître qui a donné son cochon, quels sont ceux qui l'ont égorgé, suspendu à la porte de la mosquée, et ont recueilli son sang pour en badigeonner les portes des maisons musulmanes. Le plus important et le plus urgent est que mon enquête se poursuive et que je démasque le ou les coupables du meurtre de Pernieg. Le Vicaire dans sa procession a manifestement désigné l'appartenance du Meurtrier à la communauté musulmane de notre ville, en tout

cas certains l'ont compris ainsi, d'où les profanations. Sur quelles preuves est-il arrivé à cette
conclusion ? Je n'en sais rien. Le savez-vous ?
Vous vous êtes longuement entretenus avec lui,
n'est-ce pas ?

« Si vous me permettez, j'aimerais attirer votre
attention sur un point. »

Le Rapporteur avait retrouvé son assurance et
lancé la phrase d'une voix forte. Nourio se tourna
vers lui. Le Maire jeta au Rapporteur un coup
d'œil craintif.

« Que se passe-t-il vraiment aujourd'hui dans
notre ville ? D'ordinaire paisible, elle vient de
connaître deux événements extraordinaires : l'un
dont l'horreur est glaçante, le meurtre de sang-froid
d'un homme d'Église. L'autre qui s'apparente à
une pitrerie d'étudiants commettant une farce. Le
premier choque et bouleverse l'immense majorité
des habitants. Le second contrarie une partie très
faible d'entre eux. Les quatorze familles de religion
musulmane représentent cinquante-quatre âmes en
tout et pour tout, vieillards et nourrissons compris.
J'ai vérifié les chiffres dans les relevés de la population. Les autres familles, disons chrétiennes, c'est-à-
dire le reste des habitants de notre ville, représentent
mille trois cent soixante-dix-huit habitants. Serait-il
normal, décent, acceptable, que l'avis, le sentiment,
l'opinion, le sort de cinquante-quatre êtres humains
soient plus précieux que ceux de mille trois cent
soixante-dix-huit ? Ma réponse est non. Ce que je

crois essentiel, c'est de ne se préoccuper que du plus grand nombre, et ce plus grand nombre demande la vérité et la punition du ou des coupables du meurtre de notre Prêtre.

Le Rapporteur se tut tout en gonflant ses poumons d'air et d'importance. Le Maire ne savait quoi penser. Il regardait le Policier comme pour le prier de lui venir en aide. Ce dernier tapotait la table avec la tranche de son calepin.

« Mais nous disons la même chose, il me semble, monsieur le Rapporteur. Je suis autant que vous désireux de découvrir la vérité sur le meurtre du Curé Pernieg.

« La vérité, certes, trancha le Rapporteur, mais laquelle ? Une vérité acceptable par la majorité de notre communauté, ou une vérité qui irait contre son sentiment au bénéfice d'une extrême minorité ?

« Il n'y a pas deux vérités.

« Je n'en suis pas si sûr que vous, Capitaine. Car après tout, est vrai ce qu'on décide qui le soit. Pour le bien commun. Monsieur le Maire, qu'en dites-vous ?

Egor, que cette discussion commençait à fatiguer plus que de raison et que l'alcool avait troublé, acquiesça avec vigueur, sans avoir saisi le raisonnement du Rapporteur.

« Eh bien faisons ainsi, et trinquons ! » dit-il en frappant dans ses mains et en se levant. Cela ne voulait pas dire grand-chose et n'engageait à rien, et c'était souvent ainsi qu'il mettait un terme à des débats boiteux auxquels il ne comprenait rien.

Les deux autres l'imitèrent. Le Rapporteur ajusta sa redingote qu'il ne quittait jamais et faisait sa fierté, replaça son coussinet de cuir sur son œil mort et se lissa les cheveux qu'il avait roux.

Le Policier pensif rangea son calepin dans sa gibecière. Il songeait à certaines parties d'échecs qu'il avait disputées quand il était plus jeune et qui avaient laissé chez lui beaucoup d'amertume et d'interrogations, car durant leur déroulement, s'il avait bien senti que son adversaire avait élaboré une stratégie à long terme qu'il subissait, il ne parvenait jamais à percer sa progression malgré tous ses efforts, et finissait mat à chaque fois.

Les trois hommes se saluèrent en silence et quittèrent la salle. Au-dehors, le soleil bas d'hiver paraissait suspendu à quelques mètres des toits, hésitant à s'y poser. Le froid était vif et exaltant. L'air scintillait. Les volutes sortant des cheminées s'élevaient droit dans le ciel d'un bleu profond.

Nourio alluma un *krumme* et aspira la première bouffée avec excitation. Cela le fit chavirer comme toujours, car l'odeur et le goût de la fumée lui rappelaient ceux du sexe des femmes. Il prit le chemin de sa maison, tira une autre bouffée de son cigare qui fit surgir dans son esprit des fantasmagories érotiques et il songea soudain à Lémia.

Alors il s'arrêta en pleine rue, ferma les yeux.

Le visage de la très jeune fille lui apparut. Il s'attarda sur ses lèvres délicates, sur son front, sur le lobe charnu de ses oreilles. Il tenta de deviner la forme de ses cuisses, de ses hanches, la douceur et le parfum de sa naissante fourrure secrète. Il sentit dans son pantalon son membre durcir et cogner l'étoffe de son caleçon en même temps que son cœur s'emballait.

Il lui fallait la revoir.

Là.

Maintenant.

Pour son enquête, se convainquait-il.

Il rebroussa chemin et se dirigea à grands pas vers la maison du Sabotier.

XII

C'était la deuxième fois en quelques semaines que Nourio pénétrait dans le logis de Pakmur. Il fut encore davantage frappé par la pauvreté et la tristesse qui se dégageaient du lieu. L'unique pièce dessinait une allégorie de la misère où il ne manquait plus que les larmes et les plaintes. Chaque objet paraissait blessé. Les couleurs s'étouffaient dans un camaïeu de bruns sourds et de verts éteints. Des murs suppuraient le salpêtre et des sortes de moisissures grises figuraient des fresques inquiétantes. Du plafond de grosses planches mal ajustées pendait un entrelacs de toiles d'araignées qui retenaient dans leurs filets des grains de suie et des débris de paille. Les deux fenêtres étaient à demi borgnes, le verre cassé en plusieurs endroits avait été malhabilement remplacé par des morceaux de bois, si bien que même en ce jour lumineux la pièce ressemblait à l'arrière-boutique obscure d'un vieil usurier juif.

153

Seul l'âtre dans lequel brûlait un bon feu amenait une note humaine et bienveillante dans cet univers étouffant où on se disait que seuls des cris, des douleurs et des drames pouvaient advenir. Et ce qui était troublant, songea le Policier, c'était que l'habitation n'avait pas d'âge. Cette misère et ce dénuement pouvaient tout aussi bien être sortis des temps bibliques, de l'époque de la guerre de Trente Ans ou appartenir à ce présent immobile.

Dans le coin où se trouvaient l'atelier et les outils du Sabotier, Nourio remarqua que rien n'avait bougé depuis sa première visite. C'était un décor figé, une scène suspendue pour les besoins d'une enquête ou par la mort de l'occupant.

Il chercha des yeux la bassine en fer-blanc dans laquelle Lémia avait pris son bain mais il ne la vit pas. Il aperçut par contre dans un angle à proximité du feu deux petits lits, serrés l'un contre l'autre, aux couvertures trouées çà et là mais impeccablement bordées.

Sur l'un d'eux reposait un pantin de bois aux yeux et au nez peints d'un bleu vif. Non loin, il y avait une petite table, un banc, une sorte de caisse qui servait de garde-manger et dans laquelle on devinait un grand pain, des assiettes, des couverts. La poussière qui assourdissait l'habitation de son voile beige et cotonneux avait été chassée de cet endroit. Tout y était propre et ordonné. C'était une minuscule enclave préservée au sein du chaos, et cela ne pouvait être dû qu'à la volonté de la fillette, qui jouait son rôle de mère et femme avec sérieux malgré son jeune âge qui aurait dû être celui de l'insouciance et des jeux.

À l'opposé, une paillasse posée à même le sol de terre près de laquelle traînaient des bouteilles vides et deux verres brisés servait de couche au père. Cela puait le mauvais vin, la crasse et la sueur. Des hardes roulées en boule exhalaient des relents de dégueulis. Le Sabotier ronflait au milieu de tout cela, la face écrasée contre un godillot à la semelle décollée.

Nourio le secoua du bout du pied. Il fallut insister quatre fois avant que l'autre émerge de son sommeil d'ivrogne en jetant autour de lui des regards effarés. Il se mit péniblement assis, se frotta la trogne des deux mains, passa ses doigts dans ses cheveux, puis il tenta de se lever mais n'y parvint pas. Il resta ainsi, les coudes sur les genoux, et tourna sa face cuite vers le Policier.

« Où sont vos enfants ?

« Enfants… ?

« Lémia et Douri ?

« Lémia… ? »

Pakmur répétait mécaniquement les mots du Policier, et ne semblait pas les comprendre.

« J'ai soif… » finit-il par dire.

Il se mit à fouiller autour de lui et trouva dans la poche d'un manteau qui n'avait plus ni forme ni couleur une bouteille dans laquelle restait un fond d'alcool. Il le siffla, s'essuya les lèvres d'un revers de main et laissa tomber la bouteille. Il fut secoué d'un spasme, rota, puis regarda de nouveau le Policier. Il semblait davantage éveillé.

« Je vous reconnais. Qu'est-ce que vous leur voulez ?

« J'aimerais poser de nouveau quelques questions à Lémia, et qu'elle refasse avec moi le parcours qui les a menés à la découverte du corps du Curé.

« Ah… Et le petit aussi ?

« Ce ne sera pas nécessaire. Lémia suffira.

Sa tête dodelina. Il eut un hoquet et rota de nouveau.

« Vous n'auriez pas à boire… ? »

Il avait demandé cela d'une voix très faible et d'un ton suppliant, la tête baissée vers le sol. Nourio ne répondit pas. Le Sabotier leva lentement les yeux vers lui.

« Ne me jugez pas mal.

« Je ne vous juge pas.

« Je vois bien que si, Commissaire.

« Je ne suis pas commissaire, mais simplement Capitaine.

L'ivrogne lui tendit la main. Il hésita à la saisir puis finit par l'aider à se relever.

Le Sabotier le dépassait d'une tête. Il flottait dans ses vêtements comme s'ils avaient été taillés pour un autre. Sans doute avait-il beaucoup maigri ces derniers temps. En le regardant avec attention, le Policier fut soudain frappé par ses traits que des années de beuverie avaient brouillés mais dont la finesse sous la couperose se lisait encore çà et là. Ses yeux intenses semblaient être le vestige d'un autre homme, d'un autre être à demi disparu sous les ravages d'une chute irréversible. Il parut deviner ce que Nourio pensait. Il reprit d'une voix calme :

« Je n'ai pas toujours été ainsi. »

Il s'approcha du feu vers lequel il tendit les mains.

« Je viens de la ville. J'étais luthier. J'ai tout quitté par amour. Personne n'a besoin de violon par ici. Je me suis mis à faire des sabots. Des sabots, pourquoi pas ! J'étais un bon sabotier. J'aimais ma famille. Je ne buvais pas. Nous étions pauvres mais heureux. Les enfants ne manquaient de rien. Cette maison était belle. Durant l'été elle sentait les fleurs des champs, et en hiver les copeaux de bois tendre, la cire, la cannelle, le foin sec. Je n'ai jamais regretté mes violons. Je vivais avec celle que j'aimais. Je l'aurais suivie au bout du monde. J'aurais fait les pires métiers. »

Pakmur s'arrêta. Il tournait toujours le dos au Policier.

« La vie est une curieuse chose. On dirait que quelqu'un prend plaisir à la mettre sens dessus dessous quand il la trouve trop heureuse. Si Dieu existe, c'est un salaud, jaloux des hommes qu'Il a créés et dont l'existence est sans doute plus riche que la Sienne.

157

Le Policier vint à côté du Sabotier. L'homme perdait son regard dans les braises. Il paraissait soudain lourd d'une tristesse sans limites. Le bois crépitait dans l'âtre et lançait par moments des gerbes joyeuses qui venaient jusqu'aux pieds des deux hommes pour y mourir.

« Vous parlez de Dieu comme d'un ennemi à abattre. Vous rendez-vous compte que, dans le contexte que nous connaissons, on pourrait aisément les interpréter dans un sens qui vous serait fatal ? Si vous en voulez à ce point à Dieu, vous devez aussi détester ceux qui Le représentent ici-bas ?

« Ce n'est pas moi qui ai tué le Curé, si c'est cela que vous voulez insinuer. Ce n'était pas une belle personne, c'était même je pense une ordure, je ne l'aimais pas, mais il n'était qu'une marionnette. Je mentirais en vous disant que j'ai pleuré sa mort, mais je ne l'ai pas tué. D'ailleurs vous devez le savoir. On dit que vous êtes un bon policier, vous avez déjà dû demander où je me trouvais. Vous savez donc que ce soir-là je n'ai pas quitté l'Auberge et que j'ai passé des heures à ronfler sur une table.

Effectivement, Nourio, avec l'aide de l'Adjoint, avait reconstitué l'emploi du temps de tous les hommes connus pour avoir fait du scandale, provoqué des incidents ou des rixes, insulté ou agressé des passants qui ne leur demandaient rien, et parmi eux se trouvait Pakmur qui à trois reprises, sous l'emprise de l'alcool, avait cherché querelle à qui avait croisé son chemin.

Le soir de l'assassinat de Pernieg, il était à l'Auberge. Vilok en avait attesté, ainsi que cinq autres clients. C'est l'Aubergiste lui-même qui l'avait mis à la porte à la fermeture, peu avant minuit. Le crâne du Curé était alors défoncé depuis quelques heures déjà, et son âme autour de son cadavre voltigeait sans comprendre.

« Pourquoi en voulez-vous à ce point à Dieu ? demanda Nourio.

« Il m'a pris ma femme. Il l'a fait mourir. Depuis, plus rien n'a d'importance.

« Pas même vos enfants ?

Le Sabotier ne répondit pas tout de suite. Il se tourna vers le Policier, mais celui-ci regardait droit devant lui. Lentement, Pakmur revint vers le feu.

« Non. Pas même mes enfants, et c'est terrible à dire. »

Nourio tenta de se souvenir de la femme du Sabotier, mais il se persuada qu'il l'avait toujours connu veuf. Sans doute son décès avait-il eu lieu avant son arrivée dans la ville mais il n'en avait jamais entendu parler. Il faudrait qu'il demande à Baraj, ou consulte au Poste le Registre des morts. Lémia et Douri entrèrent à ce moment. Le Sabotier ne prit pas la peine de se tourner vers eux.

« Lémia, le Capitaine a besoin de toi. Suis-le et fais ce qu'il te demande. »

Quand Nourio regarda la fillette, il s'aperçut qu'elle avait peur, mais elle était suffisamment maîtresse d'elle-même pour dissimuler cette peur du mieux qu'elle pouvait. Seuls quelques petits signes en témoignaient, un léger tremblement des mains et des lèvres ainsi qu'une certaine précipitation à pousser son petit frère vers son lit, sur lequel elle le fit asseoir avant d'ôter la cape noire qui lui donnait une allure de moinillon. Ceci fait, elle rajusta son manteau de chèvre, passa près des deux hommes sans leur adresser un regard et regagna la porte sur le seuil de laquelle elle attendit le Policier.

Au-dehors, le soleil avait disparu du ciel mais laissait encore des traînées roses sur la neige des trottoirs et les façades des maisons. Il faisait de nouveau très froid et les rues s'étaient vidées. Nourio referma la porte derrière lui. La fillette attendait.

« J'aimerais que tu refasses exactement le trajet que tu as emprunté avec ton frère le fameux soir. Et que tu le fasses à la même vitesse, sans aller ni plus vite ni plus lentement. Tu as compris ? »

Lémia fit oui de la tête. Elle ne regardait pas le Policier. Elle tenait son visage baissé vers le sol. De la buée sortait de ses lèvres entrouvertes. Ses grands cils recourbés, le dessin parfait des ailes de son nez, et la rondeur de son front délicat lui donnaient une grâce de Madone.

« Je serai derrière toi, à quelques pas. Ne te préoccupe pas de moi. Je te regarde. C'est très important pour moi. N'aie pas peur. »

La fillette se mit en route à la façon de ces jouets compliqués, automates, pantins à grandes complications, que des maîtres mécaniciens fabriquaient avec patience au siècle passé pour d'étranges collectionneurs fortunés. Tout dans leur apparence les rapprochait des créatures humaines mais une subtile raideur dans leurs mouvements, une affectation presque imperceptible dans leurs gestes, la fixité de leurs traits, la froideur de leurs pupilles de verre, parvenaient à troubler celui qui les contemplait, et qui se mettait alors à hésiter sur leur nature véritable.

Ainsi le Policier eut-il l'impression de suivre les pas d'une de ces créatures artificielles et cela augmentait encore son émotion, sans qu'il en comprenne la raison. À mesure qu'elle avançait, Lémia perdait son épaisseur de jeune fille de chair et de sang pour se muer en une poupée remarquable, docile, à l'allure métronomique, que Nourio avait l'impression troublante de gouverner. Il lui avait donné un ordre, et elle avait obéi, aussitôt, sans rechigner. Elle était devenue son grand jouet. Il pourrait en faire ce que bon lui semblerait. Il sentit son ventre se nouer et ce petit mal était délicieux qui irradiait jusqu'à sa verge et la raidissait plus encore.

161

Ils empruntèrent la ruelle Vlijka, puis la rue des Tanneurs, longeant le lit de la Sokëk qui durant les longs mois de l'hiver n'était plus qu'un serpent de glace au cours figé et grumeleux. Puis ils marchèrent dans la rue des Herbes dont toutes les boutiques avaient déjà clos leurs volets, traversèrent la place du Marché sur laquelle trois vieilles femmes emmitouflées dans des fourrures de lapin et des foulards de laine terminaient de cancaner et qui les regardèrent passer comme si elles avaient vu une inquiétante apparition, ce qui fit d'ailleurs que l'une se signa furtivement. Ils longèrent le flanc ouest de l'église, passèrent sous l'auvent de la Halle aux grains, tournèrent dans le chemin de la Prijnika où la bise soudain les accueillit et leur mordit la peau. Il n'y avait plus âme qui vive et le crépuscule effaçait les ombres en rendant chaque volume plat et mat mais au loin on devinait une faible lumière qui était celle de l'étable de la ferme Bazki.

Lémia se dirigea droit vers elle, indifférente au vent glacé qui redoublait de force. Le Policier la suivait à un mètre, sans la quitter du regard, et ses pensées bouillonnaient, échauffant ses sens et son sang. Le vent lui apportait l'odeur de la fillette, un parfum curieux où se mêlaient l'âcreté du poil de chèvre, la fumée du feu de bois, la tiédeur de son haleine et quelque chose de plus rare, une sorte de sueur capiteuse, saupoudrée de poivre léger et de nuit.

Elle s'arrêta à cinq mètres de l'étable. Des bouffées de fumier, de ventres crottés, de paille chaude
et de pisse, de lait et de terre mouillée s'échappaient du bâtiment dont la porte était mal close.
On entendait la rumeur des bêtes et le cliquetis
des chaînes. Un corniaud noiraud pointa sa
gueule, les contempla et rentra sans aboyer. Lémia
se tourna vers le Policier. Il était si proche d'elle
désormais que sa veste touchait le manteau de la
fillette, si bien que, lorsqu'elle fit le mouvement
de se tourner vers lui, ses lèvres effleurèrent
presque son menton et il sentit plus aisément son
haleine. Sa peur semblait avoir disparu et elle ne
parut pas étonnée que le Policier soit ainsi presque
collé à elle.

« Faut-il que j'entre demander du lait ? » dit-
elle.

Il entrevit ses dents, sa langue. Il regarda ses
yeux et y plongea les siens qui brûlaient ses paupières. Il huma ses paroles que le froid avait chan-
gées en une brève buée. Il ne voulut pas que sa
voix recouvre l'écho de sa voix. Il préféra se taire
et fit signe que non. Lémia se tourna de nouveau
vers l'étable. Il avança son visage et respira sa
chevelure.

La porte s'ouvrit, ce qui fit sursauter et revenir
sur terre le Policier. Fédour Bazki apparut avec sa
grosse face bistre et ses lèvres tordues. Il tenait un
seau empli d'on ne savait quel liquide graisseux
qu'il lança presque à leurs pieds. C'est seulement

à ce moment qu'il les vit. Ses yeux ronds les contemplèrent sans comprendre tandis que de sa bouche sortaient d'horribles sons de muet, baragouin caillouteux dont nul ne comprenait jamais le sens. Puis il se mit à rire, lança quelques gargouillis vers Lémia en fouillant son entrejambe, et jaillit soudain son sexe énorme et rose qu'il pressa entre ses doigts sales.

Nourio sans réfléchir saisit les épaules de la fillette, la retourna et la plaqua contre lui, enfouissant son visage contre sa poitrine afin qu'elle ne voie pas les caresses obscènes de l'innocent.

Mais faisant cela, il sentit son propre membre, aussi tendu et gonflé que celui de Fédour, appuyer au travers de l'épaisseur de ses vêtements et du manteau de chèvre contre le ventre de Lémia.

Ce fut une douleur fulgurante et capiteuse.

« Tout va bien. Tout va bien… » ne cessait-il de répéter à l'oreille de Lémia. Et on ne savait pas si ces mots étaient destinés à la jeune fille ou à lui-même.

Le temps passa. L'innocent finit par rentrer dans l'étable, après avoir craché un gros rire.

Ils restèrent ainsi tous les deux, sans que l'un ou l'autre osât le moindre geste. Le cerveau du Policier était tout encombré de pollutions, qui peu à peu s'évacuaient, rejetées dans le trou d'un égout. Son cœur peinait à reprendre un rythme normal. Il se sentait plein de honte mais cette honte avait des miroitements paradoxaux car le plaisir éprouvé restait vertigineux.

Lémia finit par se dégager lentement de son étreinte.

« Tu as raison, continuons veux-tu. »

Il faisait tout à fait nuit quand ils se remirent en marche. Au sud, l'œil de Sirius ouvrait peu à peu sa pupille d'argent clair, tandis qu'autour de l'étoile majeure une fine poussière scintillante semblait tomber sur l'immensité d'encre. La bise avait cessé mais le froid prenait comme un ciment.

Ils firent le chemin inverse sans rencontrer âme qui vive. Après être de nouveau passée sous l'auvent de la Halle aux grains, Lémia prit à droite, laissant l'église sur sa gauche, pour s'enfoncer dans la venelle qu'on nommait, et le Policier jamais n'était parvenu à percer le sens de ce nom, la ruelle du Mauvais Pied.

Cela rallongeait le parcours car, plutôt que de filer droit, la voie suivait des méandres nés au gré des constructions que les siècles avaient disposées autour de l'église. Les lanternes que le cantonnier Pipek allumait chaque soir la rendaient moins obscure mais il n'en demeurait pas moins maints recoins plongés dans une ombre constante, épaisse, qui donnait l'angoissante impression quand on y entrait que jamais on ne pourrait en sortir.

Lémia et Nourio finirent par arriver à l'endroit où les deux enfants avaient découvert le corps du Curé. La ruelle élargie formait une placette, avec une terrasse, un banc désert posé dessus, le ruisseau qui à la belle saison chantonnait sa mélodie d'eau claire, et un grand tilleul dont les branches nues figuraient en hiver les pattes d'une gigantesque araignée.

Le presbytère était tout proche. On distinguait sa haute porte qui aurait presque permis qu'on y entre à cheval. Pour se rendre à l'église ou en revenir, le Curé ne pouvait que passer par cet endroit car il n'y avait aucune communication directe entre la sacristie et le presbytère. L'Assassin le savait qui avait attendu, caché derrière le tronc du tilleul ou dans l'ombre du muret, le passage de Pernieg.

La fillette s'arrêta à l'endroit exact où elle et son frère avaient découvert le corps. Elle se tourna vers le Policier et sembla attendre ses ordres.

L'air froid avait fait du bien à Nourio. Son agitation coupable s'en était allée et il avait recouvré un peu de sa lucidité.

« Pourquoi êtes-vous passés par là ? » demanda-t-il.

Lémia resta muette, ses yeux ne regardaient nulle part.

« Le trajet est beaucoup plus long », reprit le Policier.

La fillette haussa les épaules.

« Et puis, il est plus inquiétant. Il y a tant d'endroits sombres dans la ruelle. Tu n'avais pas peur de passer ici ?

« Je n'ai jamais peur.

Elle avait dit cela avec une voix assurée, qui ne contenait aucun défi. Cela semblait une évidence.

« Jamais peur ? reprit Nourio.

« Jamais, dit-elle.

Il la regarda cette fois comme une chose curieuse. Elle leva les yeux vers lui et soutint son regard. Elle paraissait soudain beaucoup plus adulte. Il y avait dans ses yeux une dureté qu'il ne sut interpréter. Elle parvenait à le troubler encore, même si ce trouble-là n'avait rien de commun avec celui qui l'avait gouverné un peu plus tôt.

Il frissonna et baissa les yeux. Il se faisait l'impression d'être un couillon pris en faute. Ce fut lui qui mit un terme à la brève discussion.

« Partons. Je te raccompagne chez toi. »

XIII

Nourio ne prenait pas à la légère sa mission, mais le sang qui coulait dans ses veines avait atteint un tel degré d'échauffement, dès lors qu'il avait aperçu Lémia à la sortie de son bain, dans une scène qui n'était au fond qu'un avatar de celles qu'il avait pu lire dans les récits mythologiques, ou relever sur les gravures légères d'un cabinet d'amateur, que la progression de son enquête et la mise à jour de la vérité se trouvaient soudain reléguées au second plan.

Les lectures mal assimilées de textes complexes qu'il avait faites jadis, grâce à une bibliothèque portative d'ouvrages philosophiques trop amples pour lui, n'avaient eu pour résultat que d'éroder la faible structure de principes qu'on lui avait permis de construire dans l'enfance et au cours de ses brèves études.

Et le fait que nulle croyance, en quelque Dieu que ce soit, n'ait jamais comblé ce manque, aboutissait au fait qu'aucune *petite lumière rouge* ne lui avait permis de remettre un peu d'ordre dans ses idées. Il pensait à Lémia, retrouvait dans sa mémoire le parfum de ses cheveux, celui de son haleine, et l'impression moelleuse que son ventre et sa jeune poitrine, au travers des vêtements, avaient laissée sur son propre corps.

Ceci prenait le pas sur tout le reste, et en particulier sur des questions restées sans réponse comme celle qui lui avait fait demander à la fillette pourquoi elle avait choisi de revenir de la ferme Bazki en passant par la ruelle du Mauvais Pas et non en suivant le chemin de l'aller.

Qu'on s'imagine prosaïquement une canalisation de diamètre plus grand que la moyenne, mais obstruée de matières sales, plus ou moins compactes, et qui empêchent l'écoulement normal d'une eau claire, et on aura une image exacte du fonctionnement de la pensée de Nourio.

Alors que l'état de sa femme l'aurait justifié, il ne revint pas immédiatement chez lui après avoir laissé Lémia sur le seuil de sa maison, mais se rendit au Poste. Tout à la fois pour un besoin de solitude et dans le but de consulter des documents.

À sa grande surprise, quand il s'en approcha, il vit qu'il était éclairé, et il aperçut la grande carcasse de Baraj passer derrière la fenêtre. Quand le Policier poussa la porte, l'Adjoint sursauta.

« Vous m'avez fait peur, Maître.

« Qu'est-ce que tu fais encore là ? »

Baraj, en baissant la tête comme un gamin pris en faute, expliqua à son supérieur qu'une heure plus tôt, Choshnékia, l'épicier, dont l'entrepôt voisinait avec le Poste, était venu à sa porte pour dire qu'un des chevaux dans l'écurie ne cessait de taper contre la cloison et poussait des gémissements.

Quand Baraj était arrivé, il s'était aperçu que la vieille jument Mikio s'était enfoncé une longue écharde dans un sabot. Il avait délivré la bête, l'avait rassurée, puis bouchonnée car elle était couverte de sueur. Après, il n'avait pas eu envie de revenir aussitôt chez lui et avait passé le balai dans le Poste.

« Voulez-vous du thé, Maître ? »

Le Policier fit signe que oui. L'Adjoint fonça vers le samovar et s'empressa de le servir.

Nourio tira d'une étagère un fort cahier à la tranche encollée de tissu noir. C'était le Registre des morts. Baraj le regarda faire du coin de l'œil tout en posant près de lui une tasse fumante.

Ce volume du Registre, numéroté 11, avait été commencé dix-huit ans plus tôt. On pouvait y découvrir, pour la période la plus récente, l'écriture de Nourio, et à mesure qu'on remontait les années, celles de ses prédécesseurs, dont les signatures tantôt ampoulées, tantôt minuscules, témoignaient de leur suffisance ou de leur détresse.

Dans le Registre, la mort des hommes et l'existence qui l'avait précédée s'y résumaient en une simple ligne : une date de naissance, quand on la connaissait, les prénoms et le nom, l'adresse, le métier s'il y en avait un, la date du décès et sa cause. C'était tout. Quelques décennies de vie peuvent se dire ainsi en une vingtaine de mots et de chiffres : il n'y a pas plus abrupte leçon de morale et d'humilité.

Par année, on comptait en moyenne une soixantaine de décès. Les causes en étaient la plupart du temps banales : fluxion, fièvre, commotion, coup de sang, hémorragie cérébrale. Il y avait chaque année aussi quelques morts accidentelles, qui touchaient essentiellement des hommes, bûcherons écrasés par l'arbre qu'ils abattaient, charretiers broyés par leur chargement qui avait basculé, bouviers encornés par un taureau mélancolique et quelques enfants morts sitôt nés, ou noyés, ou tombés dans un gouffre.

Quand il fit défiler les noms des morts, le Policier se surprit à se souvenir du visage de chacun d'eux. Il ne pensait pas que sa mémoire les avait ainsi précisément gardés, non pas tels qu'il les avait connus de leur vivant, mais avec l'expression que la mort avait imprimée sur leurs traits.

Il était appelé assez vite, peu après le Médecin, et arrivait dans les maisons où soudain le froid s'était engouffré, même au cœur de l'été, ainsi que le silence. C'était toujours le même abattement, la même stupeur, et des visages qui le regardaient, espérant de sa part une réponse au scandale qui venait d'advenir.

C'est au mois d'août un an avant son arrivée dans la ville, et sous l'écriture de son prédécesseur, Ostenböck, qu'il trouva mention du décès de la femme de Pakmur :

Dénia Milaï Tajnevic, épouse Pakmur, née le 2 mars 1878, sans profession, décédée le 22 août 1909. Suicide par pendaison – voir rapport.

La cause du décès rendit le Policier perplexe. C'était à sa connaissance le seul suicide dans la contrée depuis des lustres. On considérait sans doute la vie ici trop précieuse pour l'abréger de son propre chef. Lui-même avait toujours interprété le suicide, et en particulier le suicide des femmes, comme un signe de dépravation bourgeoise.

Nourio replaça le Registre des morts sur l'étagère et chercha sur celle du bas le Registre des rapports qui pourrait le renseigner. Il y en avait un par année. Le terme de « registre » était d'ailleurs impropre car il s'agissait de chemises cartonnées dans lesquelles étaient conservés les rapports quotidiens rédigés sur des feuilles volantes.

La plupart de ceux qui avaient occupé la fonction avant lui étaient des hommes mal dégrossis qui savaient à peine lire et compter. Quand il avait pris la peine de consulter au hasard leurs rapports, pour occuper ses heures vides, le Policier avait été frappé par la nullité de leur prose encombrée de fautes grossières et le plus souvent mal calligraphiée.

Baraj venait de remplir de nouveau la tasse de son supérieur. Il lui demanda l'autorisation de se retirer, que le Policier lui accorda d'un revers de main. L'Adjoint fut soulagé de quitter le Poste. Il se hâta vers sa maison où l'attendait le porc sacrifié qu'il avait commencé à débiter. Au-dehors, il gelait à pierre fendre et la neige avait une dureté de banquise.

Nourio prit un *krumme* dans la poche de sa veste et le porta à son nez pour le respirer. Puis il l'alluma avec cérémonie, et quand il sentit la fumée de la première bouffée envahir sa bouche, glisser dans sa gorge, entrer dans ses poumons et les combler, il fut saisi d'un bien-être qui se prolongea par un petit tremblement de tout son corps.

Il saisit le rapport qu'Ostenböck avait rédigé sur la mort de Dénia Pakmur.

Aujourd'hui, 22 août 1909, vers les dix heures du soir, alors que je venais de rentrer chez moi, la femme Sonja Hackmej est venue présentement ici même me trouver. Elle m'expliqua que sa voisine, la femme Dénia Pakmur, venait d'être retrouvée résolument morte par son époux. Hackmej était affolée comme une folle. Quand je lui demandai quelles étaient les circonstances circonstanciées de la mort de sa dite voisine, elle me dit et répondit que l'époux l'avait retrouvée pendue à un crochet du mur, à l'extérieur de la maison au-dehors. Je me rhabillai en m'habillant et la suivis. Quand j'arrivai au logis de la maison des Pakmur, j'y trouvai un petit attroupement de voisines et de voisins qui étaient les personnes qui vivaient dans le voisinage. À l'intérieur, sur le lit, on avait couché la morte. Elle portait des traces bleues ~~de stranglation~~, ~~de trangluda~~, ~~de strangulment~~, de strangulation. Son visage était gonflé, bouffi de bouffissures, et un peu bleu lui aussi. À son côté près d'elle se trouvait un homme, son mari, dans un état de grand abattement comme une pierre. L'homme est sabotier. Une voisine qui logeait tout près à ma demande emmena chez elle les deux enfants du couple, une fillette et un nourrisson qui ne comprenaient pas ce qui arrivait et pleuraient sans cesse en versant des larmes de leurs deux yeux. Je demandai aussi à ce qu'on aille chercher le docteur et le quérir prestement très vite. Quand il arriva, il ne put que constater que la morte était morte. Il remplit et signa le certificat de décès où il porta en l'écrivant de son écriture la mention : « suicide par pendaison ». L'époux de la femme Hackmej me montra à ma demande réitérée et expresse le crochet où la femme Pakmur s'était pendue de tout son corps. Il était sur la façade, et sortait du mur à une hauteur de deux mètres environ. Le lacet de cuir avec lequel la victime s'était pendue en enfilant son cou dedans y était encore. On l'avait tranché pour la dépendre comme pour un jambon. Sur le sol se trouvait aussi le tabouret qu'elle avait utilisé pour parvenir à la même *exacte hauteur du crochet. Le premier à l'avoir aperçue pendue était l'époux, qui avait alors hurlé, ce qui avait fait sortir de chez eux quelques voisines et voisins qui habitent tout près de l'habitation. Il n'y a pas de doute sur la véracité vraie du suicide, même si on n'en connaît pas les motifs des raisons. Je n'ai pas jugé bon de faire une enquête pour enquêter et j'ai signé le permis d'inhumer le corps dans la terre pour l'enterrer. Wladimir Ostenböck.*

Le Policier lut deux fois le rapport fastidieux. Il regretta d'avoir donné son congé à Baraj car il l'aurait interrogé sur l'affaire. Certes, à l'époque, Baraj n'était pas encore devenu l'Adjoint – il était un paysan sans terre, qui vendait sa force à d'autres plus riches – mais il se souvenait sans doute de cette mort peu commune.

Le Policier se demandait pourquoi son Adjoint n'y avait jamais fait allusion, alors qu'il l'avait déjà questionné sur la famille Pakmur. Baraj avait simplement mentionné que la femme était morte quelques années plus tôt. C'était tout.

Quand Nourio avait pris ses fonctions, celle d'Adjoint n'existait pas. Ses prédécesseurs s'étaient débrouillés seuls pendant des années. C'est lui qui quémanda par le biais de plus de dix courriers que soit créé l'emploi, prétextant l'immensité du territoire sur lequel s'étendait sa compétence, la proximité de la Frontière et, par là, le caractère stratégique et possiblement explosif de la région.

La vérité était qu'un poste subalterne lui permettait de se croire le chef, et que cette organisation hiérarchique, quoique fort limitée dans son nombre, lui procurait satisfaction et flattait son orgueil.

À sa grande surprise, le Commandant Sroh lui accorda d'engager un homme, tout en précisant que la solde serait dérisoire. Peut-être pensait-il qu'ainsi la fonction n'intéresserait personne mais c'était mal connaître les habitants de la région, qui se seraient damnés pour le moindre kreuzer.

La force, la masse préhistorique, les grands yeux éteints de taureau dompté et la déférence de Baraj, qui s'était présenté parmi six autres candidats, la plupart ivrognes, puants, estropiés ou totalement idiots, lui plurent. Il se dit qu'une telle créature, si laide et si gauche, ne le contredirait jamais, ne s'opposerait pas au plus étrange de ses commandements, au plus ahurissant de ses caprices, et lui serait attachée comme un bardot à qui la promesse de son picotin suffit à apaiser ses humeurs et à endormir les plus vifs de ses ressentiments.

XIV

Les jours qui suivirent furent tant fondus à l'identique qu'on les aurait cru coulés dans le même lingot. Le phénomène saisonnier qu'on nommait ici la *rudjia*, et qui d'ordinaire s'annonçait seulement vers la mi-décembre, vint avec quelques semaines d'avance et retira encore un peu plus la petite ville du vaste monde des hommes, de leur topographie et de leur recensement.

La *rudjia* est un mélange de brouillard, de neige, de grésil, de masses d'air contrariées, tourbillonnant sur elles-mêmes, et qui s'allient contre nature à des courants gelés descendus du nord, euxmêmes mis à mal par des souffles chauds remontés du sud. Le résultat de cette cuisine atmosphérique est que la contrée s'étouffe de nuages pesants qui posent au sol leur obésité si bien qu'on ne peut plus voir à cinq mètres, et les flocons engraissés ne se contentent pas de tomber du ciel mais semblent par instants surgir de la terre et pénètrent alors

179

sous les manteaux, les habits, les jupons, les pantalons.

On peine à respirer.

On suffoque pour un rien.

Ce météore singulier a aussi pour effet de rouler sans fin les pensées des hommes dans la plus poisseuse des morosités, et les enferme à double tour dans la prison angustiée de leur crâne, sans possibilité jamais de les voir s'en échapper.

La femme de Nourio n'était pas encore délivrée et son état devenait préoccupant. Quand le Policier posait la main sur son front, il avait l'impression de toucher le flanc d'un fourneau. Elle se nourrissait à peine, repoussait les bouillons qu'Anjela Vitok, une voisine charitable qui ressemblait à une musaraigne effarouchée, lui apportait. Elle somnolait la plupart du temps, en poussant parfois de maigres cris, pareils à ceux des chiens quand ils rêvent.

Son ventre était tendu à faire peur et l'enfant au-dedans, meurtrier pas encore éclos, continuait son pilonnage cruel, de façon métronomique et insensée, pour le crever.

Nourio se décida enfin à rappeler le Médecin au chevet de sa femme. Sous ses draps, la femme du Policier avait perdu force et beauté. Elle ressemblait à un gros animal souffrant, épuisé et laid, couché sur le flanc, et qui attend au bord d'un chemin que la mort, avec miséricorde, veuille bien le saisir.

Lorsque le Médecin l'ausculta, elle ne réagit pas.

Le terme était dépassé mais le col n'était pas ouvert. Le travail n'avait pas commencé. Les eaux n'étaient pas encore perdues. Et l'enfant paraissait énorme et plein de furie. Le pouls de la femme s'emballait. Sa fièvre grandissait.

Krashmir fouilla au plus profond de ses souvenirs d'université, de ses quelques années d'étude durant lesquelles il s'était révélé un piètre carabin, mais il ne trouva pas la moindre réponse aux questions qu'il se posait. Que faire ? Provoquer l'accouchement ou pas ? Et si oui, comment ? Opérer ? Opérer… ! Hélas, même s'il l'avait voulu, il en était incapable.

Il se contenta de prescrire une tisane opiacée, et promit au Policier de repasser le soir même. Sur le seuil, avant d'ouvrir la porte et de fuir les miasmes de la maison, tandis qu'il s'emmitouflait dans son manteau et chaussait ses gants de feutre, il hésita : devait-il prévenir Nourio de la gravité de l'état de sa femme, et de son impuissance à lui ? Devait-il lui faire entendre la possibilité d'une issue tragique ? S'il faisait cela, quel en serait le bénéfice, hormis celui d'avoir dit la vérité ? L'hôpital le plus proche où elle aurait dû être conduite se situait à deux jours de route, et la *rudjia* rendait de toute façon impossible tout déplacement, plus encore pour une femme dans l'état de la malheureuse.

« Prenez soin d'elle. Aérez la chambre. Baignez-lui le front avec un linge humide et faites-la boire beaucoup. »

Il tenta de dissimuler sa honte à dire ces paroles de rien. Il passa la porte et retrouva la rue et son brouillard enneigé dans lequel il se laissa disparaître avec soulagement.

Au même instant, Baraj, sous le bon regard de Mes Beaux qui le contemplaient en salivant, achevait de suspendre dans le vieux fumoir, qu'il avait remis en état pour l'occasion, le dernier des quatre jambons du cochon sacrilège. Depuis des jours qu'il œuvrait, tout concentré sur sa tâche charcutière, il n'avait eu de pensées que pour l'animal et sa chair rose, qu'il avait tranchée, désossée, salée, poivrée, aillée, parée, hachée en partie, avec passion et méthode, assaisonnée de vinaigre et de cornichons surets, de bien des herbes du plateau qu'il cueillait durant le bref été et faisait ensuite sécher, pendues à des clous sur les murs de bois de sa chambre.

Il revint dans la cuisine où, au-dessus de l'âtre qu'il avait bourré de bois de hêtre, un gros chaudron suspendu à sa crémaillère accueillait, dans un court-bouillon de thym, d'oignons rouges, d'échalotes, de laurier, de genièvre, de marjolaine et d'hysope, la belle tête étonnée du porc sacrifié, ainsi que ses quatre pieds penauds, qui bougeaient un peu dans une danse mal cadencée.

Tout cela glougloutait joyeusement, et répandait dans toute la pièce une vapeur odorante. Le frémissement du liquide brûlant faisait trembler le groin de l'animal, ainsi que ses oreilles, qui parfois sortaient de la préparation en même temps qu'une patte.

Baraj s'assit face à l'âtre, sur un billot de feuillard tricentenaire qu'il avait taillé, voici dix ans, comme un fauteuil. Il fouilla sa poche à la recherche d'un morceau de tabac qu'il fourra pour l'amollir entre sa joue et ses chicots.

Les deux chiens vinrent à lui et se couchèrent de part et d'autre de ses jambes. Il les caressa, parcourant de ses mains croûteuses leur pelage fauve et chaud. Lui qui avait été tant battu dans l'enfance savait savourer la moindre seconde heureuse. Il ne demandait pas grand-chose à la vie, sinon de lui donner du bois pour l'hiver, de quoi faire la soupe, un peu de tabac, le reposer la nuit d'un sommeil sans aigreur, le préserver de la maladie, de la faim et des grandes questions qui attaquent l'âme de leur vinaigre, et puis aussi, et c'était là son délice ultime, de caresser jusqu'à son sommeil ses chiens qui étaient tout pour lui.

Aussi, en ce moment précis, dans sa cuisine emplie d'une étuve parfumée, face au feu et à la belle tête de porc ébouillantée, avec dans la bouche les premiers jus du tabac qui lui coulaient sur la gencive et approchaient de sa langue, et autour de ses doigts les tresses douces et chaudes des longs

183

poils de ses chiens, tandis qu'au-dehors le froid tuait les corbeaux en plein vol, des mots jaillirent dans son esprit, rapides passagers d'une pensée dont il parvint à jouir sans pour autant pouvoir l'attraper – *un rien au loin que le temps raboté, le froid et les étoiles mortes, et ici en son sein, d'une chaleur confiante, la maison, la flamme et son cœur.*

L'Adjoint sentit le poème filer loin de sa mémoire en même temps qu'il se formait dans son esprit. Il n'en fut pas chagrin, mais en sourit.

À cette heure à nulle autre pareille, alors que tant de choses importantes sans doute, privées et officielles, se scellaient en de multiples lieux de l'Empire, que des coupes en cristal emplies du plus rare des champagnes se levaient et s'entre-choquaient dans des palais de princes, que des femmes très belles ornées de diamants et de perles, au rire cascadant, dans des robes de soie s'apprê-taient à valser au son vertigineux d'orchestres cra-vatés, que des hommes fort riches, plastronnés dans leur queue-de-pie, leur vieille gorge ridée prise dans un raide faux col étranglé d'amidon, enfournaient dans leur bouche blasée des grains de caviar, noirauds, et des lamelles de truffe, minces et minières, Baraj songea qu'il était le plus heureux des hommes.

Et le plus cocasse à dire est que, dans la petite ville où les uns et les autres commençaient à fourbir leur malice et distiller leur fiel, dans la petite ville et bien au-delà, oui, fort au-delà, très au-delà, dans l'Empire même, et aux limites de l'Empire, ou à celles du monde habité, sans doute qu'il était celui-là.

XV

Sitôt le Médecin parti, le Policier alla frapper chez sa voisine, qui entrouvrit sa porte avec crainte. Quand elle vit que c'était lui, elle parut rassurée. Nourio lui demanda si elle pouvait veiller sur sa femme et ses enfants, car il avait à faire en ville au sujet de l'enquête sur le meurtre du Curé Pernieg.

L'évocation de la mort violente du Prêtre fit se signer trois fois la femme et elle rabattit ensuite son fichu sur sa tête, pour se préserver d'une menace invisible. Elle accepta sans un mot, en hochant son visage pointu. Le Policier la remercia, revint chez lui prendre à une patère une capote d'ordonnance, épaisse et rugueuse, aux multiples boutons dorés, dans laquelle il s'emmitoufla, et après avoir fait disparaître sa tête dans la capuche, il sortit dans le froid trempé et le jour chiche.

N'eût été sa petite taille qui rendait sa silhouette moins effrayante et pour tout dire un peu grotesque, il faisait songer ainsi accoutré à un ange de la mort, que les images populaires, gravures sur bois de piètre qualité vendues pour une pièce par les marchands ambulants, représentent souvent de cette manière, encapuchonné et muni parfois d'une faux.

Quand il poussa la porte de l'Auberge de Vilok, il fit son effet dans son vêtement de tragédie que la *rudjia* avait piqueté de gros flocons luisants. On ne le reconnut pas et le silence s'installa devant cette apparition inquiétante.

Nourio prit son temps en tapotant ses bottes boueuses sur le paillasson. On ne respirait plus. Il savait tous les regards sur lui, écarquillés. Il jouit encore un peu de son effet, et lorsqu'il rejeta sa capuche en arrière, très lentement, comme un comédien de théâtre qui exagère son jeu, et qu'on découvrit son maigre visage verdâtre, il y eut un soupir collectif de soulagement.

Il aperçut les ivrognes habituels et en particulier, dans un angle près d'une fenêtre donnant sur la rue, assis seul à une table, celui qu'il espérait y voir : Pakmur le Sabotier, l'ancien luthier, devenu veuf, père d'un petit garçon grave et d'une fillette incandescente.

Il tenait son grand verre entre ses mains. Devant lui, une bouteille, sans doute vide, où son regard se perdait. Il ne semblait pas encore tout à fait ivre. Quand le Policier se fut approché de sa table, il leva les yeux vers lui, des yeux dans lesquels ne passait plus aucune lumière.

« Puis-je m'asseoir à votre table et vous offrir à boire ? demanda Nourio, et sans même attendre la réponse de Pakmur, il déposa sa capote mouillée sur une chaise.

« À boire, dites-vous… ? reprit le Sabotier avec un triste sourire. Si vous n'êtes pas le Diable, vous lui ressemblez.

« Ne me dites pas que vous croyez à ces fariboles ?

« Je ne crois plus en rien, Capitaine. Pas même à ce que je vois. Seulement à ce que je bois ! »

Et sur ces mots, Pakmur agita la bouteille et fit contempler au Policier combien hélas elle était sèche. Celui-ci se tourna vers Vilok et d'un geste lui signifia d'en apporter une autre. L'Aubergiste se hâta et posa bientôt entre les deux hommes un litre de *hpetz*.

C'était dans cette région sans vigne ni orge la seule boisson véritable, produite en faisant fermenter dans des barriques de bois à tiers égal des racines de gentiane jaune, des prunelles sauvages cueillies dans les halliers et du blé tendre. Le mélange clapotait doucement pendant des mois, et à la Saint-Nicolas on le distillait.

L'alcool qui sortait de l'alambic avait des effluves terreux mais aussi des notes florales. Il ressemblait au pays qui payait quelques semaines de beau temps et de ciel clair par des mois de confusion, de pluie, de grand froid et de grêle.

« Vous n'êtes pas là, Capitaine, simplement pour me payer à boire ? Je suis une épave mais je ne suis pas idiot. Et vous venez à une heure où, bien que j'aie bu plus que de raison, je ne suis pas encore saoul à rouler sous la table. Que voulez-vous donc ?

« Je voulais vous parler de la mort de votre femme, commença Nourio, d'une voix qu'il se força à rendre aimable.

« Nous y voilà, le coupa le Sabotier avant de vider d'un trait son verre et de le remplir à nouveau.

« J'ai lu dans le rapport de mon prédécesseur les circonstances de son décès. J'aimerais que vous m'en disiez davantage.

« Davantage ? Est-ce que j'en sais moi-même davantage ? Que croyez-vous donc ? Que ces choses-là sont explicables ? Qu'on puisse nous autres les vivants les comprendre ? Se donner la mort quand on a deux enfants ? »

Il s'arrêta soudain de parler, ricana, caressa le bord du verre avec deux de ses doigts. Cela dura.

« J'aimais ma femme. Elle m'aimait. Elle aimait nos enfants. Je gagnais peu d'argent mais assez pour nourrir ma famille. Lorsque Dénia a voulu que nous quittions la ville pour nous installer ici où elle avait passé les premières années de sa vie, j'ai accepté. La ville la rendait triste. Elle y étouffait. Lorsque je rentrais le soir dans notre appartement, je la trouvais souvent debout face à la fenêtre, le regard perdu dans le lointain, par-dessus les toits et les fumées d'usine, et ce lointain c'était ici. Je me suis dit qu'elle allait retrouver sa joie, sa beauté, sa vigueur. Nous sommes partis, et pendant les premières années elle est redevenue la Dénia qui m'avait tant charmé. Elle avait de nou-veau des rires de jeune fille et une légèreté gra-cieuse dans tout ce qu'elle faisait. Cela a duré à peine deux ans, et peu à peu son rire s'est de nou-veau perdu. Ses mots aussi sont devenus rares. Ses regards n'étaient plus pour nous. Elle semblait entrer dans un autre espace d'où les enfants et moi-même devenions absents. Elle quittait la mai-son pendant de longues heures et marchait autour de la ville, quel que soit le temps. Elle revenait trempée de pluie, brûlée par le soleil, bleuie par le froid. Je la séchais, la réchauffais, lui faisais boire du thé brûlant. Elle devenait mon troisième enfant et ne se préoccupait plus des siens. »

Il s'arrêta pour vider son verre, et puis un autre, d'un trait. Ses yeux, l'alcool aidant, avaient pris des lueurs idiotes.

« Je l'ai suivie quelques fois dans ses marches, sans qu'elle m'aperçoive. Elle faisait toujours le même parcours qui l'amenait sur les hauteurs du Maser. Ce plateau à nu l'attirait. Que pouvait-elle y trouver ? Elle s'arrêtait un moment en son milieu. Elle restait là, immobile, une main posée sur le tronc d'un vieux pin dégarni, à regarder les crêtes échancrées qui blessent le ciel. Elle regardait de la même façon les toits des maisons devant la fenêtre de l'appartement, quand nous vivions en ville. »

Pakmur vida son verre et se resservit d'une main peu assurée. Nourio n'avait pas encore touché au sien. Le regard du Sabotier commençait à se brouiller et sa lèvre inférieure à pendre. Il parla de nouveau mais ses mots devinrent lents et maladroits. Ils collaient à sa langue et devenaient pâteux :

« Certains d'entre nous ne sont jamais à leur place. Ni dans le lieu, ni dans le temps. Dénia était de ceux-là, à ne jamais se satisfaire du présent, à regarder toujours au loin de tout. Nous sommes des mécaniques plus ou moins bien agencées, vous ne croyez pas, Capitaine ? En fabriquant quelques-uns d'entre nous le Grand Horloger parfois égare des rouages, de petites vis, mais ce n'est pas pour autant qu'il met l'objet au rebut. Au contraire, il le remonte avec sa clé et le regarde s'éloigner, cahin-caha. Après, débrouille-toi malheureux ! Ma Dénia, ma si douce Dénia... »

Le visage du Sabotier trembla et de grosses larmes coulèrent de ses yeux. Il les essuya d'un revers de main et renifla bruyamment. Il était désormais ivre. Il se leva soudain, attrapa la bouteille et but à même le goulot, dans une attitude de sonneur de régiment jouant du clairon. On voyait sa glotte maigre monter et descendre, et ruisseler aussi de tout l'alcool qui s'échappait de ses lèvres. Il termina ainsi le demi-litre restant, au risque de s'étouffer, puis de ses yeux devenus déments il dévisagea la clientèle, en agitant la bouteille vide. Il partit d'un immense rire et la fracassa sur la table, avant de tituber, d'écarquiller les yeux comme si son cœur s'arrêtait, de passer sa paume sur sa gorge à la façon de ceux qui manquent d'air, et de s'écrouler sur sa chaise, de regarder durant quelques secondes le Policier qui n'avait pas bougé puis de laisser sa tête trop pesante s'effondrer sur la table dans un craquement terrible, au beau milieu des débris de verre.

XVI

Il ne fut pas aisé pour le Policier de ramener seul le Sabotier chez lui, mais il avait refusé qu'on l'aide. Il ne voulait pas d'une autre présence à ses côtés. Vilok avait enrubanné la tête sanguinolente de Pakmur dans un vieux torchon de cuisine. Le verre lui avait entaillé le front et le sang s'était mis à pisser. On l'avait mis tant bien que mal sur pied. Il ronflait debout. Nourio revêtit sa lourde capote et l'Aubergiste l'aida à passer un bras du Sabotier autour de ses épaules. Il accompagna ce curieux équipage jusque sur la chaussée.

La nuit était là, blanche de brume et de neige, presque phosphorescente. Le Policier lentement se mit en route. L'autre, dans son sommeil d'ivrogne, accroché à lui, marchait sans même s'en rendre compte. On n'entendait aucun bruit nulle part. Le vent avait cessé. Ne restaient que le brouillard et les flocons. Huit heures sonnèrent au clocher de l'église. Le froid faisait frissonner

Pakmur trop peu vêtu. Il marmonna quelques mots incompréhensibles, tenta d'ouvrir un œil, n'y parvint pas et se laissa aller.

Sur le trajet, Nourio songea à ce qu'il lui avait dit sur sa femme. Beaucoup de mots pour peu de choses : était-elle la seule à ne pas se sentir à sa place, et à ne jamais la trouver ? Et lui donc, dans ce coin perdu du monde, était-il à la sienne ? N'aurait-il pas pu, ailleurs, aspirer à une autre vie, d'autres fonctions plus importantes, en harmonie avec son intelligence et ses capacités ? Connaître et mâcher cette amertume, était-ce une raison suffisante pour s'ôter la vie ?

Le suicide avait toujours paru au Policier la mort la plus lâche qui soit, non parce qu'elle était un outrage à la vie, que d'aucuns, mais pas lui, considèrent comme le bien le plus précieux, mais parce qu'elle évitait d'affronter l'inconnu majeur lié à la fin de toute existence. Ne pas savoir où, comment, ni à quelle heure l'homme rencontre sa mort, être conscient de cela, ne rien pouvoir y faire, continuer à être malgré tout, témoigne d'un courage grandiose. Se confronter à ce mystère grandit l'homme. Toute chose que le suicide évite en signant la couardise de celle ou de celui qui choisit l'heure et la méthode.

Nourio avait ainsi un certain nombre d'idées clairement établies, sur la vie, le monde, la mort et les choses. Ce qu'il croyait être des pensées profondes n'étaient en vérité que des crétineries, qu'il conservait précieusement dans sa bibliothèque mentale, dont les rayons encombrés témoignaient de son ennui et de sa médiocrité raisonneuse.

Parvenu à la maison du Sabotier, il patienta un moment avant de frapper. Il avait besoin de reprendre son souffle. Son chargement sanguinolent ronflait désormais. Tout en soutenant encore l'ivrogne, Nourio jeta un œil sur le mur de la façade. Le crochet auquel s'était pendue Dénia Pakmur avait été descellé. Ne restait plus qu'un trou irrégulier dans le crépi. C'était donc cela le souvenir d'une vie entière ?

Il n'eut pas besoin de cogner à la porte. Elle s'ouvrit et Lémia apparut. En voyant la tête bandée de son père, elle poussa un petit cri et ne regarda même pas le Policier.

« Ce n'est rien, lui dit-il, à peine quelques coupures. »

Ils entrèrent dans la pièce. Le petit garçon dormait déjà. On apercevait son dos qui dépassait des couvertures. Son visage était tourné vers le feu dont les courtes flammes immobiles semblaient artificielles. Sur le lit voisin du sien un grand livre était ouvert, et une mince chandelle brûlait sur une table de nuit.

Lémia précéda le Policier et son chargement jusqu'au lit de son père. Elle ouvrit le drap et le Policier bascula l'homme ivre sur la couche. La petite s'agenouilla à ses pieds et lui retira ses bottes. Puis elle glissa un oreiller sous sa tête et recouvrit son corps du drap puis d'une grosse couverture.

Elle avait fait cela avec des gestes doux et attentifs, accoutumés, les répétant sans doute pour la millième fois. Elle n'avait pas dit un mot. Nourio ne l'avait pas quittée des yeux. Elle portait une longue chemise de nuit blanche qui laissait ses épaules nues. Elle avait lâché ses cheveux, et ceux-ci, d'un beau blond très mûr, lui arrivaient jusqu'aux reins. La fatigue de la journée avait usé ses paupières et ses yeux en devenaient plus troublants encore, vagues et distants qu'ils étaient.

Elle tourna le dos au Policier et alla sur son lit prendre un châle tricoté dans lequel elle s'enroula. Le mouvement n'avait duré que quelques secondes mais il avait permis à Nourio de deviner son jeune corps nu sous l'étoffe quand la lueur du feu l'avait dessiné avec une infinie précision. Sa tête chavira. Il s'approcha de la fillette qui était sur son lit les yeux baissés. Quand il s'assit près d'elle, elle sursauta.

« N'aie pas peur. Je ne te veux aucun mal. Bien au contraire. Que lis-tu là ? »

La fillette ne répondit rien. Elle serrait le châle contre elle et s'abritait en lui comme s'il s'était agi d'une armure. Nourio sentait sa gorge sèche. Il déglutit avec peine. Tout son petit corps nerveux frémissait. On l'aurait cru traversé par un courant électrique. Il saisit le livre et le feuilleta. C'était un ouvrage de contes et de légendes populaires, de chansons aussi, illustrés de dessins naïfs. Elle avait dû faire la lecture à son petit frère, pour l'endormir.

Nourio reposa le livre et se rapprocha d'elle. Il sentit sa crainte et cela l'excita plus encore. Il entendait presque son cœur de jeune animal s'emballer. Il tendit le revers de sa main vers la joue de la fillette. Il l'effleura lentement. Elle avait fermé les yeux et cessé de respirer. Les doigts de Nourio glissaient sur la peau de l'enfant et il sentait le sang cogner jusqu'aux tréfonds de lui-même.

Lémia gardait les yeux clos. Elle tremblait de peur. Le Policier caressait ses joues, son front, ses sourcils, ses lèvres, incapable d'arrêter l'exploration folle de son visage, incapable aussi de dire un seul autre mot que « voilà… voilà… voilà… » qu'il répétait à l'infini, haletant.

La fillette trembla plus encore quand les doigts du Policier très lentement glissèrent le long de son cou, cheminèrent sur sa nuque, vinrent sur la gorge, remontèrent aux lèvres qu'ils entrouvrirent pour en caresser l'intérieur humide, « voilà… voilà… voilà… », et c'est au moment où Nourio cherchait à forcer ses dents pour pénétrer sa bouche qu'on frappa trois grands coups à la porte et que, sans attendre de réponse, on l'ouvrit avec violence.

Un géant se découpa sur le seuil.

C'était Baraj.

« Maître, dit l'Adjoint, on vous demande d'urgence chez vous. Votre femme… »

Il suspendit sa phrase, non par pudeur de dire une nouvelle tragique mais parce que Baraj venait de se rendre compte que la fillette le regardait et qu'elle souriait, qu'elle lui souriait, qu'elle lui donnait le plus beau et le plus pur des sourires, à lui auquel d'ordinaire on n'offrait rien d'autre qu'un visage fermé, hostile ou dédaigneux, car les gens n'apercevaient que ses gros traits de bête, la paillasse sur son crâne, son corps immense et raide, ses mains malades, sa peau de crapaud, et se disaient qu'à l'intérieur, l'âme devait être faite des mêmes matériaux grossiers et mal équarris.

Jamais Baraj n'avait connu cela.

Un sourire.

Le sourire de Lémia.

Et le sourire entra dans son cœur solitaire où n'habitaient jusque-là, dans un coin, que Mes Beaux mais qu'il poussa d'un coup pour lui faire la plus belle des places, en même temps que dans son âme passait un poème, *ange de silence, doigts fins et doux, aux yeux de sainte fraîche, toujours à toi mes pensées et ma force, ainsi va la promesse*, et Baraj, qui ne savait plus comment faire, qui n'avait peut-être jamais vraiment su tant sa vie depuis l'enfance n'avait été emplie que de coupures et d'entailles, tordit ses grosses lèvres et plissa ses yeux énormes pour tenter de rendre à Lémia son sourire.

Et Lémia sut lire comme cela devait être ce que d'aucuns auraient pris pour une grotesque grimace, et son visage merveilleux devint dans le taudis obscur un grand soleil.

Baraj se sentit rougir. Il ne vit même pas son supérieur passer rapidement près de lui et quitter la maison. Alors ne sachant trop que faire, tout empêtré de reconnaissance et d'affection pour la fillette, il se mit au garde-à-vous et salua en inclinant la nuque, avant de sortir à reculons, cérémonieusement et avec une grande lenteur, se souvenant d'avoir entendu dire qu'on ne tourne jamais le dos aux reines, aux rois, aux princes et aux princesses.

Tout accaparé par la belle apparition au sourire de peinture toscane, l'Adjoint n'avait pas vu, quand il avait ouvert brutalement la porte, que son supérieur était assis bien trop près de l'enfant, et qu'il était occupé à caresser sa gorge d'une main.

Quand la porte avait claqué, le Policier s'était mis debout aussi vite que si un mâtin lui avait planté ses crocs dans le cul, et il avait regardé l'Adjoint de l'air effrayé du voleur pris la main dans le sac. Il s'était soudain senti très faible et l'estomac chaviré. Sorti en titubant, il avait vomi à peine arrivé au-dehors.

Lorsqu'il arriva devant chez lui, hors d'haleine, il avait l'allure d'un possédé. Régnait dans la maison un silence sépulcral et ce qu'il vit d'abord ce fut Krashmir, le Médecin, affalé sur une chaise, la tête entre les mains. Il était sans veste, et les manches de sa chemise blanche, tachées de sang, étaient roulées jusqu'aux coudes. Il leva vers le Policier un regard las et vide. Nourio se sentit vaciller. Il s'adossa au chambranle, et s'apprêta à entendre du Médecin l'annonce de la mort de sa femme et de l'enfant. Mais quand Krashmir ouvrit la bouche, descendit de l'étage le vagissement impérieux et têtu d'un nouveau-né, accompagné par la voix douce de sa mère qui essayait de l'apaiser.

Le Policier chancela.

« Tout va bien, vous pouvez l'entendre d'ailleurs. C'est un garçon. Et votre femme se porte à merveille elle aussi. »

Le Médecin avait parlé d'une voix où perçait une forme de tristesse. C'était que la naissance qui s'était passée sans difficulté aucune infirmait la totalité de son diagnostic. Il avait quitté la femme grosse quelques heures plus tôt, persuadé qu'elle allait mourir ainsi que l'enfant en son ventre, et qu'il ne pouvait rien faire pour éviter la dramatique issue, n'ayant ni la science, ni l'habileté, ni la fulgurance d'esprit pour la conjurer. Et voilà qu'au contraire l'enfant était venu au monde dans un accouchement des plus aisés, ce qu'il n'avait jamais prévu, jamais envisagé. Aussi se sentait-il encore davantage médiocre. Il en était abattu. Il avait perdu doublement. Et au lieu de s'en réjouir, il en était consterné. Il se disait qu'il ferait aussi bien de changer de métier, de devenir vendeur de chaussures, secrétaire obscur dans un obscur ministère, débitant de tabac, cantonnier, peintre en bâtiment, rémouleur.

Quant au Policier, les cris du nouveau-né et la voix de sa femme ne provoquèrent pas en lui le soulagement qu'on aurait pu croire. Durant les minutes de sa course à travers la ville, il avait eu le temps d'imaginer la mort de son épouse, et de s'en accommoder. Il s'était fabriqué une tristesse faite de sincérité et d'une pincée de comédie, et chantournée des remerciements qu'il aurait adressés à celles et ceux qui seraient venus, la mine grave, lui présenter leurs condoléances. Il avait envisagé les funérailles, décidé déjà d'un emplacement au cimetière. Il s'était dit aussi qu'il pourrait, dans les mois suivant le deuil, confier sa marmaille à de lointaines parentes de sa défunte épouse, en échange d'une modeste rétribution. Alors il s'était vu de nouveau libre, sans entrave et sans attache, homme vigoureux plein de sève dans la force de l'âge, animé d'un désir opiniâtre que plus rien ne limitait, et il avait pensé à Lémia, presque nubile, et en âge d'être mariée sitôt son deuil à lui épuré, afin que la petite ville n'aille pas bavasser sur son prompt retour à l'amour. Et c'est avec cette pensée de la fillette, davantage mûre, aux seins rebondis, toute parée de blanc, avançant à son bras dans l'allée de l'église, vers l'autel où se tenait un prêtre sans visage, qu'il était entré dans sa maison, avait découvert le Médecin effondré qui s'apprêtait à éclater en sanglots.

Le Policier monta lentement les marches qui menaient à la chambre en songeant à Sisyphe. Ses lectures passées ne l'aidaient en rien. Tout juste lui permettaient-elles de mettre des noms et des images sur les événements prosaïques de son quotidien. Dieu que cet escalier était long, et Dieu que sa déception était grande. Ainsi donc il était coincé dans cette vie-là, la sienne, et ne pouvait s'en échapper ? Qui donc avait décidé de cela ? Et quelle faute avait-il commise pour mériter tant d'épreuves ?

Quand il poussa la porte de la chambre, il se força à sourire. Sa femme était occupée à donner le sein à une chose rose et sans cheveux. Elle leva les yeux vers lui et de sa main libre lui demanda de faire silence en posant son index sur ses lèvres, car l'enfant, le gros téton dans sa petite bouche édentée, venait de se rendormir.

Nourio approcha sans bruit et s'assit sur le lit à côté de sa femme qui lui tendit, les yeux fermés, son front pour qu'il l'embrasse. Il contempla un bref instant son visage, paupières closes, confiante et épuisée, avant de déposer un baiser sur sa peau, lui aussi en fermant les yeux de façon qu'aux traits exténués de sa femme se substituent d'autres traits, frais, vierges, juvéniles, qu'il s'efforça de faire apparaître au travers de sa confusion et de ses regrets.

XVII

À quel signe comprend-on dans l'Histoire des hommes qu'il est trop tard ? Quel indice, quelle marque, quelle faille, quel mince événement permet d'alerter les esprits et de solliciter leur vigilance ? Quel infime changement, quel déraillement discret peut intriguer quelques veilleurs attentifs afin qu'ils donnent l'alerte qui éviterait la plongée dans le chaos ? Mais au fond, cela servirait-il à quelque chose ? Quelque part, et sur une certaine horloge, n'est-il pas *toujours* trop tard ?

L'Empire, qui était un monstre à cent têtes et cent corps, savait que du contrôle de la moindre de ses provinces reculées dépendait sa survie. Aussi les élites qui le gouvernaient avaient-elles favorisé depuis des temps anciens des canaux de surveillance reposant d'une part sur les structures feuilletées de l'Administration, mais aussi sur une entité plus officieuse, baptisée on ne savait par qui *Les Mille Oreilles*, grâce à laquelle était écouté et transmis tout ce qui pouvait se dire dans les bavardages de rue, les cafés, les marchés, les ports, le réseau des postes, et celui, encore embryonnaire, des chemins de fer.

Ses agents n'avaient pas de visage et nulle existence officielle. Votre voisin de table pouvait être l'un des leurs, cette jeune femme assise sur un banc dans ce square tout occupée en apparence à lire un quotidien, ce vieillard affectant une surdité profonde mais qui ne semblait pas perdre une parole échangée par ces deux joueurs d'échecs, dans l'arrière-salle d'un café d'une petite ville d'Istrie.

Lorsque certaines feuilles progressistes, animées d'idéaux socialistes, et dont les rédacteurs connaissaient bien la fraîcheur des geôles impériales pour y faire de fréquents séjours, posaient la question de la fonction des *Mille Oreilles* et s'en scandalisaient, les journaux à la botte du pouvoir et les voix autorisées les moquaient et se riaient d'eux, qui étaient assez naïfs pour croire à ces rumeurs.

La vérité était que le fait même qu'on la soupçonnât d'exister engendrait partout des vocations de délation, et sans qu'aucune rémunération jamais soit donnée à qui livrait une information, s'écrivaient chaque jour quantité de billets, anonymes le plus souvent, pour dénoncer, accuser, vilipender, salir, souiller, crucifier, billets sales qu'une main furtive glissait ensuite dans le courrier d'un poste de police, d'une sous-préfecture, dans la boîte à lettres privée de fonctionnaires en charge de l'ordre.

Ainsi, sans que l'Empire ait jamais décidé la création d'une société secrète réunissant une multitude d'espions, celle-ci existait. Elle avait même un nom, comme on l'a dit, et les milliers d'êtres lâches, envieux, couards, jaloux, acrimonieux, misanthropes, veules et fats qui garantissaient son fonctionnement efficace savouraient dans leur for intérieur leur appartenance à une formidable machine qui n'existait pas, et cette satisfaction idiote, caressée au plus profond de leur tête gauchie, leur valait salaire.

La petite ville n'échappait pas à cette surveillance double. Nourio était un des rouages officiels du grand principe, mais sa vision à très courte focale l'empêchait de prendre de la hauteur, et surtout le pouls d'une population qui s'échauffait à mesure que le caractère irrésolu du meurtre de Pernieg se confirmait.

Le Rapporteur recevait pour sa part bien des confidences et de ces fameux billets non signés alertant sur la tension qui traversait la population, sur les déclarations à l'emporte-pièce, sur les sous-entendus qui désignaient les coupables, sur l'inutilité de chercher plus avant et sur la perte de temps que cela entraînait mais sur la nécessité impérieuse de venger le Prêtre par des actions définitives qui auraient aussi pour bénéfice de purger la population de son mauvais sang.

Le Rapporteur n'en tenait guère compte car il était fort occupé : il écrivait.

Un roman.

Un roman de mer et de pirates, car c'était là le paradoxe chez un homme dont la mission était de veiller à la bonne administration d'une contrée continentale éloignée de tout rivage que d'avoir pour choses les plus précieuses dans la vie les mers, les océans, les marées, les grèves, les îles, les grands bateaux aux voiles blanches, les campagnes de pêche, les drames des abysses, les cyclones et les tempêtes, les grains, les embruns, l'odeur du sel et sa morsure, les corps violents des marins et leurs mœurs rudes.

La rémunération du Rapporteur, confortable sans être somptuaire, jointe à un petit héritage et à la dot de sa femme qu'il avait fait habilement fructifier en la plaçant dans les actions d'une société de cotonnades américaines, lui assurait un train de vie bourgeois dans une des demeures les plus agréables de la petite ville.

Il employait un factotum, une cuisinière et deux servantes, recevait chaque premier vendredi du mois la bonne société de la ville autour d'un dîner où la qualité des mets et des breuvages enchantait les convives – il est à noter que le Policier n'y fut jamais convié et le vivait comme un camouflet – et consacrait l'essentiel de son temps non à son travail, peu prenant en vérité, mais à la constitution de sa bibliothèque qui ne contenait, on l'aura compris, que des ouvrages traitant de la mer et de son univers, et à l'écriture de son grand œuvre, intitulé *John Bridget Simons ou la Course au large*, dont il était sur le point d'achever le douzième tome.

Le Rapporteur était un écrivain sans public, car il n'avait jamais publié son épais roman, ni même aspiré à le faire. Seul comptait pour lui de l'écrire. Qu'il ne fût pas publié, et que son roman n'existât qu'en un exemplaire, manuscrit, ne le privait pas à ses yeux du titre d'écrivain, et c'est ainsi qu'il se considérait, son fonctionnariat en sa qualité de Rapporteur n'étant pour lui qu'une occupation secondaire et accessoirement alimentaire : le Rapporteur était écrivain, puisqu'il écrivait.

Il avait depuis longtemps perdu le fil de l'intrigue de son roman de corsaires, qui n'était au fond qu'un ravaudage maladroit de toutes les lectures qu'il avait pu faire depuis l'enfance. Les aventures de son héros lui faisaient traverser dans tous les sens toutes les mers du globe et croiser des avatars de Robinson Crusoé ou de Long John Silver, quantité de chercheurs de trésors, de buveurs de rhum, de galions, d'explorateurs, de vaisseaux fantômes, sans oublier les cargaisons d'esclaves et d'or, et les belles odalisques enlevées par des pirates maures.

Bien des pages étaient occupées par des descriptions interminables de soleils se couchant sur des flots apaisés ou rebelles dont la niaiserie aurait fait bâiller mais qui le contentait lui, à mesure qu'il reprenait sans se lasser le motif, et tentait de l'améliorer comme un peintre peut le faire, de tableau en tableau, sans hélas y parvenir jamais.

Marié à une femme ni laide ni belle, il l'avait honorée en une unique occasion, le soir de leurs noces, et n'avait plus jamais recommencé, effrayé par la chose et peu attiré par le corps féminin et ses effluves. Avec son consentement tacite, son épouse se consolait grâce aux étreintes résineuses, brèves et furieuses que lui offrait Hkanka, un menuisier qui ressemblait aux grumes qui ornaient son quotidien.

Si le Rapporteur, un temps, avait délaissé sa prose polluée et ses fantasmes salins, s'il avait simplement marché dans sa petite ville et respiré le brouillard de l'hiver qui se piquait d'odeurs de poudre, s'il avait parcouru d'un œil distrait l'amoncellement de billets que des mains crispées glissaient sous sa porte et qui tous témoignaient, dans leur pauvre vocabulaire et leur graphie estropiée, d'une inflammation de la haine, s'il avait regardé le visage des passants, ce feu dans leurs yeux, ces bouches fermées sèchement, ces mâchoires soudées, ces corps tendus et prêts à bondir, s'il avait entendu ces phrases brèves, poncées, abrasées, crachées par les uns et les autres, sans doute aurait-il pu comprendre la menace imminente et la prévenir.

Car les grands incendies ne sont à leur départ que mousses et étincelles. Pour parvenir à des millions de morts, et à l'effondrement d'antiques civilisations, il faut un premier mort, puis un deuxième, puis un troisième, ainsi de suite.

Tous les débuts sont modestes.

Troie. Rome. Mille exemples pour qui se donne la peine de les chercher !

L'Histoire bégaie.

Elle est sénile, ou jamais sortie de ses langes.

Au choix.

Les débuts pourraient être des fins, si on s'en donnait un peu la peine. Mais on préfère se répéter. C'est plus commode.

Les passions, vieilles recettes de sorcières, égaraient le Policier et le Rapporteur aussi sûrement que des bambins dans un sous-bois au crépuscule. Tous deux se pensaient sérieux quand ils n'étaient que comiques. Tous deux se croyaient des hommes importants mais ils n'étaient en vérité que les lointains cousins de ces personnages grotesques que l'on croise au détour des pages dans l'œuvre de l'immense Nicolas Gogol. Hélas nul n'était là pour le leur dire, et le cours des choses pouvait aller son train fatal. Les minces remparts qu'ils auraient pu être devenaient des digues crevées, prêtes à laisser jaillir toutes les eaux sales qui les entouraient et dans lesquelles, sans en être conscients, ils clapotaient eux aussi.

XVIII

Voilà un mois qu'avait eu le lieu le meurtre du Curé Pernieg. L'épisode de la profanation de la mosquée et des souillures peintes sur les maisons musulmanes ne fut pas suivi d'un autre incident majeur, alors même que la communauté le redoutait, tandis que de nombreux habitants chrétiens de la petite ville quant à eux l'espéraient, ces bonnes âmes droites, batraciens de bénitier, récitant chaque soir en chemise avant de se coucher leurs *Ave* et leurs *Pater*, les genoux meurtris au sol et la nuque ployée, mais le cœur plein de fiel.

Pour autant, le nombre de quolibets, d'insultes crachées à voix basse, de légères bousculades, d'affronts divers, de refus de servir telle cliente dans un commerce au prétexte qu'on savait qu'elle se prénommait Fatima, ou Laftia, ou Biyouna, ou Léila, de femmes à qui des gamins tentaient d'arracher leur voile avant de s'enfuir en courant, ne cessait d'augmenter, à tel point que lors de la grande prière du dernier vendredi de novembre, l'Imam Guedj eut la surprise de voir toutes ses brebis, hommes, enfants et femmes, réunies dans la mosquée, alors que d'ordinaire seuls les hommes s'y rendaient.

S'il n'était guère aimé par le Policier, l'Imam Guedj n'en était pas moins un homme d'une grande humanité et d'une notable intelligence, qu'on appelle aussi parfois, et plus modestement, le bon sens.

Il aurait été difficile de trouver en lui la moindre parcelle de malignité et son vœu le plus ardent était de vouer sa vie aux autres et d'éclairer son quotidien et celui des familles dont il avait la charge à la lumière des préceptes et commandements de son Prophète.

Tolérant, il n'aspirait aucunement à faire de sa religion la seule véritable et n'avait aucune ambition hégémonique. L'Islam qu'il pratiquait se coulait dans une modération bienveillante. Il habitait depuis si longtemps dans la petite ville qu'il croyait naïvement faire partie de sa communauté et ainsi posséder les mêmes droits que tout autre citoyen. Il avait oublié qu'au sein de l'Empire, les disciples de Mahomet étaient *tolérés*, et ce mot utilisé dans les textes de loi disait bien qu'aux yeux des institutions ils ne pouvaient être et ne seraient *jamais* des sujets comme les autres.

« *Au nom d'Allah, le Tout Miséricordieux, le Très Miséricordieux*

Louange à Allah, Seigneur de l'univers
Le Tout Miséricordieux, le Très Miséricordieux
Maître du jour de la rétribution
C'est Toi que nous adorons, et c'est Toi dont nous
implorons secours
Guide-nous dans le droit chemin
Le chemin de ceux que Tu as comblés de
faveurs, non pas de ceux qui ont encouru Ta
colère, ni des égarés. »

Pour commencer la prière, l'Imam Guedj récita ainsi que l'usage le commandait la *Fatiha*, puis il continua en lisant la *sourate du vendredi*. Mais il s'aperçut vite que contrairement à la coutume, qui était jusqu'ici toujours respectée, et qui invitait les fidèles à écouter la prière en tenant la tête droite et en laissant aller leur regard fixement devant eux, la plupart des visages étaient tournés vers lui et les yeux le regardaient, ce qui eut pour effet de le rendre mal à l'aise.

Il marqua un silence puis commença son premier sermon, qu'il avait longuement préparé le matin, et dont il avait pesé chaque mot, conscient qu'il était que beaucoup attendaient ses paroles et qu'il ne fallait en aucun cas qu'elles soient interprétées de façon regrettable.

« Mes frères et mes sœurs, à vous toutes et tous ici réunis, par la grâce d'Allah, qu'Il soit loué le Tout Miséricordieux, je voulais vous faire comprendre que la vie est un chemin de pierres. Chacune de ces pierres peut devenir la première pierre

215

d'une maison si une belle main la saisit, et si d'autres belles mains aident cette main première à agencer ces pierres, à les faire devenir murs, foyer, four, étables et bergeries. Alors le chemin de la vie, le chemin de pierres deviendra le chemin de la fraternité et de la promesse. Notre communauté, notre petite communauté, jusqu'à il y a peu si heureuse et si tranquille, notre communauté aujourd'hui connaît des heures difficiles, et je...

« Parlons-en justement ! »

Une voix forte s'était élevée et avait tranché net celle, basse et douce, de l'Imam. C'était la voix d'Ohran Kadar, le Maréchal-Ferrant. Elle avait claqué sous la coupole de la mosquée dont les modestes proportions n'empêchaient pas l'existence d'un surprenant écho.

L'Iman Guedj resta stupéfait. En aucune manière on ne devait interrompre le sermon de l'homme saint durant la grande prière. Chaque musulman connaissait cette règle. Y contrevenir était une faute violente. Un sacrilège. Qui pouvait valoir l'opprobre et la damnation à celui qui le commettait.

Kadar ne l'ignorait pas et ce qui semblait plus formidable encore, c'est que son intervention n'avait provoqué aucune réprobation parmi celles et ceux qui étaient rassemblés là.

Au contraire, se dit Guedj dont les pensées tournaient à folle vitesse, c'était comme si toutes et tous attendaient cela. Comme si Kadar avait été choisi, élu, pour interrompre son sermon, et s'opposer à lui.

Que faire ? Continuer ? À coup sûr, celui-ci recommencerait quelques instants plus tard. Cela se sentait. D'ailleurs il était là, debout, très droit, face à lui.

L'Imam choisit de garder le silence pendant un moment qu'il fit volontairement durer en fixant Kadar, les yeux dans les yeux, car il percevait bien que les fidèles attendaient sa réaction, qu'ils étaient attentifs au moindre de ses gestes et ne le quittaient pas du regard.

Il profita de cette attention marquée pour descendre lentement les trois marches de la *mukkabariyya*, afin de faire comprendre à tous qu'il quittait le lieu où la parole sacrée se prononçait, où la prière se disait, pour se placer à leur niveau. Redevenir un des leurs. Non plus leur Imam célébrant la grande prière du vendredi, mais un homme de leur communauté. Simplement.

« Si tu veux parler, Kadar, parle. Nous t'écoutons.

Guedj avait dit cela très aimablement et il avait agrémenté ses mots d'un sourire. Il avait su ramener, sans drame, l'événement extraordinaire à une chose banale et sans incidence. Les regards se tournèrent vers le Maréchal-Ferrant qui sembla soudain moins confiant, et eut besoin de se racler la gorge plusieurs fois avant de se lancer.

« *Hazrat*, loin de moi l'intention de vous offenser ou de troubler la prière, mais nous avons besoin que vous nous guidiez : chaque jour l'une ou l'un des nôtres subit un outrage, une insulte, un geste déplacé. Combien de temps cela va-t-il durer ? En quoi sommes-nous responsables de l'horrible crime qui s'est produit ? Ne peut-on pas nous protéger et faire revenir la paix ? Ne pourriez-vous pas aller trouver le Capitaine Nourio, le Maire, et leur demander leur protection ? Qui sait ce que sera la prochaine étape ? Faudra-t-il attendre que l'un des nôtres soit tué pour qu'on prenne soin de nous ? »

Sa voix à mesure qu'il parlait s'était affermie car il avait sans doute senti que toutes celles et ceux qui l'entouraient marquaient leur adhésion à ce qu'il disait, par un signe de tête, un murmure. Soudain cette maigre foule, une cinquantaine de personnes tout au plus, semblait avoir grossi et emplissait davantage le lieu, portée par une vigueur commune, et c'est sans doute pourquoi Kadar avait martelé la fin de son discours d'une voix de plus en plus forte et que son visage s'était empourpré, sous le coup d'une colère revenue soudain, et qui n'était pas la sienne seule, mais celle de tout un groupe.

Il se rassit, échauffé, dans un brouhaha d'assentiments.

On aurait pu croire que la petite chose discrète, encombrée dans sa charge et son vêtement taillé trop vaste, qu'était l'Imam Guedj, ne pesait rien, le poids d'un merle mouillé, face à ce qui avait été lancé et qui n'exprimait au fond que l'opinion du plus grand nombre.

Mais c'était mal connaître son esprit pondéré, sa connaissance de l'âme humaine dans ses rouages prévisibles, et c'est bien cet esprit-là qui lui commanda de ne pas répondre au Maréchal-Ferrant, mais de laisser la parole aller. Aussi invita-t-il qui voulait s'exprimer à le faire.

Et ce fut comme s'il avait libéré l'eau d'un barrage : chacun se découvrit une passion d'orateur et y alla de son couplet, à vrai dire peu original puisqu'il ne faisait que chanter, avec des mots guère nouveaux, la mélodie âpre de Kadar. Cela dura presque une demi-heure et puis la grande rumeur fébrile s'affaissa pareille à un soufflé sorti du four, qui clapote et fume encore un peu quand on le porte vers la table du banquet, puis s'endort en un cratère calme dès lors qu'on le présente aux convives.

Les mots des uns et des autres avaient permis aux tensions de se dénouer pour un temps et de purger les énergies violentes. Les corps avaient sommeil. Les âmes s'engourdissaient de leur ivresse. L'Imam en faisait le constat, avec un certain soulagement, lorsqu'une voix s'éleva, timide, préoccupée.

« S'il vous plaît… S'il vous plaît… »

C'était Krashmir, le Médecin, avec son visage biliaire d'angoissé constant. Le silence se fit de nouveau. Ceux qui s'étaient déjà levés se rassirent. Le Médecin regarda l'Imam, guettant son autorisation, que celui-ci, tout de même un peu inquiet de ce que l'autre allait pouvoir dire, lui donna d'un signe de tête.

« *Hazrat*, je serai bref. Je ne sais guère parler en public. Je ne sais guère parler, tout bonnement. Les uns et les autres, vous avez dit vos craintes, votre peur, face à cette situation que nous n'avions jamais connue. Je suis là parmi vous, mais je ne suis pas pratiquant, l'Imam Guedj pourra vous le confirmer, et puis, excusez-moi de vous le dire avec franchise, je ne sais même pas si je suis croyant, je ne veux offenser personne en disant cela, mais ce que je sais, ce dont je suis sûr, et ce dont je suis fier, c'est que j'appartiens à notre communauté. J'ai été élevé et j'ai grandi dans les préceptes de la religion du Prophète. Je n'en tirais jusqu'à il y a peu aucune noblesse, ni non plus aucune honte. Mais si demain on me demande quelle est ma religion, je dirai sans crainte que je suis musulman puisque je suis le fils de mon père et de ma mère, qui eux, paix à leurs âmes, étaient de pieux croyants. Et qu'il s'est passé ce qui s'est passé, que notre ville devient ce qu'elle devient, et que je suis à vos côtés, et non pas de l'autre côté. Voilà. J'ai dit cela. Et je voulais ajouter une chose : ce pourquoi j'ai demandé la parole. Et ce que je vais vous dire maintenant, ce que je vais vous dire, ce n'est pas avec la bouche du Médecin. »

On commençait à regarder Krashmir avec des yeux bizarres. Pour un homme qui avait dit qu'il ne savait pas parler, on le trouvait bien bavard. Les esprits qu'il avait tenus dans sa main au début fuyaient lentement entre ses doigts et un morne grondement enflait peu à peu, qu'il perçut et qui le réveilla.

« J'arrête de parler. Excusez mon long préambule. Je vais dire ce que j'ai à dire.

« Eh bien dis-le ! lança exaspérée une voix de femme qu'on ne sut identifier.

« Voilà. Voilà. Oui. Je le dis : partez ! Partez. Le plus vite possible. Partez toutes et tous. Quittez cette ville. Faites vos bagages. Allez où vous voulez, où vous pouvez. Ne vous retournez pas. Partez. Faites-le vite. Il y a ici un grand danger. Partez. Je vous le conseille. Ne pensez pas que je suis fou. Ne pensez pas qu'il me vient des idées bizarres et que j'ai perdu la tête. Si vous tenez à votre vie, à celle de vos enfants, à celle de vos aïeuls, partez. Partez. Partez ! Partez vite, mes amis ! Bientôt, il sera trop tard ! Partez !

Pendant quelques secondes, il n'y eut aucun bruit, aucun mot. Rien. L'Imam Guedj lui-même se demandait quoi faire ou quoi dire après une semblable injonction.

Mais soudain, un grand rire, un rire formidable éclata, et jamais on n'avait entendu cela dans la mosquée, le rire de toute une communauté, un rire outré, moqueur, tout à la fois craintif, venimeux, agressif. Un rire coupant et bravache qui répondait au conseil d'apocalypse du Médecin. Un rire qui dura.

Dura.

Et quand ce rire commença à retomber, ce ne fut pas l'Imam qui reprit la parole mais Kadar, le Maréchal-Ferrant, dont la face, à force de tutoyer des jours entiers sa forge, avait pris à demeure la couleur des terres cuites et celle des viandes braisées.

« Je suis né ici. Cette ville est la mienne. Je la quitterai au moment de ma mort, et personne avant cela ne pourra faire de moi un fuyard. Vous êtes un lâche, Krashmir, j'ai honte pour vous, et vos conseils sont ceux d'un sans-couilles, excusez ma vulgarité. Gardez-les pour vous seul ! Ce n'est pas parce qu'on m'insulte ou me malmène qu'on me forcera à partir ! Je n'ai rien volé ! Je n'ai tué personne et n'ai causé aucun tort ! Je suis ici chez moi ! Nous sommes ici chez nous ! »

Après les rires énormes, la mosquée, qui n'avait jamais connu cela, eu droit à des applaudissements.

Le monde changeait. Les lieux de culte devenaient des lieux de spectacle. Allah s'invitait à l'opéra-comique.

Krashmir était resté debout, ses yeux las tournés vers le sol. Les rires lui avaient fait mal comme de multiples piqûres de guêpes, et les applaudisse-

222

ments giflaient son cœur. Il songeait qu'il était impossible de vouloir aider les autres. Tout compte fait, qu'ils aillent au Diable, puisque c'était ce qui leur pendait au nez. Il avait dit ce qu'il avait à dire. Il avait dit ce qu'il considérait de son devoir de dire. Chacun pour soi désormais.

Plus personne ne faisait attention à lui, à l'exception de l'Iman Guedj que les paroles du Médecin avaient ébranlé, car il y avait senti une sincérité désespérée. Il ne comprenait pas sur quoi reposait la certitude qu'avait Krashmir que le départ était l'unique et urgente solution pour leur communauté malmenée. Mais il pressentait qu'il avait raison, et que le pire était sans doute à venir. Il suivit des yeux la silhouette un peu voûtée du Médecin qui passa la porte et l'Imam Guedj se retrouva seul avec ses fous, se disant que son destin était lié au leur, et que si tous choisissaient de sombrer, alors il lui faudrait aussi sombrer avec eux.

XIX

Trois jours plus tard, avant l'aube, le Médecin,
sa femme et leurs trois enfants, emportant pour
tout bagage trois malles et deux grands sacs de
cuir, se dissimulaient dans le traîneau d'un forestier styrien nommé Alexis Grünen, dont le père
du Margrave actuel, le vieux Margrave Ourdinanz
Julius Konrad Ozlë, avait invité la famille à s'installer sur ses terres quatre-vingts ans plus tôt, prétextant qu'il n'y avait pas meilleurs bûcherons que
ceux qui naissaient au pied du Hoher Dachstein,
et qu'il n'entendait pas confier ses bois à n'importe qui.

Depuis lors, il y avait eu trois générations de
Grünen, toujours attachés au service des
Margraves Ozlë dont ils géraient les immenses
forêts de résineux et de hêtres, décidaient des
coupes, vendaient les grumes ou les débitaient
selon les besoins et les cours du bois, étant aussi
habiles à manier la scie et la hache que le boulier

pour faire fructifier la fortune de leurs Maîtres ainsi que leurs biens personnels.

Krashmir s'était mis d'accord avec Grünen l'avant-veille pour qu'il transportât les siens à la Frontière. Le Médecin avait fait un détour dans sa tournée pour se rendre à la scierie, en lisière d'une sapinière, distante du village de cinq verstes.

Le Forestier, qui avait à peine dissimulé sa surprise et son embarras – il avait autre chose à faire qu'accueillir et écouter le Médecin –, l'avait malgré tout reçu avec les égards que l'on doit à un hôte de marque, lui offrant une tasse de thé et de petits gâteaux sablés fourrés de confiture de myrtilles que faisait son épouse. Il avait constaté combien le Médecin paraissait craintif, sursautant au moindre craquement de la forêt toute proche, grignotant un petit gâteau en jetant continuellement de droite et de gauche des regards anxieux, comme le font les écureuils quand ils décortiquent une faîne.

Grünen avait commencé par refuser, prétextant que c'était là une entreprise longue et harassante en cette saison, et qu'il avait trop de travail pour se permettre une telle équipée qui lui prendrait, avec les chemins noyés de neige pâteuse, trois jours au bas mot en comptant le retour.

Et puis, avec malice, il avait demandé au Médecin la raison de son départ, et pourquoi il ne faisait pas appel à ceux dont c'était le métier, les

Mrazic, les Totebazc, qui géraient les transports par malle, traîneau et voiture de toute la contrée.

Devant la gêne de Krashmir à confesser sa volonté de rendre son départ le plus discret possible, Grünen avait poussé son pion en faisant mine de céder, mais en réclamant pour ce service une somme folle qui équivalait à quatre mois des gains du Médecin, que Krashmir, qui était loin d'être riche, après avoir levé les yeux et les bras au ciel et poussé des plaintes, avait fini par lui promettre, ainsi qu'un mois supplémentaire pour prix de son silence.

La *rudjia* avait fini par quitter la ville et la contrée. Sans doute s'était-elle suffisamment ennuyée à parcourir chaque rue, à tenter d'entrer dans les cheminées ou sous les portes des maisons. Elle n'avait laissé derrière elle qu'un brouillard trempé qui étouffait le moindre bruit et empêchait les fumées des cheminées de monter vers le ciel. Partout flottait une odeur de cendres et de braises poitrinaires.

Le traîneau de Grünen, auquel il avait enlevé clochettes et lanternes, glissa sans bruit, véhicule fantôme sortant à peine de la brume pour y entrer de nouveau, et si d'aucuns l'avaient aperçu – ce qui n'avait pas été le cas –, ils se seraient bien vite demandé s'ils n'avaient pas rêvé l'étrange équipage.

En partant, le Médecin et sa famille laissèrent la porte de leur maison grande ouverte, et on ne sut jamais si c'était par précipitation ou de façon volontaire, pour signifier un message mais on aurait été en peine de savoir lequel. Si bien que leur servante, Zoria Mekbec, une jeune fille qu'ils employaient depuis deux années, eut le cœur qui bondit en voyant le logis ouvert aux vents, craignant qu'un malheur soit arrivé. Mais après avoir appelé timidement plusieurs fois et que seul le miaulement d'un chat abandonné lui eut répondu, elle constata qu'il n'y avait là plus âme qui vive, et courut le dire à l'Imam.

On ne revit jamais le Médecin et les siens. Grünen, quand il revint de son équipée, dut considérer que le prix que Krashmir lui avait donné pour acheter son silence n'était pas assez élevé puisqu'il passa une après-midi entière à l'Auberge de Vilok à vider des pots de bière tout en racontant la visite du Médecin à sa scierie puis leur voyage vers la Frontière.

L'avaient-ils d'ailleurs jamais atteinte, cette Frontière ? Si Grünen avait été capable de trahir sa promesse de se taire, avait-il honoré celle du voyage ?

Michal Borovicj, un charpentier qui se rendit le lendemain à la scierie pour y chercher des madriers, affirma qu'il avait vu Grünen frotter à l'eau chaude son traîneau, y déployant une énergie de bête. Et Borovicj de continuer en disant que le Forestier parut gêné de sa visite et que la neige, au pourtour du traîneau, était teintée de traînées rosâtres, comme si on y avait dilué du sang.

Lorsque tout cela vint aux oreilles du Policier, quelques jours plus tard, il se contenta de hausser les épaules. Borovicj était connu pour boire plus que de raison et l'alcool depuis des années grignotait sa cervelle. Et quand bien même il aurait dit vrai à propos de la neige et du sang, et quand bien même Grünen par appât du gain ou sur un trait de folie aurait débité à la hache la famille du Médecin, quelle importance au fond ? Ce qui n'était plus là n'était plus là. Nourio ne consacra même pas un paragraphe au témoignage du Charpentier dans son rapport sur la fuite de Krashmir.

Quand l'Adjoint était venu frapper chez son supérieur pour lui annoncer la nouvelle, il l'avait découvert avec son nouveau-né rougeaud et plissé dans les bras, qui hurlait et tentait de griffer l'air de ses doigts roses. Nourio paraissait excédé. Il ne parvenait pas à calmer le petit être déchaîné, le berçant trop fort, ce qui n'avait pour effet que d'apeurer le nourrisson. Sa femme qui avait recouvré un peu de forces était occupée à se laver. On entendait à l'étage de l'eau couler dans un tub. La maison sentait de nouveau, après des semaines de macération fétide, le lait et le savon.

Le Policier vit dans l'arrivée de son subordonné une délivrance, d'autant que le nourrisson, on ne savait par quel miracle, s'était subitement calmé à la vue du grand corps de Baraj. Il scrutait le géant de ses yeux neufs et ronds et se mit à gazouiller, tandis que ses doigts minuscules se tendaient vers l'Adjoint.

Nourio s'assit et désigna une chaise à Baraj. À peine les deux hommes avaient-ils pris place de part et d'autre de la table de la cuisine que l'enfant s'endormit. Le Policier n'osa pas le déposer dans son berceau, de peur de le réveiller. Il le garda contre lui, à la façon d'un paquet gênant dont on ne peut pour autant se défaire.

Il soupesait ce que venait de lui apprendre l'Adjoint, essayant de donner un sens à la fuite du Médecin. À n'en pas douter, seule la crainte expliquait ce départ. Depuis l'assassinat du Curé, et plus encore dans les jours qui suivirent les funérailles, le climat de la petite ville avait changé. L'épisode du cochon et des maisons peinturlurées de sang, les divers incidents dont avaient été victimes des femmes et des enfants de la communauté musulmane, avaient sans doute alerté le Médecin sur de possibles plus grands dangers. Mais pourquoi était-il parti en catimini ?

Si son départ avait eu lieu en plein jour, personne, à commencer par le Policier, n'aurait cherché à le retenir. La loi n'interdit pas aux sujets de l'Empire, fussent-ils disciples de Mahomet, de changer de ville et de vie. Alors quoi ? Avait-il quelque chose à se reprocher ? Était-il au courant d'un fait relatif au meurtre de Pernieg et que Nourio ignorait ? Après tout, le Médecin lui aussi était tenu au secret, et si, au cours de sa pratique, il avait eu à recueillir une confidence voire un aveu, il n'aurait pu en faire état. Tourmenté par ce qu'il savait mais ne pouvait révéler, la fuite lui avait-elle paru préférable ? Ce n'était bien sûr là qu'une hypothèse, mais que le Policier trouva plausible. Ceci étant, il n'était pas plus avancé et le départ du Médecin n'en demeurait pas moins bien réel et à coup sûr définitif.

Abandonnant cette pensée, Nourio en saisit une autre qui, à la façon d'un animal discret, cheminait lointaine et à couvert. Il s'approcha d'elle avec prudence, de peur qu'elle s'enfuie avant même qu'il pût l'atteindre et la cerner. La pensée prit soudain une forme claire qu'il exposa de la façon suivante : si on plaçait devant un homme ne connaissant ni la ville ni celles et ceux qui la peuplaient les deux faits suivants, le meurtre du Curé et la fuite du Médecin, à quelle conclusion aboutirait-il sans l'ombre d'un doute ? Au fait que le Médecin, d'une manière ou d'une autre, était lié à l'assassinat et que, se sachant sur le point d'être découvert, il avait pris la poudre d'escampette.

Le raisonnement était implacable et ne souffrait aucune contradiction. Seule la connaissance que Nourio avait de l'affaire, de la ville, du Médecin, lui permettait de ne pas croire une seule seconde en la crédibilité de cette interprétation pour autant logique.

Tandis que son enfant dormait toujours dans ses bras, et que Baraj, immobile face à lui, semblait faire de même malgré ses yeux idiots qu'il avait grands ouverts, le Policier poursuivit son raisonnement en se demandant comment son supérieur le Commandant Sroh verrait les choses, et, surtout, comment les esprits supérieurs du Ministère les considéreraient.

Lui revinrent en mémoire les images de la procession suivant l'enterrement de Pernieg, les quatorze stations, les imprécations du Vicaire illuminé et la tension qui possédait la foule à ce moment. Si l'on considérait que le Vicaire n'avait pas agi de son propre chef mais qu'il n'était qu'un agent exécutant à sa manière une volonté politique supérieure et mûrement réfléchie, on voyait donc qu'une des intentions du pouvoir impérial était de stigmatiser la communauté musulmane et de la désigner comme coupable, indépendamment de la vérité, et sans se soucier d'elle, et peut-être même en la craignant, cette vérité, si par hasard elle n'allait pas dans le sens qu'on espérait. Dans cette perspective, le départ précipité du Médecin apportait une eau miraculeuse au moulin de ceux qui travaillaient en ce sens.

Nourio sentit les battements précipités d'un cœur. Il crut que c'était celui du nourrisson mais il se rendit compte que c'était le sien. Ce sang qui cognait fort et vite dans ses veines et ses tempes témoignait du point final où le trajet de sa pensée l'avait mené : puisqu'il était parvenu, de façon certaine, à cerner les volontés de sa hiérarchie, si lui travaillait dans le sens indiqué, n'en tirerait-il pas tous les bénéfices ? La découverte du véritable Assassin du Curé lui apporterait sans doute pour sa carrière un avantage bien menu par rapport à celui qu'il pourrait espérer s'il trouvait un coupable tel qu'en haut lieu on le rêvait et on s'était mis à le dessiner.

Grisé par son raisonnement et tout entier à lui, il n'avait pas entendu sa femme descendre l'escalier. Aussi sursauta-t-il lorsqu'elle posa la main sur son épaule. Le nouveau-né réveillé brusquement par ce mouvement se mit à hurler. Nourio parut reprendre conscience. Il regarda sa femme. Face à elle, l'Adjoint était debout, ses mains interminables plaquées le long de ses cuisses, figé dans une sorte de garde-à-vous grotesque dont il ne sortait pas.

Sa femme saisit l'enfant et commença à le bercer. Le Policier rajusta sa veste et rassembla en lui tout ce qui s'y était agité, particules innombrables et mal identifiées, semblables aux lies épaisses qui somnolent dans le fond de certaines bouteilles de vin. Il fit un signe de tête à l'Adjoint et tous deux sortirent de la maison. Ils prirent le chemin du Poste, et Baraj fut tout étonné, dans le froid vif et clair de la fin de cette matinée, d'entendre son supérieur siffloter un petit air joyeux en tirant sur le fin cigare qu'il venait d'allumer.

XX

Deux jours plus tard, Nourio reçut la visite de Frejko Sabir, qui était le domestique et l'homme à tout faire du Rapporteur de l'Administration impériale.

Le Policier était seul. Baraj était parti pour T. le matin même, porteur d'une lettre pour le Commandant Sroh que le Policier avait mis six heures à composer. Elle relatait le départ du Médecin et c'était un modèle d'insinuation, de sous-entendus, de formules à double sens si finement assemblés que la missive, dont on pouvait se demander si Sroh en comprendrait les tenants et les aboutissants, avait rempli de fierté Nourio lorsqu'il l'avait relue.

Il était occupé à fumer tranquillement un *krumme* en songeant aux lèvres claires et à la jeune gorge de Lémia quand Sabir fit son apparition.

C'était un grand échalas bossu à l'abondante chevelure grise qu'il retenait en catogan. Il avait passé cinquante ans, connu six ans de conscription, deux guerres, sales et meurtrières comme toutes les guerres, changé trois fois de nationalité au hasard de découpages diplomatiques dont il n'était en rien responsable, avait approché quantité d'emplois mineurs et déclassés, quelques prostituées, avait eu la douleur de perdre deux épouses et trois de ses enfants en bas âge, avait crevé la faim et fait le tour de la misère, puis trouvé depuis son retour au pays une aimable compagne et un emploi convenable. Il portait un curieux habit, que lui avait fourni son Maître, et qui faisait songer à celui de certains navigateurs de la Compagnie des Indes orientales.

« Monsieur le Rapporteur m'envoie vous dire qu'il serait fort honoré si vous acceptiez de venir prendre le thé chez lui à cinq heures aujourd'hui.

Nourio se demanda s'il avait bien compris le domestique. C'était la première fois que pareille invitation lui était faite. Il n'avait jamais eu le Rapporteur en haute estime, d'autant que celui-ci, chaque fois qu'ils étaient mis en présence, lui faisait bien sentir le peu de considération qu'il avait non seulement pour sa fonction, mais aussi pour sa personne. Et puis, tout l'incommodait chez le Rapporteur : son physique satisfait, sa rousseur poisseuse, son œil mort masqué par un pansement noir, sa réputation de cocu complaisant, sa naissance qui lui avait ouvert toutes les portes, sa richesse, son oisiveté, jusqu'à sa redingote qu'il s'évertuait à porter en toute saison et en toutes circonstances, sans jamais, semblait-il, prendre conscience du ridicule de cet habit démodé.

« Le thé, dites-vous ? À cinq heures ?

« C'est cela, monsieur le Capitaine. Que dois-je répondre ?

« Comment cela ?

« Que dois-je dire à mon Maître ? Acceptez-vous, ou la chose est-elle impossible ?

« Mais non. Bien sûr que non ! La chose est possible. La chose est positivement possible ! Fort positivement ! » répondit le Policier soudain embarqué dans un dialogue de mauvais théâtre.

Sabir regarda le Policier comme une entité curieuse, un organisme cellulaire appartenant à une classe non déterminée et peu documentée de l'ordre du vivant, puis se retira.

Quelques heures plus tard, enfiévré, gorgé d'importance et de reconnaissance, le vêtement brossé et les bottes cirées, le Policier, après avoir bravé un blizzard bilieux, actionnait le heurtoir de cuivre représentant deux corps musculeux de marins, à demi nus, hissant une chaloupe, sur le bois peint de la haute porte de la résidence du Rapporteur, tandis qu'au clocher de l'église la cloche achevait de sonner cinq coups.

Ce ne fut pas Frejko Sabir qui lui ouvrit mais la vieille bonne barbichue qui faisait pour ainsi dire partie des murs puisqu'elle servait déjà le précédent Rapporteur.

Le Rapporteur attendait le Policier dans ce qu'il avait baptisé la chambre des cartes. C'était une sorte de fumoir dont tous les murs ainsi que le plafond étaient tapissés de planisphères et de portulans. Il y avait aussi, de chaque côté de deux canapés en cuir craquelé, des globes terrestres de différents siècles dont la particularité notable était que les continents émergés ne portaient aucune inscription dénominative, nulle mention d'États, de frontières ni de pays, tandis que les mers et les océans se constellaient de différentes appellations, écrites en tous sens et en des graphies diverses, énormes ou minuscules.

La lumière chiche qui se diffusait dans la pièce par des sphères posées à même le sol, sur de grands tapis chamarrés où des pieuvres et des monstres marins se livraient combat, donnait au visage borgne du Rapporteur, quand le Policier le découvrit encoigné dans un canapé, des reflets saumâtres de lémurien pensif.

« Enfin vous voilà ! » furent ses premiers mots tandis qu'il esquissait un mouvement faisant croire qu'il allait se lever pour saluer Nourio, mais il n'en fut rien.

La vieille servante édentée entra de nouveau avec un plateau chargé de tasses en porcelaine aux motifs de trois-mâts et de goélettes et une théière en argent.

Le Rapporteur la congédia d'un geste rapide de la main, et après avoir plaqué ses cheveux roux en arrière de sa nuque, il servit le thé. Le Policier s'était assis au bord du canapé, n'osant pas prendre ses aises. Il attendait. Il attendait il ne savait quoi, mais s'en fichait, tout occupé du plaisir d'être en ces lieux, n'en croyant ni ses yeux ni ses oreilles.

Le Rapporteur, qui ne toucha pas sa tasse, finit par se lever et commença à tourner sur lui-même dans le maigre espace, les bras noués dans le dos, le front grave, l'œil unique sombre et préoccupé.

« Quantité de billets me sont portés chaque jour depuis la fuite du Médecin. Quand je dis *portés*, j'use d'un terme inadéquat. Ils sont glissés sous mon huis, fourrés dans la boîte, quand ce n'est pas simplement jetés sur le trottoir. La plupart, vous l'imaginez, sont anonymes. Certains portent le signe aisément identifiable de cette supposée société secrète des *Mille Oreilles*, vous connaissez bien sûr ? La majorité sont encombrés de fautes grossières, preuve que celles et ceux qui les rédigent sont des ignares. Quelle société secrète, si tant est qu'elle existe, recruterait des membres aussi incultes, je vous le demande ! Mais là n'est pas l'objet. Ce qui importe, c'est que ces billets disent tous plus ou moins la même chose : la fuite de Krashmir est un aveu. Un aveu qui fait de lui sinon le Meurtrier de Pernieg du moins le complice de ce meurtre. Les billets pointent l'implication que son départ révèle. C'est de cela que je voulais vous entretenir, Capitaine, et je vous le demande abruptement : qu'en pensez-vous ?

« Ce qui importe n'est pas ce que je pense, mais ce que vous désirez que je pense, monsieur le Rapporteur.

« Voilà qui est joliment dit, mais qu'entendez-vous par là ? répondit l'autre qui s'était de nouveau assis sur le canapé et rajustait le coussinet de cuir cachant son œil mort.

« J'ai beaucoup réfléchi, reprit le Policier. Depuis quelques jours. On me paie pour cela je présume, même si on me paie fort mal. Vous et moi appartenons à la même machine. Bien entendu, votre place y est considérable alors que la mienne est dérisoire, c'est ainsi, mais ce qui importe c'est que vous et moi, à nos niveaux respectifs, œuvrions dans le même grandiose mécanisme fait de milliers de rouages, un mécanisme parfait dans sa complexion et son ordonnancement, un mécanisme qui garantit l'ordre et la pérennité, et ce mécanisme merveilleux s'appelle l'Empire. »

Encouragé par les hochements de tête du Rapporteur qu'il jugea être des assentiments, Nourio poursuivit.

« Je me suis souvenu de vos propos, quand nous nous étions concertés vous et moi avec monsieur le Maire après cette affaire de cochon égorgé, sur le petit nombre et le grand nombre, sur la composition de notre petite ville, qui d'ailleurs est tout à fait représentative de celle de l'Empire en son entier, et sur le principe de vérité. J'en suis venu à la conclusion qu'est vrai ce qui est demandé et acceptable par le plus grand nombre. Qu'aller dans le sens de la minorité, même si la vérité effective semble être de son côté, ne peut conduire qu'au désordre et au chaos. Et en fonction de votre raisonnement et de mes réflexions, à cette vérité effective que beaucoup dans les siècles passés ont pris pour une pierre angulaire ou une boussole indiquant un cap indiscutable, je préfère le concept de *vérité efficiente*, qui tient davantage compte des composantes du réel et garantit, il me semble, une forme demandée, voulue, espérée, de stabilité sociale.

Le Policier se tut. Son cœur battait très fort. Il porta la tasse de thé à ses lèvres et en but une gorgée.

« Intéressant, Capitaine. Très intéressant. Je ne me trompais pas sur votre cas. Vous êtes un homme intelligent. *Vérité efficiente*, avez-vous dit ? J'aime beaucoup cette idée. Beaucoup ! »

Nourio rougit. Jamais il ne s'était senti aussi important. Il en vint aussitôt à aimer passionnément le Rapporteur et à lui trouver toutes les qualités du monde alors que peu de temps avant il ne lui en concédait aucune.

Celui-ci s'était de nouveau levé et avait repris sa marche circulaire. Il pensait. Et Nourio admira la puissante concentration du Rapporteur dont le front subitement paraissait encore plus ample et son œil unique davantage immense et scintillant.

Cela dura quelques longues minutes. À chaque pas, le parquet sous les tapis des abysses craquait comme de petits ossements que l'on brise. Le Rapporteur respirait bruyamment et expirait l'air par le nez, ce qui produisait un son de locomotive à vapeur dont on aurait tout à la fois serré les freins et chauffé à bloc la machinerie.

Enfin il s'arrêta, tournant le dos au Policier.

« *Vérité efficiente*. C'est parfait. Parfait, Capitaine, mais en l'espèce, et très clairement, qu'est-ce à dire ?

Nourio observa devant lui les grandes épaules prises dans la redingote, puis les mains du Rapporteur dont les doigts s'entremêlaient tout en battant la mesure. Il avait compris que de sa réponse et des décisions qu'il prendrait dans les heures et les jours suivants dépendrait son entière carrière. Le Commandant Sroh n'était plus de la première jeunesse. Il partirait bientôt à la retraite. Ne ferait-il pas un successeur idéal et naturel ? L'appui du Rapporteur ne lui permettrait-il pas d'espérer raisonnablement cette promotion ? Tout cela se dessinait avec une netteté stupéfiante. Il n'y avait plus à hésiter. Il avait en main un jeu parfait pour décider de son destin.

« Je crois pouvoir affirmer, monsieur le Rapporteur, qu'il faut donner à notre communauté ce qu'elle demande. Si son bon sens et son désir

242

désignent le Médecin comme un agent, direct ou secondaire, du meurtre du Curé Pernieg, pourquoi la contrarier ? Si notre communauté adhère à cette vérité, notre devoir est de la conforter dans cette voie : le bénéfice en sera un apaisement retrouvé et une cohésion renforcée. J'ajouterai que le sort du Médecin et de sa famille n'en sera nullement changé. Nul ne sait où ils se trouvent. Sans doute de l'autre côté de la Frontière, et nous pouvons affirmer sans crainte de nous tromper que jamais ils ne reviendront ici. Ni leur vie ni leur réputation n'auront donc à souffrir de ce que nous jugerons bon de dire ou de faire.

Le Rapporteur se retourna vivement. Son visage s'éclairait d'un grand sourire.

« Voilà qui est parfaitement parlé, Capitaine. Je compte sur vous pour travailler désormais en cette direction et donner à nos concitoyens ce qu'ils attendent. Faites circuler la nouvelle, non pas officiellement cela s'entend, mais soyez efficace. Un mot ou deux glissés dans l'oreille adéquate et le tour est joué, n'est-il pas ?

« Je vous remercie pour la confiance que vous m'accordez, monsieur le Rapporteur. »

Il se crut obligé d'incliner la tête, en signe de respect, puis recula jusqu'à la porte.

Le froid mordant qu'il retrouva sitôt sorti de la demeure du Rapporteur fouetta son esprit. Et c'est d'un pas décidé qu'il se dirigea vers l'Auberge de Vilok, qu'il trouva pleine de l'habituelle foule des soiffards que l'hiver rendait davantage avides d'alcool. Il remarqua le Sabotier endormi à sa place attitrée. Près de lui deux bouteilles vides montaient une garde inutile.

Plutôt que de s'asseoir, Nourio resta debout au comptoir, ce qui surprit Vilok dont le nez vermillonné et protubérant semblait encore avoir grossi. Le Policier commanda un bouillon au cumin, que l'Aubergiste lui amena avec une tranche de pain bis. Nourio émietta le pain dans le bouillon et les morceaux se gonflèrent aussitôt de l'eau graisseuse et parfumée. Vilok l'observait, semblant attendre quelque chose.

« Tout va bien, Capitaine ? finit-il par demander.

Nourio lapa deux gorgées de bouillon avant de répondre :

« Tout va bien quand on sait que le mal a fui. »

Puis il laissa Vilok se saisir de la phrase, comme d'un cadeau précieux, et plongea de nouveau ses lèvres dans le bouillon brûlant.

XXI

Les auberges sont de fabuleuses chambres d'écho, et dans une contrée reculée où n'existe aucune presse, pas un journal, nul périodique, elles remplacent avec une efficacité égale tout ce qui pourrait s'écrire, s'imprimer et être lu.

Dès le lendemain, avant la fin de la matinée, on saccageait la maison du Médecin, brisait les meubles, brûlait les linges que la famille n'avait pas emportés, conchiait et compissait les sols et les murs, crevait les matelas. Seule la mitoyenneté de la demeure empêcha qu'on y mît le feu mais on badigeonna la façade d'inscriptions ordurières où les mots « assassin » et « impie » dominaient toutes les autres insultes, et de dessins malhabiles où le Prophète Mahomet était caricaturé sous les traits d'un âne.

Celles et ceux qui avaient commis le saccage étaient des gens ordinaires, n'ayant pas même l'excuse de l'ivresse, qui ne s'étaient jamais au cours de leur existence livrés à des actes de violence, hommes de tous âges, femmes, enfants, et qui gorgés du plaisir de la destruction paradaient au milieu des ruines qu'ils avaient créées, riant, s'apostrophant, s'encourageant dans un accès de rage contagieux à détruire ce qui pouvait encore l'être.

Seule l'arrivée du Policier qui feignit de vouloir s'opposer à leurs exactions les mit mollement en fuite. Nourio entra dans la maison, traversa chaque pièce, monta à l'étage. C'était une scène de guerre. Rien n'avait été épargné. Il ressentit au plus profond de lui une satisfaction qu'il ne connaissait pas encore, née de sa propre puissance à décider du cours des événements et à l'orienter.

Afin de fêter cela, il sortit un *krumme* de sa gibecière et l'alluma.

Quand il retrouva la rue, il aperçut sur le trottoir d'en face un groupe d'une dizaine d'hommes qu'il reconnut aussitôt. C'étaient tous là des musulmans. Sur leur visage se lisaient tour à tour l'effroi et la colère. Parmi eux se trouvait l'Imam Guedj qui, dès qu'il aperçut le Policier, vint à lui. Ils se saluèrent en silence et Nourio vit que les yeux du religieux étaient pleins de larmes.

« Où allons-nous, Capitaine ? Où allons-nous ? Hier on souillait nos portes. Aujourd'hui on détruit une de nos maisons, et demain ? Demain ? »

Le Policier considéra l'Imam qui semblait s'être encore desséché. Son corps perdu dans son grand vêtement était aussi menu que celui d'un enfant de huit ans et sa barbe blanche paraissait un postiche. Il songea qu'un coup de vent un peu fort suffirait sans doute à l'emporter vers le ciel.

« Vous savez bien que le Médecin Krashmir n'était en rien impliqué dans le meurtre du Curé Pernieg ! reprit Guedj d'une voix désolée.

Nourio haussa les sourcils, de façon volontairement exagérée.

« Et comment le saurais-je, monsieur l'Imam, dites-le-moi donc ? Comment pourrais-je en être certain ?

Guedj parut scandalisé par la réponse du Policier qui le regardait, goguenard.

« Au fond de vous-même, vous le savez. Krashmir n'est pas un Assassin. Il n'avait aucune raison de s'en prendre au Curé Pernieg. Vous le savez bien, Capitaine !

Nourio tapota ses mains dans une sorte d'applaudissement amorti, tout en tordant ses lèvres qu'il avait déjà fort minces et qui prirent ainsi l'allure de deux lombrics contrariés.

« Je vous remercie d'être dans mon cerveau et de le connaître mieux que moi-même, fit-il d'une voix sifflante. L'âme humaine est plus complexe que vous ne le pensez. Mon métier m'a fait connaître depuis que je l'exerce les faces les plus sombres de notre nature, et même chez les êtres qu'on croit les plus doux et les plus droits, il existe des arrière-salles dans leur crâne pourtant bien ordonné où se cachent les plus ignobles démangeaisons. Il suffit de peu de choses, une faiblesse passagère, le hasard, un mot, pour que s'ouvrent les serrures qui gardent ces lieux infâmes et que se libèrent des énergies dont on ne peut soupçonner la violence. Vous êtes un homme de religion, monsieur l'Imam, c'est-à-dire d'espérance et de foi. La vision que vous avez de l'homme est faussée par cela, et vous ne parvenez pas à croire que les brebis que vous avez face à vous puissent se révéler, selon les heures et les circonstances, des hyènes sanguinaires. Je ne vous blâme pas de voir ainsi le monde et l'humanité, je vous dis simplement que vos croyances vous aveuglent en même temps qu'elles vous consolent.

Le Policier, tout à la fois énervé par les propos de Guedj et ravi de sa propre tirade, aspira trois longues bouffées de son cigare. L'Imam n'avait pas réagi. Il regardait Nourio de ses pauvres yeux humides. Il tremblait, de froid ou de peur. Il finit par baisser les yeux, et c'est tout son corps aussi, entraîné par ses grandes paupières sombres, qui parut se ratatiner plus encore. Il ne retint plus les larmes qui coulèrent sur son maigre visage.

« Je vous plains, Capitaine. Je vous plains. Vous êtes en train de vous perdre. Je prierai pour vous.

« Ne gaspillez pas votre temps. Je n'ai nul besoin de vos prières, de vos conseils, ni de vos jugements définitifs. Faites ce que vous avez à faire, monsieur l'Imam, et laissez-moi à mon travail. Je vous salue ! »

Il arriva au Poste en même temps que l'Adjoint qui revenait de T. Il laissa le temps à celui-ci de mener son vieux cheval à l'écurie, de le bouchonner, de lui donner de la paille propre et une ration d'avoine. À travers la cloison, il entendait la voix de Baraj qui parlait à la carne comme s'il s'était agi d'un être humain, et le faisait avec une douceur dont on n'aurait pas cru capable ce grand morceau de chair au visage pataud et au vocabulaire pauvre.

Le Policier pour la première fois se demanda si son Adjoint pouvait être en vérité moins crétin qu'il ne lui paraissait. Il haussa les épaules. Il avait hâte de lire les instructions du Commandant Sroh, et peu lui importait l'intelligence de l'Adjoint, car se penser environné d'idiots permet de savourer sa propre intelligence, qui n'est nullement une valeur absolue tant elle est, fondamentalement, relative.

Pour autant il ne pressa pas Baraj et lui laissa tout le temps nécessaire pour soigner sa monture. L'attente on le sait est un délice violent qui donne aux heures vides de la vie un excitant remarquable. Nourio jouissait de cela, de ce moment d'avant, d'avant les choses, d'avant l'enclenchement d'engrenages qu'il soupçonnait d'une taille et d'une puissance incomparables.

Quand l'Adjoint finit par le rejoindre, il lui versa une tasse de thé et le pria de s'installer près du feu, ce qui intrigua Baraj, peu habitué à tant d'égards de la part de son Maître.

« Bien. Me donneras-tu enfin la lettre du Commandant ?

« Il n'y a pas de lettre.

« Pas de lettre ?

« Non, Maître.

« Mais enfin, ce n'est pas possible !

La bonne humeur et la griserie dans lesquelles flottait Nourio depuis son entrevue avec le Rapporteur se dissipèrent aussitôt. Sa bouche se mit à sentir le tabac froid et il se trouva fort petit dans son petit corps. L'Adjoint percevant que le vent tournait subitement tenta de se tasser sur sa chaise puis il dit faiblement :

« Il n'y a pas de lettre mais le Commandant m'a fait apprendre un message.

« Ne pouvais-tu pas le dire plus tôt, imbécile ! explosa le Policier. Qu'attends-tu ? D'avoir tout oublié ? Allons, vas-y ! Je t'écoute !

Baraj posa la tasse sur la table, se leva, ferma les yeux et se concentra sur les mots que lui avait fait apprendre le Commandant, et qu'il s'était récités durant tout le trajet de retour, tant apeuré qu'il était d'en perdre un seul en route.

« *Capitaine, votre lettre a la clarté de l'eau de source. Je n'ai aucun doute quant au fait que les deux événements sont liés. Il vous faut désormais travailler en cette direction. L'Empire vous regarde et compte sur vous pour combattre ses ennemis et les réduire à néant. »*

Le Policier fit répéter deux fois l'Adjoint, lui demandant de parler lentement. Puis une troisième fois encore, et plus lentement, afin qu'il puisse copier sur le papier le message du Commandant. Quand cela fut fait, il congédia l'Adjoint, qui ne demanda pas son reste et fut bien heureux de pouvoir rentrer chez lui et retrouver Mes Beaux à qui il avait confié son logis depuis trois jours.

Quant à Nourio, il resta longuement en tête à tête avec les mots de Sroh qu'il relut un nombre incalculable de fois afin d'en extraire le sens apparent et le sens caché.

Les deux dernières phrases étaient les plus énigmatiques : que voulait dire exactement la formule *travailler en cette direction* ? Le Commandant donnait son blanc-seing pour que la résolution du mystère de la mort de Pernieg passe par la culpabilité du Médecin en fuite, mais l'expression ne voulait-elle pas indiquer plus de choses encore ? Dans la phrase suivante, soudain il n'était plus question d'un Prêtre assassiné dans un coin perdu d'une province éloignée mais du sort de l'Empire lui-même, inquiété par des ennemis que le Commandant ne nommait pas, mais que le Policier devait connaître puisque son supérieur suggérait qu'il pouvait, qu'il devait, les défaire.

251

Ainsi la mort du Curé, la culpabilité du Médecin, le sort de l'Empire se voyaient liés. Pernieg devenait le symbole synecdotique de l'Empire, comme le Médecin, par son appartenance à la communauté musulmane, pointait la responsabilité de celle-ci dans la tentative de déstabiliser l'ordre impérial.

C'était un tourbillon.

La tête de Nourio bouillonnait. Il passa par des états étranges où se mêlaient l'excitation, l'angoisse, la présomption, le sentiment d'importance, l'orgueil, la peur panique de se fourvoyer et de mal comprendre ce qu'on attendait de lui.

Il ouvrit un placard où somnolait une bouteille de *hpetz*. Il s'en servit deux verres qu'il avala cul sec et sentit la brûlure descendre dans sa gorge puis son estomac, passer dans son sang, remonter dans son âme qu'elle illumina brutalement comme un lampion de fête foraine.

Il rit.

Il rit comme un enfant.

Il rit comme un demeuré.

Lui qui se pensait jusqu'alors maltraité par le sort, injustement mis à l'écart de la marche du monde et du rôle qu'il aurait pu y tenir, se voyait désormais chargé de responsabilités incroyables. On avait besoin de lui ! L'Empire requérait ses compétences, sa sagacité et sa protection ! La petite ville devenait soudain un laboratoire des forces en présence, le récipient au sein duquel les différents ingrédients humains précipités hors de leurs éprouvettes se mêlaient et se combattaient, et voilà que lui, Nourio, était chargé de surveiller cette expérimentation, de la diriger, d'ajouter les composants propres à éviter les explosions majeures tout en éradiquant les substances nocives.

La tête lui tourna devant tant de beautés, d'autant qu'il n'avait pas l'habitude de boire. Il se servit pourtant un troisième verre, qu'il lapa lentement, mais soudain dans les fantasmagories qui naissaient de son ivresse apparut, sans qu'il les eût le moins du monde convoqués, le visage et le corps de Lémia, non pas tels qu'ils étaient en vérité, mais fardés et revêtus de voiles légers, de couleurs violentes et vives, et de matières délicatement transparentes.

Alors tout à fait saoul et n'y tenant plus, le Policier, brusquement si peu policier, quitta le Poste et, titubant dans la nuit qui commençait à déployer sa noirceur glacée dans les rues de la ville, prit hagard le chemin de la maison du Sabotier en souriant comme un simplet.

XXII

Le lendemain, le Policier se réveilla dans son lit, à demi étouffé par un amoncellement de couvertures et d'édredons. Il grelottait et sa pauvre tête lui semblait prise dans un étau. Il essaya de se lever mais à peine avait-il réussi à se redresser qu'il sentit qu'il n'avait plus aucune force. Il était fait de coton bouilli et de mou de veau. Pire, son corps était brûlant et sa gorge, gonflée et à vif, lui faisait un mal du diable. Au-dehors, un soleil insolent éclaboussait le vitrage, rendu plus implacable par la neige partout déposée et qui renvoyait ses éclats. Quelle heure pouvait-il donc être ? Et pourquoi était-il dans cet état ?

L'escalier qui menait à la chambre grinça et un instant plus tard sa femme, le visage marqué d'inquiétude, entrait.

« Que se passe-t-il ? demanda faiblement le Policier.

« Ne parle pas et bois. Tu as une forte fièvre. Il y a une heure à peine tu délirais encore. On t'a trouvé cette nuit dans la rue, assommé et à demi dévêtu. Quelques heures plus tard, tu serais mort de froid. Tu ne te souviens de rien ? »

Il porta une main à sa tête et sentit une bosse de la taille d'un œuf de poule recouverte d'un linge. Il allait demander à sa femme si le Médecin était passé le voir quand il se souvint que Krashmir avait quitté la ville, et il lui en voulut encore davantage.

On entendit soudain à l'étage du dessous geindre un nourrisson, puis pleurer un jeune enfant, et on aurait cru que l'un et l'autre se livraient à un jeu pour savoir lequel parviendrait à pousser les cris les plus perçants. C'était comme si on cherchait à enfoncer une longue vis dans la boîte crânienne du Policier. Il se laissa choir dans le lit et s'enfonça sous les couvertures en gémissant.

Il essaya de recoudre ses souvenirs de la veille. Au vrai, il ne disposait que de quelques images, incomplètes, des esquisses floues et tremblées qui ne s'ordonnaient pas dans une souple continuité mais constituaient une sorte de récit fait de lacunes, de noirs sans fond, d'éclats lumineux et brefs, le tout au son de chuintements de pas dans la neige, de borborygmes, de mélodies chantonnées, de vomissements, de hurlements aux étoiles et de jurons.

Le Policier se souvint qu'il avait bu, lui qui ne le faisait jamais, et tout portait à croire que, lorsqu'il avait quitté le Poste, il était ivre.

Qu'avait-il fait ensuite ? Oui, qu'avait-il donc bien pu faire ? Mon Dieu, quel spectacle avait-il pu donner à celles et ceux qui avaient croisé son chemin !

Il se voyait marchant dans les rues, rejeté d'une façade à l'autre dans un jeu de bonds et de rebonds, les murs soudain n'étant plus faits de pierres et de torchis mais d'une matière caout-chouteuse et molle. Puis il était à terre soudain, à quatre pattes, comme un chien ou un porc, riant de cela, amusé par la posture, mugissant, aboyant, couinant, se fichant qu'on puisse le voir et le blâmer, ensuite, ensuite, il hurle au ciel, non loin de l'église, insulte les étoiles et pousse des cris de coq, en mimant le volatile avec ses deux bras repliés sous ses aisselles. Après, après... il marche, abruti, droit devant lui, suivant l'alignement parcimonieux des réverbères, il va chez le Sabotier, c'est là sa seule pensée, son idée fixe, aller chez le Sabotier, il s'arrête, pisse, tombe, se relève, continue, oui, continuer, atteindre le logis du Sabotier, voir Lémia, regarder Lémia, l'épier au travers des vitres, la découvrir à sa toilette, la surprendre qui enlève un à un ses vêtements, apercevoir sa peau de lait, ses seins menus.

Il en est soudain certain.

Il parvient à la maison.

Il s'approche de la fenêtre.

Au-dedans, une faible chandelle et l'âtre mourant.

Les scènes jaillissent dans l'âme fiévreuse du Policier en se recomposant. Il se voit à genoux dans la neige, le visage sur le bord de la fenêtre. L'intérieur de la maison est sombre, à peine éclairé par la flamme d'une bougie, par des braises aussi peut-être. Pas de trace du Sabotier, et le petit frère, oui, le petit frère est bien là, endormi. Autre moment, plus tard, quelques minutes, une heure ou deux après, Lémia marche dans l'unique pièce, place une nouvelle bûche dans la cheminée. Étincelles, flammèches, flammes, gerbes d'or, rougissement. Plus tard encore, Lémia debout, chauffée par le feu revigoré, et qui laisse tomber un à un ses vêtements. Et lui, le Policier, à genoux au-dehors, tandis que le gel ronge la nuit, fait chuter pantalon et caleçon de laine, et se redresse face à la fenêtre, face aux étoiles, à la lune, à Dieu, debout à peu de distance de Lémia, protégé de son regard par l'obscurité, séparé d'elle par la nuit profonde et par une simple vitre, quand soudain un terrible craquement, sinistre, lui fait lever les yeux et il aperçoit, tombant comme une guillotine de la volée du toit, une masse de glace qui vient sur lui.

Et puis plus rien.

La fièvre est trop forte. Nourio tourne en rond dans les images que son pauvre esprit mal en point tente d'agencer. Il sue. Il tremble. Il gémit. Il ne sait plus vraiment distinguer le réel du songe. Se peut-il qu'il se soit ainsi déboutonné et caressé de nuit, en pleine rue, en plein hiver, lui, le Policier qui possède une haute conscience de son état, de sa fonction et de son être ? Ou n'est-ce pas là ce que certains psychiatres formés dans des hôpitaux français par un certain professeur Charcot commencent à nommer du vocable de *fantasmes*, des sortes de saynètes sans retenue aucune qu'une partie de l'esprit, débarrassé de tout frein, échafaude on ne sait dans quel but, au fil du sommeil et des rêves qui l'encombrent ? Ce qui fait que ce qui paraît vrai ne l'est pas, et que cela existe sans exister !

Mais cette horrible bosse ? Qu'en est-il ? À n'en point douter elle est réelle ! Foutrement réelle ! Une stalactite de glace l'a-t-elle percuté ou a-t-on profité de la nuit et de son ivresse pour l'assommer, espérant que le froid terminerait la besogne et lui ferait passer les portes de la mort ?

Dieu qu'il a mal ! Dieu qu'il souffre ! Il paierait cher pour redevenir celui qu'il était au matin précédent, et encore davantage l'avant-veille, quand il prenait le thé chez le Rapporteur, dans cette étrange Chambre des cartes et entendait ses mots qui étaient une douce pommade.

Une pensée soudain le fit tressaillir : comment était-il passé de la maison du Sabotier à son lit ? Qui donc l'avait porté chez lui ? Qui avait été témoin de son lamentable état ? Il se sentit plus

259

honteux que jamais et se dit qu'il ne pourrait se montrer devant les autres avant un long moment. Et si toute son aventure venait à se savoir, il pouvait faire une large croix sur ses espérances de promotion. Mais que lui avait-il pris de boire cet alcool maudit !

Il tenta d'appeler sa femme mais ne sortirent de sa gorge que des sons de cailloux frappés les uns contre les autres, et cela lui causa un mal atroce. Il tapa faiblement du poing sur la table de nuit, sans discontinuer, et sa femme affolée finit par gravir l'escalier quatre à quatre et surgir dans la chambre. Au-dessus, les enfants redoublaient leur colère.

« Comment suis-je rentré ? » dit-il dans un râle.

L'effort pour prononcer cette simple phrase lui avait coûté beaucoup. Sa gorge était en feu et des créatures minuscules l'étrillaient à la paille de fer tandis que d'autres, armées de marteaux, cognaient en cadence sur sa bosse. Il ferma les yeux et écouta sa femme lui expliquer que son Adjoint l'avait porté jusque dans la chambre. Elle avait cru comprendre qu'il avait été averti qu'on avait trouvé son supérieur inanimé et à moitié détroussé près de la maison du Sabotier. Aussi s'était-il précipité là-bas pour le découvrir inconscient et blessé et le porter sur son dos jusqu'à la maison. Voilà. Elle n'en savait pas davantage. Elle ignorait qui était allé prévenir l'Adjoint. Celui-ci ne le lui avait pas dit. Il avait déposé Nourio, toujours évanoui, dans le lit, et puis était retourné chez lui, gêné et penaud comme à son habitude.

L'Adjoint.

Ainsi c'était l'Adjoint. On aurait pu craindre pire.

Le Policier fut soulagé de savoir que c'était cette grande brute de Baraj qui s'était chargée de la besogne. Son subalterne avait le sens du devoir et du silence. Il était certain qu'avec lui cette mésaventure, pour peu que personne d'autre n'en ait été le témoin, resterait dans l'enceinte close de sa caboche. À la bonne heure !

Nourio respira longuement et se lova dans la chaleur du lit. Il lui semblait déjà aller moins mal et que la fièvre avait baissé. Mais une pensée vint aussitôt à la porte de son esprit : qui l'avait trouvé à demi mort dans la nuit et le froid, caleçon et pantalon baissés, et s'en était allé quérir Baraj ?

Il eut la réponse dans le milieu de l'après-midi quand Baraj vint prendre de ses nouvelles. L'Adjoint, qui avait été accueilli avec reconnaissance par la femme du Policier, se tenait gêné dans la chambre et sa grosse tête velue touchait presque le plafond. Il malmenait entre ses doigts gigantesques son bonnet de taupe pour se donner une contenance et n'osait pas fixer le Policier, qu'il n'avait jamais vu dans une position aussi humiliante, c'est-à-dire en chemise de corps et dans l'endroit le plus intime de sa maison.

Nourio, que sa gorge faisait moins souffrir, et qui avait repris un peu de forces et de lucidité grâce aux tasses de thé saturées de miel dont sa femme l'avait abreuvé, était aussi contrarié que lui. Il semblait que se présenter ainsi devant son subalterne, couché, vulnérable, à demi nu, n'ayant que sa pauvre tête bandée qui dépassait de l'amas de couvertures, de pelisses et de couettes, ne pouvait qu'écorner une partie de son prestige voire de son autorité.

« J'ai été sans conteste agressé ! On a essayé de me tuer et de me dépouiller ! »

Ce furent ses premiers mots qu'il lança comme un appât pour voir la façon dont l'Adjoint aller réagir.

Ce dernier regarda la petite chose insignifiante et agitée couchée devant lui. Il connaissait assez la nature humaine et en particulier celle du Policier pour comprendre que la vanité de celui-ci ne souffrirait pas une autre version que celle qu'il était en train de lui suggérer. Cependant, il y avait en lui un fond séculaire de crainte et de superstition qui lui faisait fuir tout mensonge, y voyant une porte grande ouverte sur l'Enfer, et il s'était accoutumé depuis l'enfance à vouer à la vérité un culte sans défaut. C'est pourquoi, en toute conscience, il ne pouvait prononcer aucune parole allant dans le sens de ce que souhaitait le Policier : la lumière du réverbère proche de la maison du Sabotier lui avait permis de voir, autour du corps inconscient de son

Maître, les débris de glace dont certains étaient rougis par le sang du crâne de Nourio, et levant les yeux, il s'était aperçu qu'une des nombreuses stalactites de glace qui festonnaient l'avancée du toit, la plus importante, était brisée net à sa base. Il ne fallait pas être devin pour comprendre ce qui s'était produit.

Il n'avait en revanche aucune explication sur le fait que son supérieur se trouvait à cet endroit précis, par un froid à ne pas mettre un condamné dehors, à une heure avancée de la nuit. Quant à l'habit débraillé, le fait que lorsqu'il l'avait secouru, les fesses pâles de son supérieur fussent collées à la neige et que son membre, devenu aussi infime qu'une larve de hanneton, ait commencé à bleuir sous le gel, Baraj ne voyait qu'une explication : une envie impérieuse, décuplée par le froid, avait saisi le Policier. L'Adjoint, qui malgré ses quarante-trois ans passés était aussi vierge d'âme que de corps, ne pouvait soupçonner les turpitudes qui avaient gouverné la raison du Policier, et l'avaient ainsi poussé à se débraguetter.

« Une lâche agression ! reprit le Policier en examinant l'Adjoint dont le silence et l'absence totale d'assentiment commençaient à l'inquiéter. N'est-ce pas, Baraj ? lança-t-il espérant provoquer chez le rustre une réaction.

Ne pouvant plus reculer, l'Adjoint se dandina sur ses pieds. Il avait coutume de le faire dans ses moments de malaise. Il finit par dire d'une petite voix soumise :

« Vous êtes mieux placé que moi pour le savoir, Maître.

Il avait tourné la formule longuement dans sa tête et s'était dit qu'elle ne le mettait pas en position de mentir tout en donnant à son supérieur l'impression qu'il ne le contredisait pas.

« Évidemment ! Évidemment… lança le Policier, rassuré, et il toucha sa bosse sous le pansement. Te rends-tu compte, peu s'en est fallu que je ne termine comme le Curé Pernieg. Si le coup ne m'a pas tué, c'est le froid qui l'aurait fait. Je reviens de très loin. De fort loin ! Il faut croire que Dieu me tient dans Sa grande miséricorde. »

À l'énoncé du nom de Dieu, l'Adjoint se signa et quelques vers le traversèrent, *Souiller le Très-Haut salir sa sainte face en faire le jouet de ses vœux, ouvrir le ventre du ciel pour qu'en chutent sang et flammes*, qui filèrent ainsi que tous les autres avant eux vers le néant, même s'il en resta dans la conscience de Baraj une gêne singulière qui lui fit contempler le Policier comme un être perdu.

« Mais dis-moi, continua celui-ci, qui donc est allé te prévenir ?

« La petite du Sabotier.

Le Policier sentit une sueur froide le tremper soudain.

« La fille du Sabotier, dis-tu ? M'a-t-elle… vu dans l'état où je me trouvais ?

264

Il avait eu beaucoup de peine à prononcer ces mots et attendait la réponse de l'Adjoint. Il tremblait de nouveau.

« Elle a seulement entendu un grand cri, et quand elle est sortie, elle a reconnu votre visage mais n'a pas osé vous approcher. Elle a couru chez moi.

« Bien, bien, dit le Policier soulagé. Brave enfant, je lui dois une fière chandelle.

« Oui, reconnut Baraj.

« Donc, tu me dis qu'elle ne m'a pas vu... elle ne m'a pas vu comme j'étais après m'être fait assommer... quand j'étais... enfin, tu vois ce que je veux dire !

« Elle n'a vu que votre figure, et le sang qui coulait sur votre tête. C'est tout.

Nourio soupira et regarda le plafond. Il ferma les yeux. Il se disait qu'on avait évité le pire. Tout en gardant les yeux clos, il poursuivit :

« Et en ville, parle-t-on de ma sauvage agression ?

« Le froid est devenu si vif que la ville est vide. Chacun se tient chez soi près du feu. Les enfants ne sont pas même allés à l'école. Il n'y a que la bise qui se promène dans les rues. On entend les loups hurler au loin.

« Les loups... reprit le Policier. Les sublimes loups », murmura-t-il songeur.

L'Adjoint contempla le Policier perdu dans son grand lit, disparaissant presque entièrement sous les couches chaudes, et qui grelottait malgré elles. Comment pouvait-on ainsi admirer les loups ?

Baraj quand il y songeait ne se souvenait que d'animaux aux yeux immenses et tristes, efflanqués, à l'odeur avariée, et qui à son approche fuyaient, furtifs, de leur petit trot en biais, leur queue sale entre les pattes, en poussant des grognements auxquels ils ne semblaient même pas croire. Quand il en avait abattu un d'une volée de gros plomb, deux hivers plus tôt, pensant se faire une pelisse de sa fourrure, il n'avait récolté qu'un cadavre corrompu, rongé de vermine et de gale, aussi maigre qu'un lacet de godillot et qui n'avait rien dans l'estomac. Il n'avait même pas pris la peine de l'écorcher mais avait poussé seulement sa dépouille, d'un coup de pied dédaigneux, sous une vieille souche de hêtre.

Son supérieur dormait. Il ronflait un peu et par moments poussait de petits cris, pareils à ceux des souris quand les chats en proie à l'ennui jouent à prolonger leur agonie en les agaçant de leurs griffes et de leurs crocs paresseux. L'Adjoint tenta de se faire léger et sur la pointe de ses immenses pieds quitta la chambre, soulagé de partir mais inquiet aussi, car il se demandait si son Maître n'avait pas fait le premier pas sur le chemin pentu de la folie.

XXIII

Qu'il est dommage que nous ne puissions jamais parcourir les livres d'Histoire consacrés au moment où nous vivons. Cela ne se peut car l'Histoire pour se faire a besoin que soient devenus cadavres les hommes dont elle prétend retracer les vicissitudes. Au vrai, si le pouvoir nous était donné, devenus squelettes ou cendres, de goûter de nouveau à la vie et à la conscience, et de connaître alors le portrait qui est fait de notre temps, ainsi que des nôtres, je ne sais quoi du rire, des larmes ou de l'agacement l'emporterait.

La mémoire est un objet fragile, qui se fausse avec naturel, et dont la constitution est si faible que, lorsqu'on veut la courber et lui faire prendre des formes diverses, elle se laisse faire sans opposer la moindre résistance. Aussi la mémoire n'est-elle que ce qu'on choisit qu'elle soit. Changeante au fil des temps et des époques, rien ne lui est autant étranger que l'exactitude ou la vérité car elle ne peut exister sans celui qui la sollicite et la forge, c'est-à-dire l'homme, dont un des buts principaux est qu'elle lui soit la plus redevable et légère possible, et la moins désavantageuse.

La veille de la Saint-André eut lieu un incident majeur : deux frères jumeaux, Mahmud et Brahim Kouechi, âgés de seize ans, aperçurent, non loin des halles du marché, Fatiah, leur sœur, qui courait en proie au plus grand affolement. Elle avait deux ans de moins qu'eux. Ses yeux qu'on devinait au travers du *neqiabh* disaient sa terreur.

Les deux garçons l'interrogèrent et apprirent qu'elle avait croisé Fédour Bazki, le Muet, le simple d'esprit, dans la ruelle Boznië alors que celui-ci transportait deux gros bidons de lait.

Quand il aperçut la jeune fille venir en sa direction, il fit en sorte de lui barrer le chemin avec son corps et ses bidons, tout en poussant des cris qui eurent pour effet d'apeurer Fatiah. Alors qu'elle cherchait à rebrousser chemin, l'infirme la retint en l'attrapant par son voile, qu'il arracha alors, n'ayant aucune idée de sa force, et les longs cheveux sombres et bouclés de l'adolescente se déployèrent par-dessus son caftan et sa peau de mouton. Elle tenta de se voiler de nouveau mais l'innocent l'en empêcha, riant de tous ses chicots et de sa bouche tordue tandis que, fidèle à son habitude, il sortait son gros sexe de ses pantalons et le faisait tournicoter, tout en dansant dans la ruelle et en poussant des cris de joie barbares.

Pris à son propre jeu, il trébucha contre un de ses bidons dont le contenu se répandit à terre, ce qui le fit aussitôt se désintéresser de la jeune fille et se frapper la tête et la poitrine tout en se lamentant dans sa langue incompréhensible faite de graviers et de tessons de verre, sur la perte du lait.

Fatiah en profita pour lui reprendre son voile et s'enfuir à toutes jambes.

La jeunesse est un brasier qui sommeille. Il suffit de verser sur elle une pincée de poudre pour qu'elle éclate en flammes vives. Dans le climat de tension qui possédait la petite ville depuis des semaines, et l'exacerbation que celle-ci avait connue depuis le départ du Médecin, dont toutes et tous, en dehors de la communauté musulmane, s'étaient désormais persuadés qu'il était coupable d'une façon ou d'une autre de la mort de Pernieg, malgré les appels au calme que lançait l'Imam, bien des disciples du Prophète supportaient de plus en plus mal les suspicions, les quolibets, les moqueries, les bousculades et les insultes dont ils étaient chaque jour victimes, sans que d'aucune manière les autorités n'interviennent pour les faire cesser ou les punir.

Mahmud et Brahim Kouechi n'étaient pas les plus vindicatifs des jeunes gens qui s'échauffaient alors, dans l'atmosphère délétère que connaissait la petite ville, mais la vue de leur sœur, dont le trouble était marquant, le récit qu'elle leur fit de sa mésaventure et le déshonneur dont ils prévoyaient

269

qu'elle ne pourrait plus jamais se défaire – car voir un immonde sexe de mécréant, se faire dévoiler par lui, c'était comme si elle-même avait été nue devant lui, et avait exhibé son propre sexe – suffirent à motiver leur acte.

Ils raccompagnèrent leur sœur chez eux, la confièrent à leur mère sans plus d'explications, s'armèrent de couteaux de cuisine et ressortirent aussitôt.

Ils foncèrent vers la ruelle Boznië, espérant y trouver encore le demeuré mais seule une grande flaque de lait, que le gel avait déjà durcie et dans laquelle se réfléchissait l'œil ironique et plissé du dernier quartier de la lune, témoignait de ce qui s'était passé quelques instants plus tôt.

Les jumeaux décidèrent de se rendre à la ferme Bazki où ils découvrirent Fédour dans l'étable, occupé à bousculer de sa badine une vache grosse qui refusait de rejoindre sa paille.

Quand le Muet les vit, il leur sourit de sa bouche malade et d'un geste les invita à lui donner de l'aide. C'est ainsi que cet innocent, oublieux déjà de ce qu'il avait pu faire subir à leur sœur, lui qui vivait dans un présent perpétuel et dont l'esprit défectueux ne retenait jamais rien de ce qui avait eu lieu quelques minutes auparavant, les laissa s'approcher sans méfiance et ce ne fut que lorsque les deux frères lui saisirent les mains, les lui lièrent dans le dos avec un licol de chanvre qu'ils saisirent à un clou, et le suspendirent à une poutre en lui tordant les bras, ce qui lui arracha un drôle de cri de douleur qui ressemblait à un éclat de rire, qu'il parut soudain comprendre que ces deux-là lui voulaient du mal.

Alors pour la première fois, il hurla. Comme un porc qu'on égorge. Que l'on saigne, que l'on violente, qui sait sa mort voisine. Mais si tant est que dans la ferme on eût pu l'entendre, les siens étaient trop habitués à ses divers cris de bête, et tous l'ayant en si piètre estime, le plaçant bien en dessous de la condition humaine, et à peine plus haut que celle des chiens ou des chats, il eût fallu que le doigt de Dieu touchât la maisonnée pour que l'un d'eux réagisse.

Mais Dieu dormait sans doute.

Ou Il était ailleurs.

Comme souvent.

L'un des jumeaux, Brahim, cracha au visage du pauvret, tandis que l'autre, qui avait sorti son couteau de cuisine, commençait à le piquer de la pointe, en divers endroits de son corps, sans oser enfoncer la lame plus que d'un pouce, ce qui faisait se tortiller le débile. Le sang néanmoins apparut, suintant sur le vêtement, y laissant des traînées minces et grenat, qui coulaient lentement, comme coulent, fragiles et peu assurées, certaines résurgences sur le plateau aux heures chaudes de l'été.

Disons-le tout net : avant l'épisode de la ruelle, les jumeaux Kouechi étaient de petits agneaux qui

271

grandissaient. Joueurs et intempérants, vifs, folâtres, nerveux, joyeux, souples, sans malice et sans haine, des enfants en somme, qui s'apprêtaient à ne plus l'être, et s'aventuraient, impatients, fébriles, pleins d'espérance et de crédulité, sur la voie pourtant décevante de l'âge adulte.

Mais en cette fin de mardi, jour de la Saint-André, patron des pêcheurs d'eau douce et des cordiers, protecteur des femmes qui cherchent mari ou veulent devenir mères, saint patron d'Écosse, de Russie, d'Ukraine, de Grèce, de Roumanie et de Sicile, frère de saint Pierre, qui parcourut la Bithynie, Éphèse, la Thrace, Byzance, et l'Achaïe, où Néron l'impie dans la ville de Patras le fit crucifier en l'an 60 de notre ère, tandis que le ciel avait encore changé d'allure, s'étant lassé de son bleu sans limites pour épouser une teinte de plomb cérusé, emberlificotant dans ses nuages de suint un soleil poussif et une lune chétive, en ce jour donc, les jumeaux Kouechi, qu'ils soient maudits pour les siècles des siècles, et avec eux leur ascendance, les jumeaux Kouechi se révélèrent.

Qui donc de Brahim ou de Mahmud trancha les liens des vêtements ?

Qui de Brahim ou de Mahmud mit à nu l'idiot ?

Qui de Brahim ou de Mahmud fit le sourd aux cris suppliants du demeuré tandis que la pointe des couteaux de cuisine, prenant goût à la peau claire du simple, le piquetait à l'envi et de plus en plus loin dans ses entrailles ?

Qui de Brahim ou de Mahmud, une fois la folle danse des couteaux achevée sur le pourtour du corps, dans l'étable tout encombrée de bêtes indifférentes, qui ayant couché leur grand corps chaud, meuglant et ruminant, à quelques pas du sommeil, décidèrent de ne pas se soucier du sort de leur vacher qui chaque jour pourtant les nourrissait, les abreuvait, changeait leur litière, les trayait, les pansait, les embrassait souvent sur leur mufle humide, les amenait à la belle saison dans les hauts pâturages pleins d'herbes grasses et de fleurs parfumées, les rudoyait parfois mais les aimait beaucoup, décida de l'endroit du corps où perpétrer le sévice ?

Qui soudain de Brahim ou de Mahmud saisit les bourses de Fédour sous sa queue d'âne pleureur, les prit à pleine main, les tordit, pressa, malaxa dans ses doigts de fer, et les broya plus encore en riant à mesure que le Muet manquait d'air, hurlait des sons d'apocalypse, et gigotait, tapait le sol mou de ses pieds, tentait d'arracher les liens de ses poignets, laissait couler de grosses larmes claires sur ses joues si laides, sanglotait, éructait, suppliait, bavait, et que sa pauvre bouche de mal né, de mal fini, de mal être, tentait de vomir sa salive de souffrance, de vociférer des suppliques et des prières, alors que ses belles grosses vaches fermaient leurs belles paupières sur leurs beaux yeux doux et calmes, si près de son calvaire, bien loin de toute les mythologies de crèche où leurs

273

ancêtres avaient joué le beau rôle, bâillaient leur fatigue, les salopes, en rêvant de leur content de sommeil, tandis qu'il souffrait sa misère tout au côté de leur grande et somptueuse indifférence ?

Et qui, soudain, de Brahim ou de Mahmud, affermissant sa poigne autour du couteau à légumes et tenant dans son autre paume les couilles du malheureux, d'un éclair et dans une formule invoquant le nom du Prophète, en proclamant qu'Il était le plus grand, comme s'Il avait à voir avec cela, trancha la peau, faisant pisser le sang en flots surpris, tandis que séparés, idiots, inutiles, pesants et grotesques, deux fruits verts, trop tôt cueillis de l'arbre, les pauvres testicules du débile étaient jetés au sol, dans le fumier des vaches, dans l'allée de l'étable, dans la fange et le noir, à jamais, pour toujours, et que lui, le simple, le martyr, le fou, le Muet, le saint peut-être, perdait conscience face à trop de douleur quand sur son visage si laid les larmes, elles, sublimes comme peuvent l'être toutes les larmes, n'en finissaient pas de couler, lourdes et lentes ?

XXIV

L'agonie de Fédour dura.

La mort jouait.

Ou elle hésitait entre le prendre avec elle et le laisser encore un peu sur la terre des hommes.

Lui à qui sa famille ainsi que la petite ville entière avaient tourné le dos depuis toujours, le considérant comme une créature abjecte, se vit visiter par elle des heures durant. Ce fut une interminable procession. Personne ne manqua à l'appel, à l'exception de Goriet Eldjaic, estropié de naissance, réduit à une chose molle par un caprice de moelle épinière, et de Birko Manuescu à qui un baudet mal disposé avait ôté l'usage des jambes et des bras.

On avait installé Fédour dans la plus belle chambre de la ferme, lui qui n'avait connu jusqu'alors que la paille de l'étable, et pour cela on avait chassé du lieu la vieille matriarche qui avait passé quatre-vingt-dix ans, était née sous un autre empire, et se prénommait Evguenia.

Le lit avait été garni de draps de lin brodés au chiffre de la famille Bazki. Les oreillers étaient de percale fine, et une grande peau d'ours, douce et profonde, servait de courtepointe. Sa gueule chutait au bas de la couche tandis que les deux pattes arrière de la bête entouraient le visage affreux du pauvre mutilé. On avait passé dans le lit une bassinoire de bonnes braises, et installé une grosse bouillote de cuivre.

C'était en somme un lieu formidable pour mourir.

Dans la chambre brûlaient trente cierges. On avait aussi dressé un autel avec des icônes de la Vierge et des crucifix d'ébène, aux figures d'ivoire. Il y avait de l'encens dans l'air et, parce qu'il vaut mieux prévenir qu'être pris au dépourvu, un bénitier muni de son goupillon de cèdre. Des sièges de part et d'autre du lit servaient de stations aux visiteurs fatigués.

Dans le lit, le pauvre Fédour gémissait. En l'absence de Médecin, chacun y était allé de son avis et de sa pommade, mais le castré souffrait atrocement et le sang continuait à s'échapper de lui, lentement, malgré les garrots et les ligatures. Les onguents plaqués sur la plaie à vif, plutôt que de la soulager, avivaient une brûlure démente qu'il ne pouvait dire ni gueuler en raison de sa malfaçon de bouche. Et c'était atroce de le voir ainsi se tordre et souffrir, sans qu'on pût rien faire pour lui, et sans qu'il pût rien dire, pas même le nom de ses bourreaux, lui qui depuis le plus jeune âge avait été privé de parole, et à qui on n'avait même pas cherché à apprendre à écrire.

Ce fut une nuit de pleurs, de gémissements et de prière, et puis à l'aube Fédour mourut. Alors enfin, son calvaire cessa tandis qu'avec sa mort les jumeaux Kouechi devenaient des assassins.

Tout cela fut rapporté par Baraj au Policier qui était encore convalescent mais toutefois se sentait beaucoup mieux et ne gardait plus le lit.

C'était quelques heures après la mort du Muet. Dans le récit que l'Adjoint fit des événements manquait bien entendu le nom de l'agresseur. Cela ne semblait pas gêner le Policier. Le fascinait davantage la progression de l'extraordinaire qui touchait la petite ville, tant des événements de nature différente s'enchaînaient, sans qu'il soit possible de les relier, sinon par leur proximité dans le temps.

Certes la mutilation sauvage de Fédour paraissait incohérente : chacun savait qu'il n'avait pas toute sa tête et cette manie d'exhiber son sexe ne choquait plus personne. Le Policier ne put s'empêcher de se rappeler la nuit d'ivresse où lui-même s'était dénudé. Il eut un frisson en songeant que le sadique qui avait mutilé le Muet aurait très bien pu lui faire subir le même sort s'il avait croisé son chemin.

Il est ironique de constater que la mort du vacher hâta la guérison du Policier, mais ce fut bel et bien le cas. Le lendemain matin à la première heure il arrivait au Poste, avant même l'Adjoint. Il alluma le feu, fit du thé, et remplit deux tasses quand il entendit au-dehors Baraj frapper ses bottes contre le décrottoir pour en enlever la neige.

« Bonjour, Maître, est-ce vraiment prudent que vous repreniez déjà le service ?

« Assieds-toi et bois. »

Le Policier semblait d'excellente humeur et la bosse sur son crâne n'était plus qu'un vague souvenir bleu aux bords jaunis. Baraj regretta les jours passés, où il avait pu être seul. Il soupira et annonça qu'il avait appris la veille au soir un fait curieux. Klädens, le tailleur de la rue des Étuves, était venu lui signaler que ses deux apprentis ne s'étaient pas présentés de toute la journée. C'étaient pourtant de jeunes garçons sérieux et assidus, et qui présentaient de belles dispositions pour le métier. Il s'agissait des frères Kouechi, des jumeaux âgés de seize ans. Quand il était allé frapper à la porte de la maison de la famille pour demander de leurs nouvelles, le père lui répondit qu'ils étaient partis le matin même pour T. où un oncle offrait de les prendre comme commis dans sa quincaillerie. Klädens avait été si étonné de cette réponse, et de l'attitude du père, qui ne s'était pas attardé à parler et lui avait fermé la porte au nez, qu'il avait tenu à rapporter cela à l'Adjoint.

« Je ne sais pas ce que vous en pensez, Capitaine. Croyez-vous qu'il y a là matière à enquête ?

Le Policier regarda l'Adjoint avec mépris. Se pouvait-il qu'il soit aussi crétin ?

« Que me chantes-tu là ! Bien entendu qu'il y a matière à enquête ! Il y a toujours matière à enquête. Toujours. Pour quelque fait que ce soit. Même derrière la plus transparente des respectabilités, même devant le fait le plus clair et le plus anodin, il y a matière à enquête et si on cherche, si on cherche vraiment, avec les moyens complets de son intelligence, on trouve, car chacun a quelque chose d'enterré au plus profond de lui, un cadavre immatériel mais néanmoins bien puant qu'il cherche à dissimuler, et c'est le rôle de l'enquêteur de le découvrir et de l'exhumer. Je parle de cadavre et c'est une image bien sûr. Tu l'auras compris. Prends ton cas, Baraj, homme simple et intègre, si je m'intéressais à toi en tant que Policier, je suis certain que je finirais par découvrir des choses inavouables que toi seul connais ! N'ai-je pas raison ? »

L'Adjoint déglutit avec peine. Il pensait au cochon qu'on lui avait demandé de jeter dans un trou mais qui chez lui, sous la forme de jambons et de saucisses, continuait sa nouvelle existence dans les fumerolles de mélèze.

« Je te taquine, Baraj ! Ne fais pas cette tête ! Pour répondre avec plus de simplicité à ta question, à l'évidence ce départ précipité des jumeaux semble étrange. Mais la question est : faut-il oui ou non que nous nous en préoccupions ? Qu'en penses-tu ?

Et il fallait penser maintenant ! Baraj parfois regrettait sa vie d'avant, rude et simple, où il s'employait en tant que journalier dans les fermes de la région ou devenait pour un temps cantonnier lorsque la ville avait besoin de reprendre le tracé d'un chemin ou de repaver une portion de rue. Il n'y avait alors aucune question à laquelle on lui demandait de répondre. De plus en plus, depuis la mort du Curé, la ville devenait un chaudron, une machine infernale comme on en glisse parfois sous les cortèges royaux quand on est fatigué du monarque. Et c'était sans parler de son supérieur, dont les yeux brillaient d'une lumière inquiétante, et qu'un rien excitait désormais. L'Adjoint se disait qu'il aurait aimé changer d'époque. Il n'avait aucunement l'ambition de vivre dans des temps historiques, dans des moments de fracture. Son désir le plus sûr était l'anonymat et l'oubli, des journées régulières et identiques, monotones, sans écart ni saillie. Qu'avait-il eu besoin de parler de ces jumeaux ?

« Je ne sais pas, Maître. Vous êtes mon supérieur, et bien plus intelligent que moi. Ce que vous déciderez sera bon. Je n'en doute pas.

« Voilà qui est parlé, Baraj. Bien parlé. »

Le Policier sortit un *krumme* de sa poche et l'alluma. C'était son premier cigare depuis sa mésaventure. Il aspira la première bouffée avec volupté et se sourit à lui-même. Dire qu'il y a peu, il s'ennuyait à périr dans ce trou à rat glacé.

Il approcha sa chaise de l'âtre, mit les pieds sur le banc, et resta ainsi un long moment, tandis que l'Adjoint, parti à l'écurie, s'occupait des chevaux. Il regardait les nuages de fumée qu'il expirait parfois par les narines, parfois par la bouche, jouant en ce cas à en faire des anneaux parfaits qui flottaient quelques secondes dans la pièce avant de s'évanouir contre les vitres de la fenêtre.

Il pensait.

Aux jumeaux.

À leur départ. D'une manière ou d'une autre, les jumeaux avaient à voir avec la mutilation du Muet. Aucun doute. Les faits étaient trop proches pour n'entretenir aucun rapport. Mais pourquoi ? Et comment ? Cela n'intéressait guère le Policier, en tout cas pour le moment. Il était par ailleurs évident qu'ils n'étaient pas partis à T. Les routes avaient été rendues impraticables par le blizzard et le gel. Aucune malle n'assurait la liaison. Cette famille ne possédait pas de cheval et n'avait pas les moyens d'en louer un, et quand bien même elle l'aurait fait, les deux frères seraient morts de froid après seulement quelques verstes. Ils étaient donc restés en ville. Quelque part. Peut-être dans leur propre maison, ou cachés ailleurs par un membre de leur communauté. Cette dernière hypothèse lui paraissait la plus probable. Dans la mosquée peut-être ?

Mais la véritable question que se posait le Policier était comment il allait pouvoir utiliser ce nouveau fait. Il se remémora les consignes du Commandant Sroh – *L'Empire vous regarde et compte sur vous pour combattre ses ennemis et les réduire à néant* –, ainsi que son entrevue avec le Rapporteur. La mort du Muet et la disparition des deux frères étaient du pain bénit. Cela faisait faire encore un tour au mécanisme qui, le moment venu, quand il le déciderait, libérerait en une fraction de seconde toute sa puissance accumulée.

Baraj entra de nouveau dans la pièce, la tête courbée, le corps plein d'embarras. Il laissa ses yeux aller sur le parquet de peur de croiser ceux du Policier. Cette idée que chacun était coupable de quelque chose et qu'il suffisait de bien chercher pour trouver le perturbait. Ce n'était pas tant l'affaire de ses saucissons clandestins qui le tracassait mais plutôt le fait que le mal puisse se loger partout et chez tout le monde, même chez ceux qui paraissent en être éloignés. Cela mettait en pièces les plus fermes de ses croyances.

« J'ai à faire en ville. Garde le Poste. Je repasserai avant la fin de la matinée.

« Bien, Maître. Et pour les jumeaux ?

« J'y songe. J'y songe. »

Et sur ces derniers mots, le Policier se leva, jeta le reste de son cigare dans l'âtre, rajusta son habit et, après s'être emmitouflé dans sa capote dont les basques arrivaient presque à la semelle de ses bottes, il sortit et prit prudemment, glissant un pas devant l'autre sur le trottoir encroûté de glace, le chemin de la vieille demeure qui abritait le bureau du Rapporteur de l'Administration impériale.

XXV

Il trouva celui-ci dans l'immense pièce qui lui servait de cabinet ainsi que de salle d'audience et que l'âtre antique, dont la taille aurait permis qu'on y fît cuire un bœuf entier, ne parvenait pas à réchauffer.

Pour donner un air de sérieux et d'importance et impressionner le visiteur, le long bureau de chêne était entièrement recouvert de livres, de cahiers comptables, de registres, de rouleaux, de sceaux, d'encriers, de plumes et de stylographes, de bouliers, et de documents, et cela sur des hauteurs prodigieuses qui selon les endroits atteignaient presque le plafond sur lequel des caissons de bois peints plusieurs siècles auparavant représentaient de manière naïve les quatre saisons et les travaux qui s'y rattachent.

Mais quand on observait bien ce fatras, on pouvait déceler sur l'ensemble une épaisse couche de poussière qui témoignait que le Rapporteur n'y touchait jamais, et d'ailleurs, si on lui avait demandé de préciser les termes et les étendues exacts de sa fonction, il aurait été bien en peine de les dire, car à l'issue des presque dix ans qu'il occupait déjà son poste, il n'avait toujours pas saisi exactement de quoi il retournait.

Il n'était pas dupe qu'il devait sa nomination au fait qu'il appartenait à la petite noblesse, et que le régime impérial avait tout intérêt pour garantir sa pérennité à flatter par des privilèges, même les plus insignifiants et les plus inutiles, les lignées nobiliaires jusqu'aux plus basses d'entre elles.

Chaque jour, il se forçait à venir quelques heures dans la vaste pièce, à y étouffer en été, à y grelotter en hiver, à consulter d'un air las les billets de délation dont l'indigence et l'aspect répétitif le fatiguaient vite, à recevoir quelques visiteurs, peu nombreux en vérité, et qu'il congédiait après les avoir écoutés en servant à chacun d'eux la même promesse de porter à la connaissance immédiate du pouvoir de rattachement ses doléances.

Quand le greffier lui annonça la visite du Policier, il en conçut une forte excitation et le froid soudain lui parut moins mordant. Il prit place dans le haut fauteuil disposé près de l'âtre et offrit à Nourio de s'asseoir près de lui sur une sorte de banc à deux niveaux, qui devait servir de temps à autre d'escabeau et sur lequel il était bien difficile de trouver une position confortable.

« Vous venez sans doute m'entretenir de la mésaventure survenue à ce pauvre infirme, Capitaine. Quelle atrocité ! Décidément, la nature humaine n'aura de cesse de me surprendre. L'homme est toujours capable de se dépasser dans le pire. Qu'avez-vous l'intention de faire ?

Le Policier ne répondit pas de suite. Il tenta de saisir un peu du feu de l'âtre en tendant les mains.

« Certes, je pourrais lancer des recherches et, avec mon Adjoint, visiter chacune des maisons des mahométans, cela porterait peut-être ses fruits, mais… »

Le Policier leva les bras et montra ses paumes, en signe d'impuissance.

« La fuite du Médecin a donné un peu de grain à moudre à nos concitoyens, mais depuis rien. La faim risque de les affaiblir. Tout était si bien parti. Peut-être faudrait-il leur lancer de nouveau un peu de blé ? Les foules ont une intelligence des faits et des situations que des êtres seuls ne parviennent pas à concevoir. Elles suivent des cours qui nous surprennent mais qui la plupart du temps les mènent au juste endroit. Et puis, songez qu'en l'absence de Prêtre, ce pauvre Muet n'aura même pas de funérailles. Ce qui adviendrait alors pourrait servir de… *cérémonie*. Une cérémonie sans doute particulière, dont il est difficile de prévoir la liturgie, mais qui aura l'avantage d'apaiser la violence que l'on sent monter de toute part, et qui pourrait se tourner vers n'importe quelle direction. »

Il s'arrêta un temps, pour permettre au Rapporteur de soupeser la menace, puis poursuivit, sur un ton redevenu plus calme.

« Et je crois bien qu'en orientant ainsi le cours des événements, nous satisferons l'Empire qui attend beaucoup de nous.

Il y eut un long silence et soudain le Rapporteur frappa dans ses mains.

« Vous m'avez convaincu, Capitaine ! Votre rôle s'arrête là, et le mien commence. »

Devant le visage de Nourio qui venait de s'éteindre, le Rapporteur sourit.

« Je ne dis cela que pour vous préserver. Continuez votre tâche, laissez-moi réfléchir au meilleur moyen d'en tirer parti. Pensons à l'Empire ! »

Le Policier répéta, « Oui, pensons à l'Empire ! », car il sentait bien que la formule plaisait au Rapporteur, puis il le salua, ne sachant trop s'il fallait être déçu ou se réjouir des propos qu'il lui avait tenus.

Ayant quitté le Rapporteur, il n'eut envie ni de regagner le Poste ni de rentrer chez lui pour y retrouver le visage et le corps épuisés de sa femme, ainsi que les cris des enfants, dont le dernier semblait n'être né que pour lui crever les oreilles.

Il marcha au hasard des rues, avec prudence, tant les trottoirs avaient été transformés en patinoire. Il croisa peu de monde et chaque silhouette aperçue était recouverte de tant d'habits qu'il aurait été incapable de reconnaître qui se cachait dessous. Une brume fine donnait à tout cela des airs fantastiques propices à la rêverie. Tout était si irréel depuis quelque temps qu'il se demanda s'il n'habitait pas désormais dans un songe, ou s'il n'était pas devenu, à son insu, et sans qu'il se soit senti glisser vers cela, le personnage d'un roman dont il ne connaîtrait jamais l'auteur, ni même la chute.

XXVI

Trois jours plus tard, eut lieu un événement singulier. L'Adjoint se trouvait au Poste où il attendait le retour de son supérieur qui s'était rendu chez le Maire pour lui faire viser et signer, comme chaque mois, les registres en cours.

Le jour mourait doucement. Baraj pensait à Mes Beaux. Dans les heures creuses ou les moments de tristesse qu'il traversait parfois, sans trop comprendre pourquoi son âme se prenait dans les filets de la mélancolie, il lui suffisait de faire apparaître en imagination le beau regard doré de ces deux grands bâtards, qui tenaient un peu du braque, du griffon et du dogue, leur attitude aussi, toujours fière et noble, douce, aimante, et leur odeur chaude, pour que le temps paraisse moins lent et que le chagrin s'estompe.

Il avait veillé à ce que le feu ne meure pas, s'était occupé des deux chevaux et leur avait fait la conversation tout en changeant leur litière et en

291

leur donnant du beau foin mêlé de fleurs séchées. Puis il avait fendu un demi-stère de bois, pour sentir son corps et ses muscles revivre et l'air glacé venir en ses poumons, avant de ranger les bûchettes près de l'âtre, avec une méticulosité de ménagère. Il avait ensuite fait chauffer le samovar et préparé un thé bien noir, qu'il avait bu brûlant, à petites gorgées, tout en ajoutant dans sa tasse pour le poivrer une pincée de genièvre dont il avait toujours un petit sachet dans une de ses poches. Ensuite avait-il dû s'assoupir et voyager un peu dans le pays des rêves, mais un pays qui était pour lui toujours simple et tranquille, peuplé d'animaux familiers, de salaisons et de soupes épaisses. Lorsqu'il avait repris conscience, la pièce était mangée par une demi-pénombre, au-dehors la lumière avait fui et des flocons venaient à la fenêtre l'observer de leurs yeux sans pupilles. Il fit repartir le feu, se frotta les joues avec de l'eau froide et alluma la lampe à huile.

C'est au moment précis où la flamme de la lampe jetait dans la pièce sa neuve clarté que trois coups secs furent frappés à la porte. Baraj sursauta. Il n'aimait pas les visites et moins encore quand le Policier n'était pas là. La mort dans l'âme il se dirigea vers l'entrée, fit jouer le verrou qu'il ne manquait jamais de condamner et ouvrit. Face à lui se trouvait un homme qui avait sensiblement son âge mais qu'il dominait d'une bonne tête. La tête rasée, balafrée en son milieu d'une cicatrice de la longueur d'une paume et qui avait la forme d'un croissant, il était vêtu de la livrée vert et or de la Maison des Margraves Ozlë sur laquelle il avait jeté une grande cape de lainage sombre. Sur ses épaules, qu'il avait curieusement étroites, la neige avait posé sa blancheur scintillante. Ses yeux d'un gris de loup souriaient d'un air mauvais et ses lèvres se retroussaient sur de petites dents pointues aiguisées à la lime.

« Eh bien Baraj, tu ne fais pas entrer ton vieux camarade ? »

Et en disant ces mots, l'homme avec autorité poussa d'un revers de main l'Adjoint et pénétra dans la pièce, qu'il inspecta comme s'il voulait en vérifier le volume et la propreté. Puis il s'approcha de l'âtre, enleva ses moufles, tendit ses mains vers les flammes et les frotta l'une à l'autre.

« Tu ne m'offres pas du thé ? Le chemin a été long et ce temps de gueux m'a transi. »

L'Adjoint n'avait pas encore prononcé un mot. Il referma la porte. Dans sa grosse poitrine son cœur s'était mis à battre trop fort.

Dès que l'homme était apparu, il avait reconnu Martjial Maijre, et ses peurs anciennes, ses grandes terreurs d'enfance, l'avaient envahi avec la même violence que lorsqu'il avait dix ans. Il était redevenu en un instant le faible, le souffre-douleur, le bouc émissaire, celui sur lequel s'abattaient les colères de ceux qui le logeaient et lui donnaient la soupe, du maître d'école, des autres enfants qui le blessaient sans cesse avec leurs mots coupants quand ils ne lui jetaient pas des cailloux ou des bâtons.

Le fait qu'il fût plus grand et plus fort que tous ne l'aidait en rien, bien au contraire : le plaisir de tous ses bourreaux ordinaires se trouvait décuplé de pouvoir martyriser, sans que jamais il lui vînt à l'idée de riposter, un être qui aurait pu les envoyer au sol d'un simple coup de poing. Baraj était déjà alors la grande bête douce qu'il était toujours. Et parmi ceux qui presque quotidiennement s'en prenaient à lui, Martjial Maijre était sans nul doute le plus venimeux, concentrant dans sa personne ordinaire le mal à son plus haut degré.

Baraj avait beau éviter de croiser son chemin, l'autre surgissait en tout lieu et se plantait devant lui, le défiant de son regard froid de petit carnassier, commençant à lui jeter des volées d'insultes, lançant les mots qui faisaient mal, avant de le battre, le rouant de coups, de pied et de poing, et quand il était à terre, que la douleur était à peine supportable, Martjial Maijre saisissait dans sa main, au travers du pantalon, les petites couilles de Baraj et commençait à les serrer tout en lui ordonnant de siffler la mélodie d'une comptine, toujours la même *Dans le bois de bouleaux, j'ai croisé mon amie, elle portait un pot d'eau et je lui ai souri*, une comptine qui parlait de printemps et d'amour, d'herbe nouvelle et de peau tendre.

Mais la douleur était si forte qu'il était impossible pour l'enfant de siffloter ne serait-ce que quelques notes et l'air sortait de la bouche de Baraj à la façon d'un souffle de mourant, alors Maijre serrait encore plus fort, et à mesure que le supplice faisait sourdre les larmes, que la comptine se dérobait à ses lèvres, le petit fauve riait et broyait jusqu'à la limite de ses forces les parties de sa victime.

Maijre s'était assis sans que Baraj l'ait invité à le faire, et il avait pris la place du Policier. L'Adjoint posa devant lui une tasse de thé.

« Mais tu trembles, Baraj ! Aurais-tu froid, grande carcasse ? »

Et Maijre rit de sa plaisanterie, sentant bien que même les années passées n'avaient en rien abrasé le pouvoir qu'il détenait sur l'autre et que malgré le temps, malgré l'âge adulte, malgré sa force, car Baraj était devenu un géant, l'Adjoint demeurait face à lui l'enfant paralysé de terreur dont l'autre pouvait faire ce que bon lui semblait.

Alors pour augmenter encore le malaise de l'Adjoint, et après avoir bu deux gorgées du thé qu'il déclara excellent, Maijre se mit à siffler, l'air de rien et en souriant avec ses lèvres retroussées sur ses petits crocs, la mélodie de la comptine de jadis tout en plantant ses yeux de métal dans ceux de Baraj, et celui-ci, la bouche sèche et plâtreuse, baissa le regard en signe de soumission.

Naît-on victime ? Naît-on bourreau ? Y a-t-il en chacun de nous, placé on ne sait comment ni par qui, les ferments de ce que nous allons devenir ? Ou est-ce le cours de nos existences qui nous pousse à être qui nous devenons, séparant les hommes en deux peuples distincts, celui des victimes et celui des tortionnaires ?

Martjial Maijre aurait-il été l'homme cruel, sans morale, capable de regarder mourir un insecte, un âne, un homme, capable de hâter cette mort, d'un coup de talon ou de baïonnette, d'y prendre une part active comme on disait qu'il l'avait fait au cours des guerres qu'il avait traversées, s'engageant dans des armées diverses, et même celle du Turc, s'il n'avait pas croisé dans son enfance l'enfant Baraj ?

Et si celui-ci ne l'avait pas laissé s'en prendre à lui, sans jamais tenter de l'en empêcher, serait-il devenu cette grande chose toute bonne, sans malice, incapable de mauvaises pensées et de mauvaises actions, prompte à recevoir tous les coups que la vie allait faire s'abattre sur son dos ?

Sans doute ne naît-on pas bon ou mauvais, mais simplement dans l'attente d'une métamorphose ? L'homme n'est peut-être qu'un moule creux au sein duquel sera versé un jour le plâtre qui fera apparaître sa forme véritable et sa nature exacte ?

Maijre prenait ses aises et sirotait son thé. Il poussa même le sans-gêne à réclamer à Baraj un petit verre d'alcool que celui-ci lui servit sans rechigner. Depuis qu'il était revenu au pays et avait été engagé par le Margrave, on ne connaissait pas sa véritable fonction si tant est qu'il en eût vraiment une. Il régnait sur l'armée des domestiques secondaires et des palefreniers qu'il prenait plaisir à bousculer souvent de la voix, quand il ne les frappait pas de sa badine, mais il n'avait aucune prise sur les gardes-chasses, les veneurs, les secrétaires, les cuisiniers ou le personnel d'intendance et la haute domesticité qui seule avait accès aux appartements privés du Margrave. Tous ceux-ci ne prenaient d'ailleurs même pas la peine de le saluer lorsqu'ils le croisaient, ni de répondre à son salut. Pour eux il n'existait pas plus que les mouches ou les courants d'air. Il était transparent. Il en concevait une rage amère.

On racontait sur lui mille histoires et peu à peu s'était forgée sur sa personne une légende noire aux chapitres innombrables mais qui tous avaient en commun la mise en scène de sa cruauté. On citait par exemple, pour le définir devant ceux qui ne le connaissaient pas, un épisode effroyable rapporté par le Caporal Slupo Sourek, le frère de Gorjia Sourek, le Bourrelier, quand il lui avait rendu visite quelques années plus tôt avant de repartir s'engager pour sept ans dans les armées de l'Empereur. Il était question de massacres sur des populations civiles, perpétrés par une bande placée sous les ordres de Maijre, et qui avait ravagé la Transnistrie, en marge de l'armée officielle mais avec la bénédiction tacite de ses supérieurs. Slupo avait notamment expliqué qu'un des grands plaisirs de Maijre, après que sa petite troupe avait détruit un village, était de se faire apporter par ses hommes un gros seau empli de tous les yeux arrachés sur les cadavres et les vivants, et que devant le feu, en fumant sa pipe, il les lançait un à un dans les braises, riant lorsqu'ils éclataient dans un bruit sec de petite bombe.

Slupo, qui était digne de foi, n'était pas un homme impressionnable et le fait de côtoyer la mort depuis tant d'années sur de nombreux champs de bataille, au contraire de l'avoir endurci et privé de tout sentiment, l'avait ouvert à l'humanité et à la compassion. Quand on lui apprit que Martjial Maijre, de retour au pays, avait été engagé par le Margrave Özle, il poussa un profond soupir et son visage couturé de sous-officier s'assombrit, puis il dit simplement :

« Pourquoi le Diable prend-il toujours plaisir à revenir sur Terre ? »

XXVII

La chaleur de forge répandue par l'âtre du Poste amena sur le visage de Martjial Maijre des teintes de viande. Il paraissait ainsi encore plus malfaisant avec son crâne ras rougi sur lequel la cicatrice avait pris une furieuse coloration violine et semblait suppurer une graisse jaune.

« Tu rêves, grande brute ! Voici un siècle que tu n'as pas dit un mot ! »

Baraj reprit ses esprits. Maijre sifflotait toujours la comptine, mais il se lassa et déboutonna avec vivacité sa livrée pour tirer d'une poche intérieure une enveloppe, dont le grand timbre sec sur le recto dessinait le blason à trois gueules d'ours des Margraves Özle.

En dessous du timbre, un secrétaire appliqué avait écrit, à l'encre bleue et dans une calligraphie aux volutes complexes :

À l'attention du
Capitaine de police Nourio

« J'aurais aimé la remettre en mains propres à ton supérieur, mais j'ai du chemin à faire et la nuit tombe. Je compte sur toi. Tu n'as pas inventé la poudre, mais cela tu peux le faire, n'est-ce pas ? »

Baraj ne répondit rien. Il sentait dans ses poings qu'il tenait le long de son corps une étrange force et il se dit soudain qu'il suffirait de peu de chose pour faire passer son bourreau d'enfance de vie à trépas, et personne ne le regretterait. Mais il fut aussitôt effrayé par sa pensée et ses poings se relâchèrent.

Maijre posa l'enveloppe au milieu de la table, reboutonna sa livrée et s'emmitoufla jusqu'au cou dans sa grande cape. Il alla vers la porte, l'ouvrit, et, au moment de la franchir, il se retourna vers Baraj, sans doute pour lui lancer un dernier jet de fiel. Trois ou quatre secondes passèrent, mais rien ne vint sur ses lèvres, sinon un rire qui ressembla à un crachat, et il partit dans le crépuscule.

L'Adjoint referma la porte et s'affaissa sur une chaise. Il tremblait. Les minutes passèrent et son cœur qui s'était emballé reprit sa marche mesurée. Il ne sut pourquoi mais à ce moment apparut dans son esprit le beau et pur visage de Lémia, cela lui fit du bien et l'apaisa. Il se sentit de nouveau serein, comme lorsqu'il avait fini de réciter enfant la prière à la Vierge.

Sur la table devant lui était posée la lettre du Margrave. Il n'osait pas la toucher. À n'en pas douter un message important devait s'y trouver. Pourquoi le Margrave en personne écrivait-il au Capitaine ? Cela avait-il un rapport avec le meurtre du Curé Pernieg, la fuite du Médecin, la torture subie par Fédour Bazki puis sa mort ?

Baraj n'osa rentrer chez lui avant d'avoir revu son supérieur, et se donna pour mission de garder la lettre du Margrave. Il finit tout de même par s'assoupir, et quand le Policier entra dans le Poste, il sursauta et quitta le rêve bien ordinaire dans lequel il avait trouvé du réconfort, et qui lui avait permis de se croire dans sa masure, au creux de son bat-flanc, avec contre lui Mes Beaux endormis. Il rougit d'avoir pu être pris en défaut de vigilance mais Nourio ne remarqua pas les yeux gonflés de son Adjoint. Par contre il vit aussitôt la lettre sur la table et cela lui fit un coup au cœur.

« On l'a apporté pour vous il n'y a pas une heure, Maître.

« Qui donc ?

« Maijre, qui est au service du Margrave. »

Ce nom disait peu de choses à Nourio et il peina à y mettre un visage. Un domestique sans doute, ou un secrétaire. La maison du Margrave comptait près de cent personnes et la plupart ne quittaient jamais le domaine. Il n'en connaissait pour ainsi dire aucun.

Il saisit l'enveloppe et sentit son pouls s'accélérer à mesure que ses doigts caressaient le timbre sec du blason des Özle et qu'il lisait son nom et son titre, écrit avec vigueur et pompe sur le papier, le papier qui n'était pas un papier ordinaire, trop fin et à la trame grossière, mais un velin crémeux, au grain subtil et d'un beau beige épais.

C'était la première fois depuis qu'il était en poste qu'il recevait un courrier du Margrave. Il ne l'avait d'ailleurs aperçu qu'à deux reprises, la première fois furtivement, près de la hêtraie Mrovic où un bûcheron se plaignait qu'on lui avait volé le tas de bois qu'il venait de couper et de fendre. Il était venu constater le délit et, tandis qu'il revenait vers la ville sur un chemin enneigé, le traîneau du seigneur précédé de quatre cavaliers était passé près de lui à une vitesse surnaturelle, dans un bruit souple de frôlement et de clochettes. Il n'avait eu que le temps de voir une forme trapue tassée dans la voiture, entortillée dans des fourrures et dont la grosse tête à moustache disparaissait aux trois quarts sous une toque en poil de loup de Sibérie.

La seconde fois, c'était lors des funérailles du Curé Pernieg, tandis que le fou aux pieds nus vociférait ses invectives tout imbibées d'encens. Le Margrave occupait au premier rang le banc qui lui était réservé et sur lequel étaient gravées depuis des siècles les armoiries de sa famille. Il faisait face au vieux débris d'Évêque baveux qui battait des jambes et jouait avec ses mules rouges. Le

Margrave portait toujours sa toque, mais un peu rejetée en arrière, ce qui laissait voir le début volumineux et chauve de son front. Il n'était pas aussi vieux que Nourio l'avait supposé. Sans doute avait-il environ le même âge que lui. Son visage reflétait un ennui sans fond et ses petites lèvres très rouges lui donnaient un air de fausse féminité que l'épaisse moustache noire rabrouait.

Après la cérémonie, il n'avait pas pris part à la procession. Il avait baisé la bague de l'Évêque qui ne se rendit compte de rien, puis était remonté dans son traîneau qui l'avait emporté vers son Château.

Le Policier retardait le plus possible le moment d'ouvrir l'enveloppe. Baraj le regardait avec ses gros yeux ronds, n'osant faire le moindre geste. Nourio caressait le papier et son imagination allait bon train, supputant cent hypothèses sur le contenu de la missive.

Enfin il se décida, sortit son couteau à manche en corne de bélier de sa poche, en déplia la lame, et coupa avec précaution le bord supérieur de l'enveloppe. Il découvrit un carton souple sur lequel le blason colorié du Margrave occupait une place considérable. Au dos du carton, tracés par la même main de scribe, avec la même encre et la même écriture délicate que l'adresse sur l'enveloppe, il lut les mots suivants :

Sa Grandeur le Margrave Vitold Vlad Domitien Özle, dix-septième du nom, vingt-deuxième comte de Bessa, onzième prince de Mordochie, chevalier de l'Ordre de la Croix bénie, Commandeur de l'Empire, Stils d'argent des Frères francs, serait honoré de la présence du Capitaine de police Nourio lors de la chasse à l'ours qu'il mènera sur ses terres le dernier vendredi de ce mois.

Le Policier n'en croyait pas ses yeux. Il lui fallut parcourir quatre fois le carton pour se convaincre de ce qu'il lisait. Alors, tout autant pour se persuader qu'il ne rêvait pas que pour prendre l'Adjoint à témoin, il lut une cinquième fois le message, cette fois-ci à haute voix, en prenant le ton solennel d'un huissier de ministère.

Il avait soudain perdu sa morosité et ressemblait à un petit coq gonflé de plaisir. Il allait et venait dans la pièce, en agitant le carton entre ses doigts. Il le frappait de temps à autre sur le revers de son autre main et répétait gaiement quelques mots « *Prince de Mordochie, chasse à l'ours, honoré*, moi le Capitaine Nourio, l'invité du Margrave, *sur ses terres* ! » Il riait, esquissait quelques pas de danse, sifflotait, virevoltait. Il alla même jusqu'à embrasser le carton puis s'assit face à Baraj en expirant tout l'air de ses poumons.

« Alors qu'en dis-tu ? Cela t'en bouche un coin, pas vrai ? Ne dis pas le contraire ! Cela n'est pas banal, tu en conviendras !

L'Adjoint secoua la tête, ce qui pouvait passer pour un assentiment. Nourio se renversa sur la chaise, mit les pieds sur la table, les mains derrière la nuque et contempla le plafond, souriant et rêveur.

« Avez-vous déjà chassé, Maître ? se hasarda à demander l'Adjoint.

« Pas le moins du monde, mais qu'est-ce que cela peut faire ? Tout homme est un chasseur-né. Nous avons en nous cette faculté tapie dans notre mémoire profonde. L'homme en ses origines était chasseur. Il y allait de sa survie. Les siècles de civilisation ont endormi cet instinct mais il suffit de peu de chose pour le réveiller. Vois-tu, Baraj, là comme je te parle, je me sens prêt à tuer tous les ours de la Terre ! »

Et il partit d'un grand éclat de rire.

L'Adjoint regarda son supérieur. Se pouvait-il qu'une simple lettre, fût-elle envoyée par le Margrave, transformât à ce point un individu ? S'il avait été question d'un avancement, d'un don, d'un legs, il aurait pu comprendre. Mais une chasse à l'ours ! Si par malheur on l'invitait un jour à ce genre de divertissement absurde, il prétexterait une fièvre ou une douleur aux reins, n'importe quoi pour se faire porter pâle et échapper à cela.

Il demanda à son supérieur l'autorisation de se retirer et le Policier, qui venait d'allumer un cigare, la lui accorda d'un geste large de la main, un geste de seigneur, et lui souhaita même une bonne soirée, ce qu'il ne faisait jamais. Baraj remercia et sortit du Poste, mais après avoir refermé la porte, il s'arrêta quelques instants sur le seuil pour boutonner son gros manteau de laine car la neige tombait en quantité. Des flocons mous et gras donnaient à la nuit des rondeurs opalescentes et le sentier commençait à se remplir d'une masse pâle.

Quand il s'apprêtait à se remettre en marche, il entendit la voix de son supérieur et crut qu'il le rappelait pour lui donner une consigne. Il approcha son oreille de la porte pour être certain de ne pas avoir rêvé. Non, c'était bien la voix du Policier, mais il ne l'appelait nullement, il déclamait d'une voix forte et pour lui seul le texte du carton d'invitation, et sitôt qu'il avait fini, il recommençait, en changeant sa voix, en la modulant, en faisant des pauses et des manières.

Baraj jeta un œil par la petite fenêtre, prenant soin de ne pas être vu. Le Capitaine debout faisait des courbettes tout en parlant à un interlocuteur imaginaire. Il récitait le texte du carton :

« Sa Grandeur le Margrave Vitold Vlad Domitien Özle, dix-septième du nom, vingt-deuxième comte de Bessa, onzième prince de Mordochie, chevalier de l'Ordre de la Croix bénie, Commandeur de l'Empire, Stils d'argent des Frères francs, serait honoré de la présence du Capitaine de police Nourio lors de la chasse à l'ours qu'il mènera sur ses terres le dernier vendredi de ce mois. »

Il saluait gravement après le dernier mot, avant de battre des mains puis de tourbillonner sur lui-même. Il avait tout oublié de ce qui l'occupait jusqu'alors, le meurtre du Curé, la tension qui régnait dans la ville, la fuite du Médecin, l'assassinat du pauvre Muet, la beauté de Lémia, ses affres, ses tourments, sa vie misérable dans la province perdue dont la majorité des hommes qui vivaient dans l'Empire ne connaissaient pas même le nom ni l'existence. Tout cela s'était dissous. L'invitation du Margrave avait envahi son cerveau, y gorgeant chaque cellule, ne laissant plus aucune place à quelque autre pensée, le réduisant à l'organe d'un jeune enfant débile à qui on vient d'offrir un hochet et pour lequel le monde se résume au son du grelot, qu'il agite sans cesse et dont il ne se lasse pas.

Baraj arrêta de regarder le fou et songea que la nature humaine était chose curieuse. Il se mit en route. Quelques vers traversèrent ses pensées à la vitesse des étoiles filantes – *Dors douce petite aux cils fins, Le soir est une épaule, Demain sera ma main* – dont il ne conserva que l'agréable traîne, puis il disparut bien vite dans la nuit et la neige.

XXVIII

Durant près d'une semaine, le Policier ne songea qu'à la chasse à l'ours.

Se posa en premier la question de la tenue. Il ne pouvait en effet se présenter devant le Margrave en cette circonstance si particulière dans son habit de tous les jours, auquel il ne faisait plus attention depuis bien longtemps et qui lui apparut tout à coup misérable. La petite ville n'était certes pas riche en commerces mais elle possédait un bazar qui avait, lui avait-on dit, quelques articles à usage des chasseurs.

Ceux-ci n'étaient pas nombreux car le droit de chasse appartenait au seul Margrave qui ne l'accordait guère qu'à certains forestiers travaillant pour lui et, de temps à autre, à un notable auquel il prenait l'envie de tirer sur un renard ou un chevreuil. Pour le reste et pour l'essentiel, lui seul et ses invités chassaient quelques fois dans l'année. Et le Margrave Özle, qui avait de hautes responsabilités au sein de l'Empire, sans qu'on sût jamais exactement lesquelles, et que l'Empereur aimait souvent avoir en sa cour, avait tout loisir et toute fortune pour acheter les plus belles armes dans les manufactures de Munich, de Vienne, de Brno ou de Budapest et les habits raffinés qui allaient avec, sans qu'il eût besoin d'acquérir quoi que ce fût dans le magasin local.

Quand Nourio en poussa la porte, il fut effrayé par l'entassement d'articles de toute nature, caisses à savon, bassines en zinc, seaux, outils de jardinage, pièges à fouine, à taupe, à vipère, ratières, rouleaux de corde, tonnelets de goudron, boîtes à clous, toiles enduites, piquets divers, feux d'artifice, jouets en bois, rouleaux de toile cirée, vitres, assiettes et plats de faïence, baromètres, sachets de semences, balais en genêt, fils à plomb, scies diverses, marteaux, sacs de plâtre et de chaux, fleurs en papier, cadres, bocaux emplis de liquides jaunes ou verts, coucous suisses, chaises paillées, images saintes, fumoir d'apiculteur, confiseries, filets à papillons, qui se trouvaient là, empilés, enchevêtrés les uns aux autres, du sol au plafond, en des architectures branlantes que parcouraient des galeries moins larges que les épaules d'un homme et qu'il fallait donc emprunter en marchant légèrement de biais.

Ayant entendu la clochette de la porte d'entrée, le Boutiquier dont il était difficile de déterminer la position dans l'espace encombré ne cessait de dire

« Voilà, voilà… », à quoi le Policier répondait « Je suis là ! Je suis là ! » essayant d'avancer à la rencontre du commerçant mais se perdant dans le labyrinthe au point de ne plus savoir où il était exactement ni comment revenir sur ses pas.

Enfin, tandis qu'il contournait avec beaucoup de difficulté des cages à lapins et des volières sur lesquelles tentait de se tenir en équilibre un assortiment de cocottes en fonte, il faillit heurter une créature chétive, bossue, aux longs bras terminés par des mains aux doigts arachnéens, et dont le visage anguleux, triangulaire, couvert de rares cheveux noirs plaqués en arrière, était dominé impérieusement par un long nez maigre et courbe, de petits yeux de loir et des oreilles d'une taille peu habituelle, en pointes, sur le haut desquelles des poils sombres formaient de courtes houppes raides.

C'était Semmour, le Boutiquier.

« Que puis-je pour votre service, mon Capitaine ? » dit-il en forçant son sourire, découvrant une quantité peu commune de dents, de tailles et de formes variées, toutes d'une artificielle blancheur.

Nourio expliqua qu'il devait se rendre bientôt à une chasse à l'ours organisée par le Margrave. Il expliqua cela en affectant un ton naturel, comme si l'événement était banal et qu'il n'y accordait pas plus d'importance que cela. Le problème était que, lorsqu'on l'avait nommé ici, il n'avait pas pu prendre tous ses meubles, ni tout son bagage, qu'il avait été contraint de laisser dans un dépôt de la grande ville, et parmi tous ces *impedimenta* – il fit sonner le nom précieux qui provoqua chez le commerçant un regard admiratif et intrigué – se trouvait son équipement complet de chasseur.

« Je vois… je vois… conclut le commerçant en frottant ses longues mains. Eh bien n'ayez crainte, Capitaine, vous êtes entré au bon endroit : j'ai ici, quoique cela vous semblera peu probable, les meilleurs articles qui sauront vous satisfaire. Suivez-moi je vous prie. »

Après un périple tout en virages et sinuosités, ils aboutirent dans une sorte d'antre, d'une superficie minuscule et dont de grands casiers en planches brutes masquaient les murs. Semmour se dirigea vers une haute armoire métallique qui occupait un angle, aux poignées condamnées par une chaîne de forçat et trois imposants cadenas. Il sortit de la poche de son pantalon un trousseau de clés, et après une dizaine d'essais infructueux, il parvint à déverrouiller les cadenas, enlever la chaîne et ouvrir l'armoire, avec cérémonie, en disant au Policier :

« Voyez, je vous laisse juge, Capitaine, ce qui se fait de mieux en matière d'armes ! »

Nourio s'approcha et contempla le trésor. Il n'y connaissait strictement rien et n'avait dû tirer que trois ou quatre fois durant sa conscription sur des sacs de sable.

Dans l'armoire se trouvaient une dizaine de pétoires couvertes de poussière. La plus petite, avec son canon qui s'évasait en cornet, ressemblait à un instrument de musique. Il y avait des fusils à broche d'un autre temps, des mousquets, des tromblons de fantaisie à la crosse décorée faits pour des parades inoffensives, des ancêtres de carabines dont il manquait la queue de détente ou bien le pontet, quand ce n'était pas une partie de la chambre. Le regard du Policier s'arrêta sur la plus grande des armes. Elle avait un canon démesuré, unique, et semblait d'un poids considérable. Le Boutiquier ne le laissa pas réfléchir :

« Vous êtes un connaisseur, Capitaine, et je ne m'en étonne pas. Vous avez devant vous une arme magnifique, anglaise, une rareté, fabriquée sur mesure pour un lord apparenté au Vice-Roi des Indes, grand chasseur de tigres et d'éléphants. Elle concentre en elle tout le savoir accumulé pendant des siècles par les armuriers londoniens. Les encoches sur sa crosse témoignent du nombre d'animaux tués avec elle par son propriétaire. Vous en compterez trente-huit, pas une de moins. Trente-huit fauves qui sont passés de vie à trépas, sans même s'en rendre compte tant la puissance et la précision de ce bijou permettent une mort immédiate et douce. Malheureusement, elle n'est pas à vendre.

« Comment cela ? s'étonna le Policier.

« J'y suis trop attaché.

313

« Chassez-vous ?

« Pas le moins du monde, mais j'ai des sentiments. Et cette arme, je la tiens de mon frère, hélas
décédé, qui possédait un magasin de soieries près
de Covent Garden, et dont un des meilleurs amis
était ce lord anglais qui lui en avait fait cadeau.

« Mais voyons, ne pouvons-nous pas nous
entendre ? insista le Policier pour qui soudain la
vieillerie ornée de rouille semblait parée de toutes
les vertus.

Semmour soupira, ferma ses yeux de rongeur,
les rouvrit, regarda Nourio avec mélancolie. On
aurait pu croire que passaient dans son esprit des
cohortes de souvenirs tristes, puis il caressa le
canon de la carabine, comme il l'aurait fait pour le
bras de son frère imaginaire étendu sur son lit de
mort. Il soupira de nouveau.

« C'est un déchirement, Capitaine, mais puisque
c'est pour vous et que vous n'êtes pas n'importe
qui, je sais que vous serez digne de ce qui est plus
qu'une arme pour moi.

Le Policier respira. Mais quand le Boutiquier
lui annonça le prix du *déchirement*, il s'étrangla.
La somme représentait trois mois de ses appointements !

« N'y a-t-il pas moyen de s'arranger ? avança-
t-il.

« S'arrange-t-on avec le chagrin et les souvenirs ? répliqua aussitôt le Boutiquier qui avait

réponse à tout. Puis il ajouta : Mais pour ce prix, Capitaine, je vous offre les balles ! »

Nourio eut alors l'impression de faire une affaire. Il serra la longue main maigre, d'une froideur de serpent, que Semmour lui tendait et dont le contact lui donna le frisson.

Le marché était conclu.

On passa ensuite à l'habillement.

Le Boutiquier se révéla un assommant bavard et ne laissa pas réfléchir une seule seconde le Policier. Il l'entortillait dans ses mots au point que l'autre en avait mal à la tête. Alliant le geste à la parole, il sortait des casiers quantité de vêtements, culottes de peau, fuseaux de futaine, pantalons en cuir, gilets de feutre, de laine, en daim, en poil de loutre, des bérets, des casquettes à rabat et oreillettes, des chapeaux à plumet, des chemises de grosse laine, des caleçons tissés, des chaussettes hautes, des lavallières, des cravates, des foulards, des écharpes, des brodequins ferrés, des bottes et des guêtres en toile bituminée, des chaussures en phoque.

Par ce grand déballage, Nourio était tout à la fois ébloui et éreinté. Et le Boutiquier, flairant le pigeon idéal, ne lui laissait pas un instant de répit, encombrant le lieu exigu du contenant des casiers, qu'il sortait sans compter comme d'une corne d'abondance.

On passa à l'essayage et, au terme d'un temps infini et de multiples ajustements, Nourio se retrouva en pied, devant un grand miroir piqué, vêtu de knickers en peau de cerf, d'une chemise de muscadin aux rayures rouges et bleues et au jabot crémeux, d'une veste caoutchoutée, fourrée de renard, d'un jaune clair, de chaussettes tyroliennes en laine grise et urticante, de galoches qui montaient au-delà de la cheville et dont les mêmes avaient servi quelques années plus tôt aux premiers ascensionnistes du Matterhorn. Cet équipement était complété par des moufles en loden vert, des lunettes de glacier à l'épreuve du soleil le plus intense et du vent le plus glacial, et d'un shako de feutre noir, orné d'une plume d'émeu et d'un galon doré, qui avait appartenu à un officier de l'armée napoléonienne, disciple de Diane et grand coureur de femmes, couvre-chef « offert par la maison » avait tenu à préciser Semmour.

Nourio se contempla sous toutes les coutures durant de longues secondes.

Il était méconnaissable et grotesque.

Il se trouva splendide.

Et lorsqu'il quitta la boutique après que Semmour lui eut fait mille courbettes, avec l'immense carabine dans son étui de cuir craquelé et rongé par les rats, la boîte de deux cents cartouches qui pesait plusieurs kilos, et son vêtement empaqueté dans une couverture ficelée qui empestait le suint, il était le plus heureux des hommes et s'était endetté pour six mois.

Dans les jours qui suivirent, l'Adjoint ne vit jamais son supérieur. Celui-ci restait le matin chez lui, essayant sans cesse son habit et prodiguant mille soins à sa carabine. Il ignorait sa femme et ses enfants, ne pensait plus à Lémia, et restait enfermé dans une sorte de cabinet au-dessus de la chambre, dont il avait interdit l'accès à tous.

L'après-midi, même par forte neige, il partait avec son arme emmitouflée, les poches de son manteau pleines de munitions, et s'enfonçait dans la forêt pour s'exercer au tir. La première fois, surpris par le bruit étourdissant de la carabine et surtout par son recul épouvantable, il faillit rester sourd et amputé d'une épaule. Il en conserva un bruit continu de sirène dans l'oreille droite pendant deux jours et un hématome de la taille d'une assiette sur le haut du bras qui, de bleu de Prusse dans un premier temps, vira progressivement vers un jaune sale veiné d'un réseau vineux.

Il en tira les leçons et, pour les séances suivantes, il se bourra les oreilles avec des boules de cire et s'entoura l'épaule d'un coussinet en crin de cheval.

Les détonations produites par l'arme étaient stupéfiantes. Elles se répercutaient dans la forêt, se cognant à chaque arbre, et semblaient ne jamais finir. Il parvint à maîtriser peu à peu le recul, mais concernant la précision du tir, c'était une autre histoire.

Dans un premier temps, survolté par l'optimisme et confiant en ses capacités innées, le Policier avait suspendu une vieille casserole hors d'usage à une branche d'un bouleau mort et s'était reculé de cent mètres. Après six balles qui s'égarèrent on ne sait où, il se dit qu'il s'était peut-être placé trop loin. Il s'approcha d'une bonne dizaine de pas. Et recommença. Six balles de nouveau. Sans résultat. Ses oreilles malgré la cire bourdonnaient et son bras avait presque doublé de volume. Il se rapprocha encore. Encore et encore. Tirant d'après-midi en après-midi sans relâche, faisant fi de la douleur qui commençait à paralyser son bras droit et du son aigu qui avait élu domicile dans le pavillon de son oreille, sans vouloir le quitter ni le jour ni la nuit, sans que jamais la casserole fût percée du moindre trou.

Enfin, parce qu'il arrive quelquefois qu'un effort conduit avec persévérance soit récompensé, l'avant-veille du jour de la chasse, alors qu'il commençait à perdre espoir, il toucha la casserole par une balle magnifiquement efficace qui fit un trou spectaculaire de la grosseur d'un œil-de-bœuf et produisit un fabuleux son de métal crevé.

Il avait enfin réussi.

Il était heureux.

Les ours n'avaient qu'à bien se tenir.

Il était à cinq mètres de sa cible.

Durant toute cette semaine, il ne pensa à rien d'autre que s'exercer et lire trois fois une brochure sur la chasse qu'il avait trouvée dans une pile de vieux papiers qui encombraient un rayonnage près d'une fenêtre de l'Auberge de Vilok. Pas un seul instant, durant ces jours, il ne songea à son travail. D'ailleurs, il ne mit pas les pieds au Poste, ce qui dans un premier temps surprit l'Adjoint, lequel vint prendre des nouvelles à son domicile. Il lui donna congé en disant que la grande affaire pour l'heure était la chasse à l'ours, qu'il pourrait sans doute à cette occasion créer des relations qui lui seraient par la suite fort utiles dans la conduite de ses enquêtes, qu'il lui confiait le Poste et les affaires courantes, et il lui ferma la porte au nez, pressé d'essayer une fois de plus son habit et de graisser sa carabine.

L'Adjoint n'en revint pas mais, au fond, la perspective de passer de longues journées seul au Poste et de rentrer chez lui plus tôt que de coutume ne fut pas pour lui déplaire.

XXIX

Le rendez-vous avait été fixé à sept heures au Château. L'heure était inscrite au bas du carton d'invitation qui ne quittait pas la poche du Policier. Le vendredi arriva enfin. La veille il s'était couché tôt après avoir vérifié une fois encore son équipement. Il n'avait pas réussi à dormir une seule minute. N'y tenant plus, à minuit il était debout. Il s'habilla avec lenteur, comme on le fait quelques fois dans nos vies pour des occasions majeures, son propre mariage, les funérailles d'un proche, le passage d'un souverain dans les rues.

Il sortit de chez lui et constata que, revêtu de sa tenue, dans ses chaussures remarquables, les cuisses prises dans les knickers en cuir de cerf, la veste fourrée et caoutchoutée lui comprimant les poumons, il avait beaucoup de peine à marcher normalement. Le poids de la carabine dont la sangle lui sciait l'épaule et la sacoche pleine de munitions – il avait prévu large et emporté cent balles – ne l'aidaient pas non plus. Mais ce n'étaient là que de menus détails que son excitation suffit à lui faire oublier.

Il avait cessé de neiger et il gelait à pierre fendre. Son haleine envoyait dans l'air nocturne de charmants petits nuages de buée, denses et folâtres. Le ciel était cousu d'étoiles. Il n'y avait aucun bruit dans la ville. C'était une nuit parfaite.

Un peu plus tard, il entrait dans l'écurie du Poste et équipait une des deux rosses qui sembla se demander ce qui lui arrivait, elle qui comme sa consœur était habituée à une vie sédentaire, sans surprise, et qui passait des heures à se vautrer dans le plus grand sommeil, jour et nuit. Elle mit une certaine mauvaise volonté à se laisser seller, et le Policier sua à grosses gouttes dans son accoutrement pour parvenir à ses fins. Quand ce fut fait, il se demanda s'il allait se mettre en route aussitôt. Il hésita, et finalement cela lui parut peu raisonnable : il risquait d'arriver très en avance et de se refroidir à attendre à quelque distance du Château du Margrave l'heure du rendez-vous. Il se dit qu'un peu de thé et la compagnie de l'âtre ne lui feraient pas de mal. Il laissa la vieille jument sellée dans l'écurie et alla faire chauffer l'eau du samovar.

Tandis qu'il soulageait ses pieds en délaçant ses chaussures, il songea à sa condition. Cette partie de chasse n'était-elle pas un signe du destin ? Qu'un noble de l'importance du Margrave Ozlë, qui fréquentait les têtes couronnées de toute l'Europe, profitait des bonnes grâces de l'Empereur, et qui était par ailleurs apparenté au Tsar par son épouse qui était la petite-nièce de la belle-sœur du père de la Tsarine, qu'un être supérieur tel que lui s'intéressât soudain à un homme tel que le Policier, au point de l'inviter personnellement à une chasse sur ses terres, ne pouvait révéler que des intentions masquées propres à modifier considérablement sa destinée.

Il sirota ainsi de petites gorgées de thé pendant près de deux heures, roulant ses pensées et les agrandissant, au fur et à mesure qu'il se convainquait que cette chasse à l'ours n'était qu'un prétexte, et que si le Margrave l'y avait convié c'est que, depuis l'assassinat du Curé Pernieg, il voyait en lui un homme capable de tenir un rôle de premier plan dans le contexte nébuleux que connaissait la petite ville, la province tout entière, voire l'Empire même dont elle était une pièce frontalière de la plus haute importance.

Mais il était temps de se mettre en route, et après avoir relacé ses chaussures, et rajusté son vêtement, il fixa l'immense carabine et la sacoche à munitions sur la croupe de la jument, se coiffa du shako, enfila les moufles et, prenant l'animal par les rênes, mena la bête au-dehors, dans l'immense nuit gelée qu'elle contempla avec une absolue stupeur.

Voilà bien longtemps qu'il n'avait monté l'antique ganache, qui devait avoir passé les vingt-cinq ans, et il découvrit que, malgré tous ses efforts, coups de talon, de badine, encouragements, menaces, flatteries, caresses, claques et pincements, mots doux, insultes, l'animal progressait à une allure intangible, d'une insupportable lenteur, à tel point que le Policier sur la monture semblait devenir immobile dans le paysage qui ne changeait pas, ou si peu, et qu'il avait la profonde impression de faire du surplace.

Son énervement se mua en inquiétude, à mesure que l'avance qu'il pensait avoir largement fondait, et se changeait peu à peu en possible retard. Il regardait les aiguilles du gros oignon qu'il tenait dans sa poche et constatait que le temps fuyait à une vitesse extrême alors que la carne somnolente peinait à mettre un sabot devant l'autre. Il la fouetta de toutes ses forces puis la supplia mais les deux méthodes échouèrent et c'est à bout de nerfs, trempé de sueur, le cul douloureux et mis à vif par le frottement agressif des knickers en peau de cerf sur son caleçon trop mince, qu'il entra dans la cour du Château tandis qu'à la chapelle toute proche sonnait le dernier des coups de sept heures.

Deux domestiques se précipitèrent vers lui et le descendirent de sa monture. Deux autres détachèrent son équipement et l'emportèrent. Un cinquième saisit les rênes et mena la jument vers les écuries, et celle-ci, comprenant sans doute ce qui l'attendait, se mit à aller au petit trot sous les yeux stupéfaits de Nourio.

La nuit s'épuisait.

La cour du Château, quadrilatère entouré sur trois de ses côtés d'un double alignement de sapins noirs, vibrait sous la lumière d'un nombre grandiose de torches plantées à même le sol. La façade du Château de bois paraissait, sous les lueurs, plus grande encore qu'elle n'était et son architecture médiévale, d'encorbellements, d'échauguettes, de chemin de gué et de donjon semblait soudain vivre et bouger. On entendait les voix âpres des maîtres-chiens qui tentaient de calmer leurs meutes, encloses dans les chenils mais qui, comprenant l'imminence de la chasse, hurlaient d'excitation.

Un sixième domestique invita le Policier à le suivre et il se mit en marche à sa suite, grave et gonflé d'importance. Il rejoignit ainsi un groupe d'une quinzaine d'hommes qui parlaient fort et riaient devant la porte principale du Château. Tous faisaient cercle autour d'un personnage central, rond et court, qui n'était autre que le Margrave. Celui-ci racontait une anecdote qui réjouissait son auditoire, mais quand il aperçut le Policier, précédé du domestique qui s'effaça aussitôt, le Margrave s'interrompit pour accueillir son invité :

« À la bonne heure, vous voilà donc, Capitaine, nous avions craint que vous vous fussiez égaré ! »

325

Nourio s'approcha du Margrave et soudain perdit tous ses moyens, incapable de se souvenir de la façon dont il était convenable, selon l'étiquette, de saluer un noble du rang de son hôte. Il saisit la main que le Margrave lui tendait pour échanger avec lui ce que les Britanniques désignent sous le nom de *shake-hand*, habitude étrange qui commençait à gagner, par le biais de l'aristocratie, toute l'Europe continentale, mais le Policier peu au courant de ce nouvel usage, en inventa un de circonstance : il s'inclina, baisa la main du Margrave du bout des lèvres et, se relevant plein de déférence, il dit d'une voix pétrie d'humilité : « Serviteur, Majesté ! »

Le Margrave parut surpris. Il leva les sourcils, sa moustache sombre frémit et ses petites lèvres de femme se pincèrent.

« Après tout, pourquoi pas ! » finit-il par dire tandis qu'un rire, discret comme un frisson et dont le Policier ne perçut aucunement l'ironie, parcourait l'assistance.

Un domestique s'approcha portant des gobelets d'argent dans lesquels fumait un breuvage odorant. Il les présenta au Margrave qui en saisit un, puis au Policier et enfin à tous les autres.

« Mes chers amis, commença le Margrave en levant devant lui son gobelet, je vous remercie d'avoir répondu à ma modeste invitation à venir sur mes terres pour chasser celui que nos ancêtres répugnaient à nommer, ayant trop peur de l'irriter, ce fabuleux "lécheur", ce "coureur à quatre ou deux pattes", ce "puissant aux mains griffues", ainsi qu'ils préféraient dire. Vous le savez aussi bien que moi, cette chasse est l'une des plus belles. Elle se perd dans la nuit des temps, et c'est l'une des plus difficiles. La férocité de l'animal est telle qu'on ne peut dire que le chasseur lui est supérieur et que, de fait, elle soit indigne et déloyale. Les livres sont pleins de récits tragiques où la bête a pris le dessus, laissant derrière elle des chiens éventrés et des chasseurs réduits à des masses informes de chairs lacérées. Aussi je vous inviterai à la plus grande des prudences et au tir le plus parfait si le "mangeur de miel" se trouve à portée de votre arme. Si vous le manquez, lui ne vous manquera pas, et je serais fort chagrin que cette journée qui commence sous les meilleurs auspices se terminât dans l'affliction et la peine. Je lève mon verre à notre santé, à celle du "grand gaucher dévoreur de saumons", et nous souhaite une excellente partie de chasse ! *Norok zdravlje !*

« *Norok zdravlje !* » reprirent d'une seule voix les chasseurs avant de porter le gobelet à leurs lèvres.

La boisson était délicieuse. C'était un vin chaud, fort sucré, dans lequel avaient infusé des herbes et des épices, et auquel on avait ajouté une bonne pincée de poivre. Nourio but à petites gorgées. Cela lui fouetta le sang et il se sentit soudain fort à son aise.

Le Margrave avait disparu et pour la première fois le Policier contempla ses compagnons du jour. Il fut surpris et quelque peu déçu de reconnaître la plupart d'entre eux, à commencer par le Maire, le Notaire, le Conservateur des archives, le Receveur, les trois Maîtres d'école et le Rapporteur de l'Administration qui, alors que Nourio le regardait, lui fit un signe de tête tout en levant vers lui son gobelet. Il reconnut aussi Alexis Grünen, le Forestier, accompagné de ses deux fils, et deux nobliaux ruinés, d'ascendance germanique, l'*Edler* Gaspar von Richter et le *Ritter* Hieronimus Kluge-Diffenbach dont les maigres propriétés, dans lesquelles leurs châteaux décatis prenaient l'eau et le vent, jouxtaient celles, immenses et opulentes, du Margrave.

Ainsi c'était cela, les invités du Margrave ? Nourio eut l'impression qu'on avait pris un grand râteau pour rassembler ceux qui dans la province n'étaient ni paysans ni artisans et occupaient des positions à peine plus hautes que celles tenues par les plus bas des hommes. Une misérable petite-bourgeoisie de fonctionnaires, à laquelle on avait adjoint un précipité de noblesse déclassée, raclé au fond d'une cuve. Lui qui s'était imaginé partager la journée avec des princes, des ducs et des marquis, des hauts fonctionnaires de l'Empire à la mine grave et aux attributions essentielles, déchantait.

D'autant qu'il s'apercevait que des conversations à voix basse semblaient se tenir à ses dépens, et que des rires naissaient dans les gorges de ses compagnons du jour qui tentaient de les étouffer en mettant la main devant leurs lèvres. Certains l'observaient de la tête aux pieds et se poussaient du coude ou glissaient à l'oreille d'un autre quelque phrase qui faisait pouffer celui qui recueillait le bon mot. Il se sentit soudain mal à l'aise et dans son corps, et dans son habit, et plus encore quand il se mit à examiner la tenue des autres chasseurs qui tous portaient, à peu de détails près, la même : un manteau de loden vert ou gris, des pantalons longs de cuir gras dont les jambes s'enfonçaient dans des bottes hautes, épaisses, qui paraissaient fourrées, un chapeau de feutre orné d'un plumet fait de poils de blaireau ou de sanglier, ou encore d'une broche figurant un chamois ou un tétras, des gants sobres en laine épaisse. Le Margrave, qui venait de réapparaître et parlait avec un homme qui portait la livrée vert et or de la Maison Ozlë et en bandoulière un cor de chasse, n'était lui-même pas habillé autrement.

Le Policier se sentit ridicule dans son accoutrement de carnaval et il eut une pensée mauvaise pour l'escroc qui le lui avait vendu, et qui plus est, si cher.

Mais le son puissant et grave du cor le tira de son amertume et fit taire les conversations. L'homme y soufflait une mélodie lugubre, à peine modulée, qui parut à Nourio lui entrer dans le ventre pour y faire résonner tous ses boyaux. Quand il cessa, le Margrave reprit la parole.

« Mes amis, je vous propose de faire le rond. »

Le domestique repassa avec le grand plateau sur lequel chacun reposa son gobelet, puis on fit un cercle large, d'un diamètre d'une dizaine de mètres. Chacun se découvrit et, tandis que les chasseurs tenaient entre deux doigts légers leur chapeau, Nourio, au garde-à-vous, coinça son shako contre son flanc, l'entourant cérémonieusement de son bras. Dimitria Fonhres, le Notaire, qui se trouvait face à lui et ne perdait rien de sa maladresse ni de l'incongruité du couvre-chef, lança un sourire à Nourio en faisant avec ses lèvres une grimace qui disait sa moquerie sous couvert d'une admiration feinte. Le Policier fit mine de l'ignorer mais il fulminait intérieurement.

Le sonneur de cor vint se placer au centre.

« Je vous présente mon très fidèle Börvak, qui connaît mes forêts et le gibier qui s'y trouve mieux que quiconque. Ma confiance en lui est sans limites. Il sera notre chef de chasse. Je vous demanderai de lui obéir aveuglément : votre sécurité et le succès de notre entreprise en dépendent. Je lui laisse la parole.

L'homme, qui dépassait d'une tête le Margrave, avait un air sérieux et deux grands yeux graves.

« Comme mon Maître l'a rappelé, l'animal que nous chassons n'est pas n'importe quelle proie. Son nez est sans pareil et son oreille est fine. S'il ne voit que médiocrement, il saura vous charger tout de même si vous le manquez. Et si vous apercevez une femelle avec ses petits, ou ses petits seuls, ne tirez en aucune façon, il y va de votre vie. Nous ne chassons que les mâles. Ne faites pas de bruit. Cachez-vous du mieux que vous pourrez. Hormis notre "grogneur" vous pourrez tirer aujourd'hui tout le *rouge* que vous souhaiterez, cerf coiffé, daguet, biche, bichette, faon, chevreuil, chevrette, chevrillard. Sans limite de nombre. Ne tirez pas les sangliers, ni les renards, ni les loups. Attention aux chiens et à la traque. Je sonnerai trois coups à la fin de chaque battue. Plus aucun tir ne doit être effectué après ce signal, même si le plus bel animal passe soudain près de vous. Il y aura aujourd'hui deux battues. Je vous placerai à chaque fois à votre poste, et vous n'en bougerez en aucune façon. Je viendrai vous y reprendre. J'ai tout dit. Et maintenant, honneur aux chiens et à la traque ! »

Comme s'ils avaient attendu ce signal, les hurlements et les cris des chiens, qu'on avait entendus en sourdine et sans discontinuer tout au long de ces préliminaires, devinrent plus intenses et tandis que l'aube donnait à la cour du Château des tons laiteux et que les torches se mouraient, on vit apparaître, groupés par quatre ou cinq, plus d'une soixantaine de molosses toutes dents dehors et qui aboyaient plus fort les uns que les autres.

Ils portaient des colliers hérissés de pointes de fer et tous étaient tenus en laisse par ce que Nourio dans un premier temps prit pour des hommes larges d'épaules mais qui en vérité étaient des femmes, des géantes au nombre de douze, jeunes, puissantes, aux cuisses énormes, à la poitrine comprimée dans un plastron de cuir et au fessier de poulinière. Toutes avaient une abondante chevelure blonde, épaisse, domestiquée tant bien que mal en une sorte de chignon. Leur bouche était large, leurs joues d'un rose vif et leurs pommettes sanguines. Leurs yeux brillaient d'un éclat hautain. Elles tenaient d'une poigne ferme leurs braques, dogues, griffons, kangals et drahthaars. Il se dégageait d'elles une imposante fierté. De grandes dagues aux manches de corne glissées dans des fourreaux pendaient à leur ceinture. On aurait cru des déesses d'un culte primitif et Nourio, devant ses créatures sorties de la nuit et leurs bêtes hurlantes, se sentit tout à la fois très petit et fasciné.

Elles s'alignèrent devant le rond des chasseurs, encouragèrent de leurs voix rauques leurs compagnons à aboyer plus encore, en des mots qu'elles seules et ceux-ci pouvaient comprendre. Elles restèrent ainsi plus d'une minute, impassibles et superbes au milieu du vacarme, dans l'odeur des chiens, du cuir et de l'haleine des arbres tout proches qui mêlaient dans le matin d'hiver des senteurs de résine et de mousse, puis, sur un signe de Börvak, elles se retirèrent. Les aboiements décrurent.

On comprit qu'elles se dirigeaient vers la forêt.

On fit ensuite s'installer les invités, à qui on venait de porter leurs armes, dans deux traîneaux à bancs conduits par un cocher et tirés par quatre hongres afin de les mener à leurs postes.

Le chef de chasse ouvrait la marche, monté sur un cheval de débardage, aux muscles démesurés et à la robe perle, et qui allait d'un train tranquille, dodelinant de l'encolure et de la croupe.

Le Policier avait à sa gauche le Maire qui paraissait déjà un peu ivre, plus loin le Notaire qui ne cessait de bâiller, et à sa droite les deux fils prostrés du Forestier. Face à lui se tenaient Oresz Mlaver, le vieux Maître d'école, le Conservateur des archives qui sifflotait gaiement et les deux petits nobles, ratatinés dans leur gloire déchue et leur mauvaise fortune, et qui ressemblaient à de vieux garçons de ferme frappés d'idiotie.

L'un d'eux, le *Ritter* Kluge-Diffenbach, ne cessait de fixer l'imposante carabine que Nourio tenait entre ses cuisses et dont l'extrémité du canon le dépassait de deux têtes. Le Policier s'en aperçut, comme il venait de s'apercevoir que les armes de ses compagnons du jour étaient, à l'instar de leur tenue, à peu près identiques et fort sobres : de simples carabines à verrou, légères, maniables, et dont la taille et le poids étaient sans doute de moitié ceux de la sienne.

Le *Ritter* commença à parler d'une voix aigrelette tout en continuant à fixer l'arme saugrenue du Policier :

« J'ai déjà vu quelque chose du genre de ce que vous tenez entre vos cuisses. L'homme qui en jouait était un tzigane, à demi-clown, qui faisait un numéro comique durant la foire de printemps du Prater de Vienne, voici quinze ans peut-être. Il essayait tant bien que mal de viser des baudruches, mais son engin était si peu maniable qu'il ne parvenait ni à l'épauler ni à presser la détente, il était entraîné par son poids et ne cessait de tomber, devant, derrière, sur les côtés, et à chaque fois qu'il se retrouvait cul à terre, il répétait trois fois *"Teufel ! Teufel ! Teufel !"* en roulant des yeux et soufflant des narines. Le public riait aux éclats de ses pitreries, et quand il réussit enfin à mettre en joue un ballon et à faire feu, nulle balle ne sortit du canon mais un nuage d'une épaisse fumée noire qui transforma l'histrion en parfait nègre ! C'était à se tordre ! Espérons que pareille mésaventure ne vous arrivera pas, Capitaine !

La charrette partit d'un rire général qui fit mal au Policier.

« Ce n'est certes pas l'arme la plus adaptée à notre chasse du jour, crut-il bon de dire, mais je la tiens de mon père qui la tenait du sien. Je suis un être viscéralement attaché à la mémoire, plus qu'à la perfection du tir. Je vous prie de m'en excuser, mais au moins je ne vous ferai pas d'ombre aujourd'hui. »

Le mensonge parut faire son effet. Le *Ritter*, soudain moins assuré, marmonna quelques mots sur la pitié filiale et l'honneur des familles, propos qui reçurent l'assentiment de tous et plus personne n'osa parler ensuite, ni de l'arme de carnaval, ni de rien d'autre d'ailleurs.

XXX

Le convoi s'enfonça lentement dans la forêt. Il y avait dans l'allure des traîneaux une monotonie qui amenait des rêveries dans l'esprit des chasseurs. On prêtait attention au moindre bruit. On observait la forme des arbres, leurs ombres, et on croyait voir parfois, tant on avait envie de surprendre mille animaux, des formes qui fuyaient ou au contraire s'enfonçaient dans la neige.

Car la neige était partout, par endroits plane et mate, à d'autres soufflée en crêtes d'écume ou striée de gorges lilliputiennes qui dessinaient dans sa masse compacte des géographies minuscules.

Le jour était levé mais le soleil bas sur l'horizon ne parvenait pas à escalader la cime des sapins qui, au fur et à mesure qu'on avançait, régnaient sans partage car depuis longtemps les groupes de bouleaux et les hêtraies avaient disparu.

Le chemin n'avait pas été emprunté récemment et Börvak sur sa monture faisait la trace, la bête

337

s'enfonçant presque jusqu'au ventre sans que cela affecte son allure régulière. Les traîneaux suivaient aussi, grâce à la largeur peu commune de leurs patins et l'habileté de leur conducteur.

Le Policier qui avait fini par retrouver son calme avait l'impression d'avancer non pas dans un paysage réel mais dans celui d'un conte, et cela lui parut capiteux.

On progressa pendant une heure, dans le silence et le froid, sous le couvert des branches d'un beau vert sombre jusqu'à une clairière où on quitta les traîneaux pour continuer à pied.

Par quelques signes, Börvak fit comprendre qu'il fallait se disposer en une seule colonne. Il fit la trace. Les arbres ici possédaient une telle ramure et ils étaient tant serrés les uns contre les autres que la neige au sol était moins profonde que sur le chemin. On marchait d'un bon pas, à l'exception du Policier qui avait à supporter le poids d'une douzaine de kilogrammes de la carabine et de la réserve de balles, et dont les chaussures, certes conçues pour un alpiniste, freinaient l'allure en même temps qu'elles le faisaient de plus en plus souffrir.

Le chef de chasse conduisit sa troupe ainsi pendant près d'une demi-heure, et commença à arrêter un par un les chasseurs, tous les trois cents mètres environ, afin de leur assigner un poste. Pour son plus grand malheur et il ne sut pas pourquoi, Nourio fut le dernier à être posté, ce qui fit qu'il marcha plus que tout autre et parvint à l'endroit que lui désigna Börvak – un rocher sur lequel s'appuyait une vieille souche et qui dominait le flanc d'un vallon où s'entremêlaient, aux pieds des sapins, plus clairsemés en cet endroit, des genêts et des rejets de feuillus.

« Vous avez un poste exceptionnel, Capitaine, lui murmura Börvak à l'oreille. Ici a été tué il y a deux ans un "griffu" de près de mille trois cents livres. Il avait des dents grandes comme deux fois mes mains, et aussi acérées que la hache du bourreau. Soyez vigilant, et n'hésitez pas ! Je serai plus loin après cette bosse. Vous ne me verrez pas. La traque va bientôt commencer. Il part de l'ouest et progresse vers nous, et fera demi-tour dans le fond du vallon qui est devant vous. Je vous dis bonne chance. »

Et Börvak s'éloigna.

Nourio aménagea son poste le mieux qu'il put, chargea son arme, la cala contre la souche, et attendit.

Il attendit longtemps.

Et attendit encore.

Et encore.

Et à mesure que se prolongeait son attente, s'émoussaient son excitation et sa certitude de voir surgir un ours ou tout autre gibier. Il s'était dans un premier temps usé les yeux à fixer chaque parcelle de la forêt visible depuis l'endroit où il se trouvait, balayant avec méthode son champ de vision de droite à gauche puis de gauche à droite.

Puis la lassitude avait commencé son œuvre : il ne voyait rien. Pas le moindre animal. Pas le plus petit oiseau. Il n'entendait rien non plus, ayant toujours au fond de l'oreille ce son ininterrompu qui s'y était logé depuis ses sessions de tir. Il n'y avait là devant lui que du blanc et des branches, et ce qu'il avait trouvé tout d'abord beau et puissant lui apparaissait désormais sous les traits monotones d'une nature incohérente.

Il allait presque s'assoupir quand une détonation déchira l'atmosphère ouatée de la matinée glaciale. Elle fut bien vite suivie d'une autre, et d'une autre encore, et ce furent peut-être quinze à vingt coups de feu qui frappèrent la forêt en une pétarade que le relief amplifiait.

On distinguait aussi, allant crescendo, la furie des chiens que le bruit des balles et la présence du gibier avaient excités plus encore, et il y avait les cris effrayants des traqueuses, leur rage à encourager leurs bêtes et ces mots qu'elles hurlaient dans une langue que le Policier ne reconnaissait pas et dont il sut plus tard que c'était un dialecte parlé par la communauté serbe de la principauté de Bulgarie, dont ces géantes faisaient partie et d'où le Margrave les faisait quérir spécialement, car la chasse y était considérée comme le plus noble des arts, et le talent de celles et ceux qui en faisaient métier n'avait pas d'équivalent.

Tout cela, ce vacarme, venait vers lui, et il identifia le phénomène pour être ce que l'on nomme un *ferme roulant* ainsi qu'il l'avait lu dans la brochure prise chez Vilok, et qui désigne le fait que les chiens poursuivent un animal blessé qui tente de leur échapper, marquant de temps à autre des arrêts pour leur faire face. Nourio avait appris aussi qu'un gibier atteint, plutôt que d'en être affaibli, voit ses forces décuplées et quiconque se met en travers de sa route, chien ou homme, subit sa furie. Il arrivait même que l'animal, apercevant un chasseur loin de sa trajectoire de fuite, tout habité par sa rage, oblique vers le malheureux pour le charger et le mettre en pièces.

Et c'est vers le Policier que le *ferme* se dirigeait.

Il sentit la peur progresser dans chaque muscle de son corps, et les tétaniser. Il saisit sa carabine, tenta de mettre en joue devant lui, puis à gauche, puis à droite, mais rien n'apparaissait tandis que le vacarme des chiens, des traqueuses et des cris lugubres et féroces de l'animal blessé se rapprochait, à n'en pas douter. Pris de panique, il abandonna son arme et se terra dans le creux que le rocher faisait à sa base et qui pouvait abriter un homme, puis il ramena en un effort énorme la souche devant lui. Enfin il était protégé. Inatteignable. Invisible. Son cœur semblait crever sa poitrine.

Il resta ainsi terré jusqu'aux trois coups de corne signifiant la fin de la première battue.

Il sortit de sa cachette, ankylosé et transi, enleva du mieux qu'il put la neige qui s'était infiltrée jusqu'à son maillot malgré son vêtement étanche et attendit le chef de chasse.

Celui-ci arriva d'un bon pas, habitué à une vie de plein air et d'effort.

« Alors ? demanda-t-il. L'avez-vous vu, ce magnifique seize cors ?

« Splendide ! Il était à vingt mètres, mentit en grelottant le Policier. Mais impossible de tirer, les chiens étaient trop proches.

« Moi de même, dit Börvak. N'empêche, quel animal ! Et ces bois, quelle puissance !

« Oui. Je n'en jamais vu de tels », continua le Policier, qui tenta de suivre l'allure du chef de chasse.

On reprit peu à peu chacun des chasseurs et la petite troupe, bruissant d'une exhaltation à laquelle le recours à certaines flasques dissimulées au chaud des vêtements n'était pas étranger, revint aux traîneaux, commentant les tirs, réussis ou manqués, rejouant sans cesse les actions, le surgissement d'un animal, la mise en joue, le coup de doigt malheureux, ou la balle parfaite qui avait foudroyé le gibier.

On avait déjà tué trois biches et deux faons, ainsi que deux daguets et quatre chevreuils. Leurs dépouilles laissées dans la forêt seraient récupérées à la toute fin de la partie par des gardes. C'était un début plus qu'honorable et, parmi les chasseurs, le plus habile s'avéra être le vieil Instituteur qui à lui seul avait tué quatre bêtes.

Dans la clairière, près des traîneaux, avaient été disposées six petites tables recouvertes de nappes blanches. Elles supportaient des verres, des couteaux, des assiettes, et des plats contenant des pâtés, des saucisses, des pressés de porc, des pieds de veau farcis, de la terrine de hure, des galantines, ainsi que des miches de pain noir et des bocaux de cornichons à l'aigre-doux et de poivrons au vinaigre.

Des bouteilles de vin du Rhin et de Champagne avaient été mises à rafraîchir dans la neige. Un grand feu était prêt à réchauffer les chasseurs, tandis qu'un autre, tout en braises, servait à dorer de larges tranches de lard, des saucisses au piment et des côtelettes marinées.

Tout ce miracle avait été rendu possible par la présence de quatre domestiques arrivés avec les vivres et la vaisselle grâce à un troisième traîneau, et qui faisaient déjà couler dans des flûtes de cristal un demi-sec de la célèbre maison française de la Veuve Clicquot.

C'était la première fois que le Policier goûtait ce breuvage qui inondait toutes les cours d'Europe. Il trouva la boisson spirituelle et pimpante, et ne refusa jamais quand un des serviteurs, qui tenait avec précaution les magnums comme il l'aurait fait pour un nourrisson dans ses langes, se proposa de le resservir.

Ils mangèrent et burent, burent et mangèrent, et la petite troupe revigorée commença à parler fort et à rire à grosse voix, si bien que le chef de chasse dut les rappeler à l'ordre, leur disant qu'il n'en fallait pas tant pour alerter « qui ils savaient ».

D'ailleurs il était temps de remonter dans les traîneaux et de se diriger vers la combe de l'Étang Mort où allait se dérouler la deuxième battue. Nourio s'étonna de ne pas avoir vu le Margrave. L'*Edler* von Richter, qui avait mangé comme s'il n'avait pas été nourri depuis des jours et qui rongeait de ses dents grises un os de côtelette, lui apprit que leur hôte ne goûtait guère la chasse et ne participait jamais à celles qu'il organisait.

« Un curieux voisin en vérité ! On ne lui connaît aucun vice, ni la chasse, ni le jeu, ni le vin, ni les femmes, ni la religion ! Mais n'avoir aucun vice, n'est-ce pas en définitive le vice majeur ? » termina-t-il en riant tout en agitant sous le nez du Policier l'os parfaitement nettoyé.

On reprit place sur les bancs des traîneaux, se souriant les uns aux autres, fouettés par les vins et les kirschs, le ventre gonflé de cochonnailles et de mie de seigle. Toutes les conversations tournaient autour de la chasse. Le monde, les tragédies du temps, les soubresauts qui parcouraient l'Empire, les affres dans lesquelles la communauté de la petite ville était plongée depuis quelque temps n'existaient plus. On parlait calibre, venaison, affût, balle de panse, trophée, daube de cerf, pâté de gélinotte, marcassin aux truffes. On s'échangeait des recettes, on se conseillait, on se disputait pour la forme. On était devenu de très bons amis soudain.

Le Policier mit à profit la lecture répétée de la brochure de Vilok en aménageant quelques anecdotes qu'il y avait lues, se mettant en scène à chaque fois au centre d'entre elles. C'est ainsi qu'il expliqua comment, en un autre lieu et dans une vie antérieure, à force de patience, de ruses et de connaissance du terrain, après vingt affûts dans le froid et la nuit, il était parvenu à abattre un loup « de la taille et du poids d'un *keiler* » qui semait la désolation dans les troupeaux de brebis de la région depuis des mois et commençait à s'approcher un peu trop des villages.

On l'avait écouté avec attention. Le champagne lui avait donné un don de narrateur. Il jouit de son succès, lui qui n'avait jamais vu de sa vie qu'un pauvre loup empaillé atteint de pelade, au musée d'Histoire naturelle de la ville où il avait commencé de pauvres études vite avortées.

Les traîneaux s'arrêtèrent.

L'endroit était sinistre.

Ici la forêt avait abandonné la partie et ne laissait pousser au creux de l'immense cuve rocailleuse, où jadis les eaux d'un lac avaient dû mourir d'ennui et finir par s'évaporer, qu'une végétation basse, hirsute, broussailleuse, sale, qui mêlait les ronces, les aulnes courts et les charbonnettes. Des fougères brûlées par les gels aplatissaient leurs squelettes roux dans des brouets de neige. Des arolles goitreuses égaillaient çà et là les ravins rocheux aux allures de moraine. Un bouquet de trembles tout au fond donnait à la combe une pilosité obscène d'un blond cendreux. À tout bien regarder, on se disait qu'ici ce n'était pas la Terre, mais la surface inhabitée d'une planète morte, ou la lune peut-être, ou quelque astre plus lointain encore.

Et le même ballet du placement des chasseurs recommença sous l'égide de Börvak, qui remotiva les invités en affirmant que l'endroit, malgré les apparences, abondait en gibier, et qu'il était tout à la fois un lieu de passage favori du « grand brun à fort museau » et, par les multiples cavités et grottes qu'il recelait, une place d'hibernation de choix pour l'espèce.

Le chef de chasse avertit aussi de l'aspect délicat des tirs dans cette configuration si particulière de la combe : des rochers, des cailloux, des blocs partout, sur lesquels les balles se feraient un plaisir de ricocher et de partir dans des directions imprévisibles, celle d'un autre tireur, ou pourquoi pas celle du tireur lui-même, cela s'était déjà vu. D'où l'importance de ne pas rater l'animal.

L'avertissement n'effraya pas Nourio qui se sentait plein d'énergie et de confiance. Il en était certain, cette deuxième battue le verrait envoyer *ad patres* du gibier. Il n'était pas ivre, mais le champagne l'avait emprisonné dans une de ses bulles, le rendant téméraire, rieur, et il ne ressentait plus ni la gêne provoquée par son habit, ni le froid qui n'avait cessé pourtant d'être mordant.

Börvak l'avait placé sur une dalle de granite qui formait un très léger promontoire au-dessus d'un des flancs de la combe. La vue qui s'offrait à lui était large et se perdait dans le lointain sombre de la lisière de la forêt. Le bord de la dalle surplombait un taillis d'épines noires impénétrable. Au-delà, c'était une cascade minérale de roches concassées dont parfois des branches mortes, presque fossilisées, rompaient la morne coulée.

Nourio s'installa confortablement, assis contre un tronc de pin, les jambes allongées sur la dalle. Il s'emmitoufla du mieux qu'il put, ajusta ses grandes moufles, posa son immense carabine sur ses cuisses, et bien qu'il voulût rester vigilant, la fatigue et la digestion le firent glisser dans une insidieuse somnolence qui se changea vite en un sommeil des plus profonds.

Alors il fit un rêve.

Mais était-ce vraiment un rêve ?

Il ouvrait de nouveau les yeux. Le paysage avait changé. Une brume montait du fond de la combe, souvenir de l'humidité qui l'habitait jadis, et gagnait peu à peu ses flancs minéraux, faisant disparaître leurs angles et leurs saillies dans la mollesse terne de sa matière. Le froid s'était chargé d'eau et tout son visage suintait de gouttelettes qu'il essuya d'un revers de main. Il peinait à croire qu'il était bien à l'endroit où Börvak l'avait laissé tantôt, et la brume qui ne cessait son escalade eut bientôt fait de parvenir à lui et de l'enrober dans son nuage.

Il ne voyait plus guère au-delà de quelques mètres. Tout cela était tant irréel qu'il aurait pu se croire enfermé dans des pensées opaques qui ne parvenaient pas à prendre forme ni consistance.

Malgré sa surdité partielle, il entendit dans les lointains, amortis et étouffés par les strates de brouillard, les cris de chiens et les voix mâles des traqueuses, et de temps à autre des détonations, qui n'avaient aucune puissance et semblaient plutôt des claquements de ces pistolets à amorce destinés aux enfants.

Ce n'était plus une charge violente, un fracas de hurlements conjugués, un mitraillage pareil à ce qu'il avait pu percevoir dans la matinée. Non, on aurait dit que cette manifestation sonore venait d'un autre monde, s'échappait d'un espace qui n'était pas le sien mais l'atteignait par de faibles ouvertures où se glissaient, étranglées, les vociférations, le bruit des balles, les aboiements tragiques des chiens, et leur donnaient un écho sans rebond. Ou bien encore, songeait-il, c'était comme si on l'avait enfermé dans une cage de verre qu'on aurait ensuite emplie d'une fumigation inodore, l'amputant du reste de la terre des hommes, des actions qui s'y jouaient, des odeurs et des sons qui s'y chevauchaient.

Cela ne générait en lui aucune inquiétude. À peine ressentait-il une gêne mesurée, une sorte de tristesse, celle de penser qu'on l'avait écarté du jeu, que les événements allaient se produire sans lui, qu'il n'y tiendrait aucun rôle.

Mais au moment où il pensait cela, il entendit, très proche, un froissement dans les épineux, qui grandit en intensité, en même temps qu'une étrange respiration, un halètement puissant agrémenté de grognements rauques, semblait monter vers lui.

Tout cela était extraordinaire et il n'eut pas le temps de s'en effrayer. Il ne fit aucun geste. La carabine était posée sur ses cuisses. Il sentait son poids. À sa droite, à portée de main, il avait disposé dix balles, alignées à la façon de petits soldats dociles qui attendaient les ordres. Il apercevait au coin de son œil leur lueur cuivrée que la brume ne parvenait pas à éteindre. Mais ce qu'il vit surtout, sortant de la masse grisâtre, la déchirant brutalement, ce fut « lui », celui qu'il ne faut pas nommer, « le monarque de fourrure », « le mangeur de larves », « le grondeur », qui avançait son mufle sauvage et dont le souffle court lançait vers le Policier une haleine forte de caries, de terre noire et de viande gâtée.

La bête prodigieuse progressait à quatre pattes, mais quand son museau cogna le bord de la dalle sur lequel se tenait Nourio, elle parut surprise, s'arrêta, hésita, reprit son souffle et, avec une lenteur théâtrale, se dressa enfin sur ses pattes arrière.

Elle était immense. Ce fut soudain la nuit. Une nuit animale, à la puanteur de graisse fétide, de poils mouillés d'urine et de neige, de glands et de feignes broyés, de fourrure crottée d'humus et d'excréments.

Le Policier ne se dit pas que sa dernière heure était venue : il la croyait déjà passée. Où que son regard se posât, il ne pouvait distinguer que la masse dressée de l'ours et sentait la chaleur forte de son ventre. Le pinceau démesuré de son sexe, embarbouillé d'une toison de jarres d'un noir d'encre, était à portée de sa main ainsi que ses deux énormes testicules qu'une peau crevassée et croûtée de boue enserrait. La bête fabuleuse cachait le ciel, cachait la terre, cachait la brume, cachait la vie. Elle restait plantée ainsi, bougeant à peine, insensible aux épines de l'arbuste qui entraient à mille endroits dans sa fourrure brouillonne.

Comment était-il possible que l'ours ne sente pas Nourio ? Comment était-il possible qu'il ne l'ait pas vu ? Comment était-il possible qu'il n'entende pas son souffle, les battements de son cœur qui paraissait être sorti de la cage thoracique pour mener à l'air libre sa vie de tambour furieux ?

Un rêve.

Voilà ce que c'était.

Uniquement un rêve.

Le Policier s'en amusa, faillit taper sur la panse de l'animal et se retint tout de même. Mais puisque c'était un rêve, il avait tout loisir, avant qu'il ne s'évapore, d'en jouir et de regarder le monstre, de le détailler, de contempler sa gueule large qui le dominait.

Nourio leva les yeux. L'animal vu ainsi du dessous avait la proportion d'un pilier de temple grec. Il tenait devant lui, en les bougeant de temps à autre pour maintenir son équilibre, ses pattes avant dont les griffes étaient sorties, courbes, longues, taillées en poignards. La bête semblait attendre quelque chose et poussait de faibles grognements.

Les aboiements des chiens, qui jusque-là paraissaient lointains, se rapprochèrent à une vitesse étrange. Ils avaient senti les émanations de la bête. L'ours, plutôt que de les fuir, fit volte-face, se laissa tomber sur ses pattes et poussa à leur adresse un hurlement terrible qui fit trembler la roche. Les chiens lui répondirent en donnant plus encore de la voix et se dirigèrent vers lui. Il hurla de nouveau, longuement, puis s'enfonça avec l'agilité d'un garenne dans le buisson d'épineux.

La brume l'avala aussitôt.

Le Policier se demandait comment allait finir le rêve quand il entendit, à faible distance et de façon très rapprochée, deux coups de carabine dont l'écho n'en finit pas de se prolonger en se cognant aux pourtours de la combe. Puis il y eut un autre hurlement, plus long que les premiers, et plus déchirant, qui se termina en devenant aussi fragile qu'une plainte, et on ne perçut plus alors que les cris féroces des chiens qui semblaient enivrés de fatigue et de sang, et que rien ne parvenait à calmer.

Nourio ouvrit les yeux. Il tremblait et se sentait courbaturé. Les aboiements qu'il avait entendus à la fin de son rêve se poursuivaient. Mais on entendait aussi désormais les voix des traqueuses qui tentaient de calmer leurs bêtes ou leur donnaient des ordres. Tout cela devait se passer à une centaine de mètres pas davantage.

Le Policier se leva et fit quelques mouvements pour dérouiller ses muscles. Un coup de vent chargé d'une fine neige lui fouetta le visage, et emporta la brume. Il put de nouveau voir la combe de l'Étang mort qui, le crépuscule venant, prenait des teintes lugubres couleur de plomb fondu. Des voix le firent se retourner : Börvak arrivait accompagné du Forestier, de l'*Elder* et du Rapporteur de l'Administration.

« Alors ? Est-ce vous qui avez tiré ?

Le Policier répondit que non. Le chef de la chasse en parut contrarié.

« Mais on a bien tiré bon sang ! Deux balles, n'est-ce pas ? Le Maire peut-être ? Ça ne peut être que lui.

Le Policier confirma qu'il avait entendu deux détonations. En disant cela, il crut que les autres allaient le prendre pour un fou puisque c'était dans son rêve qu'il les avait perçues.

« Vous sentez ? reprit Börvak, les yeux brillants d'excitation. Vous sentez ? Il n'est pas passé loin ! C'est son odeur ! Je la reconnaîtrais entre mille ! Vous ne l'avez pas vu ?

Nourio perdait pied : tandis que le chef de la chasse attendait sa réponse, il regardait le buisson d'épines noires qu'une tranchée séparait désormais en deux : on aurait cru qu'on y avait fait passer une herse. Il commença à trembler.

« Non, rien vu, parvint-il à répondre, rien vu », et il se mit à claquer des dents. Il avait le tournis. Il ne savait plus. N'était plus sûr de rien. Qu'est-ce qui appartenait au rêve ? Qu'est-ce qui appartenait au réel ? Quand avait débuté le rêve ? Quand avait-il cessé ?

Alors. Alors seulement à cet instant, alors que tout danger avait disparu et que les cris redoublés des chiens célébraient la mort certaine d'un animal, le Policier fut possédé par la peur. Paralysé, il ne put faire un pas. Il chancela. Il fallut le soutenir et presque le porter jusqu'aux traîneaux. On mit cela sur le compte de la fatigue et du froid. Il se laissa faire, incapable de toute façon de mettre un pied devant l'autre, et dans sa tête se bousculaient des images effrayantes de l'ours dressé au-dessus de lui, incarnation d'un dieu zoomorphe venu de la nuit des temps lui demander des comptes, mais qui avait fini par lui accorder un répit.

Plus tard, au moment du tableau, ragaillardi par un punch flambé qui leur avait été servi dès leur arrivée dans la cour, Nourio était redevenu maître de lui-même.

Le Margrave les avait accueillis du haut du perron et s'était fait raconter les détails de la chasse, pendant que les traqueuses aidées par des garçons d'écurie et sous les ordres de Börvak, disposaient le gibier mort sur un grand lit de branches de sapin qu'on avait coupées pour l'occasion.

Quand ce fut fait, le chef de chasse sonna du cor et, sur un geste du Margrave, tous s'approchèrent de ce qui s'apparentait à une grandiose nature morte, de par sa taille et sa composition. Les bêtes reposaient sur leur couche d'aiguilles tandis que de grandes torches flambaient autour, léchant les mufles et les yeux, parant les fourrures de reflets or et de moirures, tandis que des ventres éviscérés gouttait un sang très rouge dont des filets folâtres, transperçant les branches résineuses, chutaient sous le lattis dans le manteau neigeux.

Un grand silence se fit et chasseurs et traqueuses se placèrent face au gibier, dans un garde-à-vous solennel. Même les chiens harassés, qu'on avait enfermés dans les chenils et qui dévoraient leur pâtée, s'étaient tus.

Le Policier contemplait le spectacle de la mort. Il y avait là vingt-huit pièces en tout, du chevrillard le plus chétif à la biche la plus opulente, mais aussi des daguets au corps nerveux, où l'on sentait encore la jeunesse inachevée, trois vieux cerfs au poitrail foisonnant mais dont les bois qui *ravalaient* semblaient trop chétifs pour leurs corps imposants. Deux coiffés de dix-huit cors, presque jumeaux, prenaient une place considérable, leurs massacres aux meules de la taille de deux poings serrés éparpillaient leurs andouillers comme s'ils voulaient embrasser l'air entier. Pour les animaux tués l'après-midi, et qu'on venait de vider un peu plus tôt, les panses ouvertes fumaient encore et répandaient dans l'obscurité résineuse un parfum de boyaux tièdes, d'herbe fermentée, de merde et de sang chaud.

Mais l'animal dont le Policier ne pouvait détacher le regard était celui désormais qu'on pouvait nommer puisqu'il était mort : l'ours. L'ours qui dépassait en taille, en puissance, en poids, tout ce qu'il était possible d'imaginer.

Contrairement aux autres dépouilles couchées sur le flanc, on l'avait posé sur le ventre. On lui avait écarté les pattes et on avait maintenu son abominable gueule ouverte grâce à un bâton de près de deux pieds. Ainsi donnait-il l'impression qu'il allait hurler une dernière fois sa rage à l'assemblée qui lui faisait face et qui était responsable de sa mort.

C'était bien Egor, le Maire, avec sa tête de dindon châtré et ses petits doigts potelés, qui avait tué l'animal.

Il n'en revenait pas lui-même. Un ours. Son premier ours. « Et pas n'importe quel ours », avait précisé Börvak. Un mâle comme on en rencontre peu, qu'il essayait de tuer depuis trois ans car il le soupçonnait d'avoir dépecé un bûcheron, le mangeant à demi. La bête avait pris goût au sang humain. Elle pouvait recommencer.

Le chef de chasse demanda que l'on rendît d'abord hommage aux chiens et à la traque. Les géantes à ces mots vinrent entre le gibier et les chasseurs, et firent face à ceux-ci, arrogantes et lasses. Ainsi le Policier put-il sentir pour un instant une de ces créatures au plus près de lui. Les deux battues éreintantes qui les avaient fait marcher des heures et hurler, traverser des ronciers, des sapinières drues, des éboulis, des marécages, qui les avaient cinglées de branches, d'épines de bise et de froid, les avaient *défaites*, et le Policier songea à les voir ainsi qu'elles ressemblaient à ces femmes au sortir du lit, après l'amour, que certains graveurs d'un autre siècle ont représentées dans leurs œuvres galantes.

Celle qui se trouvait tout contre Nourio avait, cuite par la chaleur de l'effort, dénoué sa casaque de cuir ainsi que sa chemise. Sa poitrine qui n'était plus comprimée semblait vouloir jaillir hors des linges. La peau de son visage était griffée à de multiples endroits. Des salissures de terre avaient roulé sur son cou. Ses cheveux, lâchés en partie, s'ornaient de brindilles, de lichen, de mousses, de poils, et pendaient de sa nuque vers son épaule. Ses mains fortes, à la peau coupée, arrachée, lacérée, étaient presque entièrement couvertes de sang séché et on ne pouvait dire si c'était le sien, celui du gibier qu'elle avait vidé, ou de certains de ses chiens blessés. Et puis, il y avait son odeur, dont Nourio se remplissait les narines, l'odeur forte de sa sueur aux notes de cumin et de crottin, mêlée à celle de la forêt dont la géante blonde paraissait avoir concentré la profondeur humide, la touffeur glacée, dans des relents de sève, de feuilles pourries et de résine qui l'enrobaient comme un linge.

On applaudit. Et Nourio plus fort que tous, qui vit s'éloigner la traqueuse à regret tandis que sous ses culottes cartonnées il sentit sa verge dure et tendue.

Puis le Margrave remit les brisées, de petites branchettes de sapin disposées sur les animaux, aux heureux tireurs. Et le Maire, plus qu'aucun autre, reçut une ovation qu'il accepta sans réagir, étourdi encore par ce dont il avait été capable et qu'il ne parvenait toujours pas à croire vrai, malgré les détails de son tir qu'il répétait pour la centième fois, et le cadavre du gros ours à côté duquel il se tenait, minuscule et impressionné, et dont le chef de chasse avec l'accord du Margrave trancha la patte arrière gauche d'un coup de hache afin de la lui offrir.

La neige tombait, légère, et fondait dès qu'elle atteignait les fourrures des animaux. Leurs yeux grands ouverts ne regardaient plus rien. Hormis l'ours dont la mise en scène du cadavre faisait croire qu'il ne se départait pas de sa fureur, de tous les autres s'exhalait une placidité douce, une sorte de tristesse souriante, comme si aucun ne tenait rigueur de leur coup fatal à ceux qui les avaient foudroyés.

La cérémonie était terminée.

Le Policier n'osa pas s'approcher de l'ours. Il avait l'impression désagréable que la bête le regardait lui plus que tout autre. Il se demanda comment il conviendrait de prendre congé quand un domestique à la porte du Château cria pour annoncer que Monsieur le Margrave était servi.

Ainsi donc ce n'était pas fini ! Un dîner désormais ! Lui qui était rompu de fatigue et ne pensait qu'à dormir. Et puis toute cette route à faire, avec ce canasson éreinté et mal embouché !

« La journée a été belle mais la soirée sera inoubliable, n'en doutez pas !

Tandis qu'il était perdu dans ses pensées, il n'avait pas entendu le Rapporteur se rapprocher de lui. Les autres entraient déjà dans le Château, à la suite du seigneur.

« Que voulez-vous dire ? demanda le Policier.

« Je dis simplement que la journée a été très belle, vous en conviendrez ?

« Certes…

« Et que la soirée sera… inoubliable !

« Ah… ?

« Voyons, faites-moi confiance, Capitaine. »

Et sur ces mots énigmatiques, gardant toujours sur sa face ronde de cocu complice ce sourire qu'il s'efforçait de rendre mystérieux, il fit un mouvement du menton pour inviter le Policier à rejoindre les autres tandis que la cloche de la chapelle égrenait sept coups.

XXXI

Pendant tout ce jour où son supérieur joua tour à tour à s'effrayer ou s'éblouir, l'Adjoint jouit de sa liberté. Les occasions étaient rares pour lui d'agir à sa guise, les consignes que le Policier lui avait laissées étant suffisamment vagues – *veiller au bon ordre public* – pour qu'il puisse les interpréter de façon large ou bien très étroite.

Pour autant, en homme d'habitude, il fut au Poste à six heures. Il constata que le Policier avait dû partir très tôt car il ne restait plus que quelques cendres dans le foyer, et l'eau du samovar, qu'il avait oublié une fois de plus d'alimenter en braises, était froide.

Il alla à l'écurie où il fit la conversation à la jument qui ne comprenait pas où avait pu passer sa compagne. Il le lui expliqua tandis qu'il lui donnait du foin, de l'eau propre et une ration de picotin. Quand il se savait seul ainsi, épié par aucune oreille, Baraj aimait à faire la conversation aux bêtes. Il savait que le Policier et bien d'autres auraient trouvé cela grotesque mais il aimait voir *Mes Beaux*, les chevaux du Poste, les vaches, les moutons, de simples passereaux prêter attention à ses paroles qu'ils rendaient douces et mélodieuses. Les bêtes ne le jugeaient pas, elles. Elles n'avaient que faire qu'il soit laid, bancal, maladroit, qu'il ait des battoirs à la place des mains, des jambes trop raides, des cheveux qui ressemblaient à une laine mal cardée. Les bêtes l'écoutaient, dodelinaient parfois de la tête, de gauche à droite, de droite à gauche, comme si elles faisaient un effort pour traduire ses mots, et cela le comblait.

La nuit avait été glaciale mais le jour naissait dans une clarté remarquable. L'Adjoint commença par ouvrir grand la fenêtre pour chasser l'air vicié, puis il sortit tous les meubles, avant de passer un balai énergique et de laver le sol avec une bassine d'eau qu'il avait au préalable fait chauffer.

Ayant grandi avec les cochons, relégué dans la fange par ceux qui l'avaient recueilli, il avait développé très tôt une passion pour le ménage et la propreté et rien ne le satisfaisait tant que de voir le Poste débarrassé de toute salissure et de toute poussière. Sa maison, dont l'apparence extérieure, rustique et culottée par les saisons extrêmes, aurait pu faire croire que son intérieur s'encombrait de crasse, était d'une propreté de laboratoire. Il ne se passait pas deux jours sans que Baraj astiquât avec un chiffon humide tout ce qui s'y trouvait, mobilier, vaisselle, murs, plafond, sol. On aurait pu manger sur le sol de grosses planches. Son linge de corps, ses vêtements étaient certes vieux, usés et rapiécés, sa literie n'était pas non plus de la première jeunesse, mais il faisait des lessives dès qu'il le pouvait, séchant le linge devant l'âtre, ou à la trop courte belle saison dans le champ fauché devant son logis, à même l'herbe rase et chaude, ou sur des fils qu'il étendait entre deux poteaux, jouissant alors du claquement de fouet que le vent d'est faisait naître dans les draps gonflés comme des voiles.

Ce grand ménage lui prit deux bonnes heures. Il contempla le résultat et ressentit une fierté simple. Il eut une pensée pour son supérieur qui devait sans doute être au milieu de la forêt, attendant qu'un gibier passe à ses côtés. Il se dit qu'il ne pourrait pas lui faire grand mal : les exercices au tir du Policier ne lui avaient pas échappé. Non qu'il ait voulu l'espionner le moins du monde, mais le premier jour où Nourio, sans que son Adjoint le sache, s'était enfoncé dans la forêt, Baraj avait été alerté par les détonations puissantes et, ne parvenant pas à trouver son supérieur pour lui demander quoi faire, il avait pris sur lui d'aller voir et avait surpris son Maître, avec sa cible d'opérette, à multiplier les tirs sans jamais l'atteindre.

Il avait discrètement rebroussé chemin.

Baraj aurait fait un remarquable chasseur, tant il connaissait la sauvagine, mais tuer ce qui l'émerveillait et l'avait aidé à supporter la laideur des hommes lui apparaissait aussi scandaleux qu'un blasphème.

Mal aimé, battu, rejeté, humilié, il avait dès son plus jeune âge trouvé dans la nature et ses habitants des consolations que ses semblables lui refusaient. En plus de savoir le nom de toutes les fleurs, des plantes, des arbres, des roches qu'on pouvait trouver sur le plateau, il savait aussi ceux de toutes les créatures vivantes, du plus petit insecte volant ou rampant aux centaines d'espèces d'oiseaux sédentaires ou migrateurs, dont il guettait dans le ciel les passages, annonciateurs de grand froid ou bien au contraire de redoux, et dans les halliers la nidification, au mammifère le plus imposant et le plus rare, qui avait sa préférence, et qui n'était ni le renne, ni le loup, ni le cerf, ni le lynx, pas même l'ours qui lui inspirait pourtant du respect, mais l'hermine, une créature à peine plus grosse que son majeur et pas plus longue, dont les déplacements étaient si rapides que l'œil humain se demandait s'il avait bien vu cette flèche blanche, irréelle et zigzagante, surfiler un tas de bois dans lequel elle avait élu domicile, et dont les jeux vifs au moment des amours amenaient sur le visage difficile de Baraj un très beau sourire.

Vers les onze heures, il s'octroya une pause, tira un morceau de lard cuit de sa poche, du pain, un oignon et s'assit sur le banc qu'il avait fabriqué deux ans plus tôt et fixé sur le mur sud du Poste. Il resta là, les yeux clos, se donnant au soleil, mâchant avec délectation sa pitance qui pour lui valait festin de roi. Il ne pensait à rien. Il était bien. Dans son dos les pierres avaient gardé un peu de la chaleur que les rayons du soleil d'hiver venaient de leur donner. Le lard qu'il avait cuit l'avant-veille, dans un bouillon de serpolet et de génépi, avait ce bon goût de gras et d'herbes sauvages qu'il aimait tant. Quand il eut fini, il se rinça la bouche avec une tasse de thé très fort, puis sortit d'une de ses poches sa carotte de tabac, dont il arracha avec les dents un morceau avant de le chi-quer longuement, se délectant de son jus noir qu'il faisait glouglouter dans sa bouche, comme un vin raffiné, avant de le cracher en de longs jets qui dessinaient sur la neige une écriture abstraite.

Un vent un peu trop doux s'était levé. Vers l'ouest, des nuages, d'abord pâles et clairs, mais qui devinrent vite cotonneux, avançaient d'une allure régulière. La neige de nouveau, se dit Baraj. Et il se décida alors, avant qu'elle ne tombe à gros paquets, à faire une ronde en ville. Une ronde qui en contenait plusieurs au demeurant, car, il ne savait trop pourquoi, il avait l'habitude, sans que le Capitaine lui ait ordonné quoi que ce soit, de parcourir la ville en traçant de sa pesante

démarche des cercles concentriques, qui le faisaient commencer par la périphérie, suivant le trajet des anciens remparts, en cent endroits éboulés,
pour progressivement, à force de spirale, entrer
dans le bourg à la façon d'une mèche de vilebre-
quin dans le cœur d'un arbre.

C'était un jour calme. Il ne croisa pas grand
monde et rendit leur salut à ceux qui le lui donnaient. Jamais on n'aurait pu croire que la ville
avait connu les deux crimes qui ne cessaient de le
tourmenter.

Il n'avait jamais aimé vraiment le Curé Pernieg,
qui n'avait rien fait pour le secourir, ajoutant au
contraire le plus souvent des moqueries à celles
des autres, quand il leur apprenait des rudiments
d'histoire sainte qu'il avait bien du mal à retenir.
Quant au pauvre Muet, il le savait inoffensif, et le
considérait parfois comme un frère de souffrance,
que la nature avait malmené sans que Dieu l'en
empêche, et que la famille, avant sa mort qui avait
tout changé, avait toujours traité à l'instar des
vaches dont lui seul prenait soin. Ce qu'il avait
subi ne pouvait être le fait que d'êtres ivres de
cruauté et de vengeance. Baraj avait croisé des
assassins, et durant sa conscription avait vu mourir bien des pauvres bougres dans des guerres inutiles au cours d'attaques qui l'étaient tout autant.
Mais ce que le Muet avait subi, c'était autre chose.

Il en était là dans ses pensées quand il entendit à
quelques pas de lui, de l'autre côté du pignon

d'une maison, des voix qui parlaient en une langue qu'il ne connaissait pas. Il s'arrêta et tendit l'oreille. Les voix étaient joyeuses. Des hommes. Une dizaine peut-être, et qui semblaient plaisanter. Parmi elles, une voix qu'il reconnaissait, même si elle aussi s'exprimait dans la langue inconnue : celle de Martjial Maijre.

Il avança vers l'angle de la maison et regarda : c'était bien Maijre, entouré de huit hommes qu'il n'avait jamais vus, et dont les faces brutales rappelaient celles des soldats, des mercenaires, des lansquenets des temps passés, prompts à se vendre au plus offrant et à éventrer des veuves et des enfants que la veille ils protégeaient encore. Toute la bande entrait dans l'Auberge de Vilok en baragouinant ce qui pouvait être du russe ou du moldave, quelque chose de lointain et d'étranger.

L'Adjoint se demanda quoi faire. Le Policier, lui, l'aurait su. Mais il n'était pas là. Baraj était seul et il lui fallait se décider. Ce n'était pas simple. Devait-il s'assurer de l'identité de ces hommes, leur demander leurs documents de voyage ? En d'autres circonstances, il l'aurait fait sans hésiter tant cela lui aurait paru normal. Mais la présence de Maijre le paralysait. Baraj, qui aurait pu assommer un bœuf d'un coup de poing, tremblait rien qu'à l'idée de s'approcher du groupe, de croiser le regard du bourreau de ses jeunes années, de leur adresser la parole devant lui.

Contournant le pâté de maisons, il arriva par la ruelle Olmaj face à l'Auberge qui se trouvait à trente mètres. Il vit alors la bande attablée et Vilok à ses côtés qui prenait sans doute la commande. Baraj resta là, une demi-heure peut-être, à les regarder boire une chope de bière tandis que l'Aubergiste dressait la table, amenant des assiettes et des couverts.

La neige, fine tout d'abord, se changea en une pluie sèche de flocons coupants qui faisaient en tombant sur les épaules de l'Adjoint un délicat bruit de lustre de cristal dont les pampilles s'entrechoquent. Soudain, la pensée du beau visage de la jeune Lémia entra dans sa tête, et alors, magiquement, cela atténua sa peur et il se sentit porté par un curieux courage. Il traversa la placette et entra dans l'Auberge. Tentant d'être le plus naturel possible, il lança un bonjour et se dirigea vers le comptoir derrière lequel s'affairait Vilok. Celui-ci se retourna et d'un signe de tête répondit à son salut.

Baraj entendait dans son dos la bande attablée qui parlait fort son baragouin et semblait de belle humeur. Il avait aperçu en entrant les ivrognes habituels, dont le Sabotier, chacun solitaire à sa table, déjà hébétés devant leur verre.

Vilok posa devant l'Adjoint une tasse de bouillon. C'était là toujours son unique consommation. Il n'y avait pas à se tromper. Baraj remercia.

« Tout va ? demanda-t-il.

368

« Tout va… » répondit l'Aubergiste en fixant avec insistance les hommes dans le dos de Baraj, pour lui signifier que tout n'allait pas tant que ça, qu'il y avait là une curieuse bande, sortie de nulle part. Mais avant que l'Adjoint puisse répondre quelque chose, la voix de Maijre s'éleva dans l'Auberge.

« Eh bien, grosse bête ! On ne salue plus ses amis ?

Baraj fut contraint de se retourner.

« Bonjour Martjial… Je ne t'avais pas reconnu. Tu parles de drôles de mots.

« C'est que j'ai beaucoup voyagé, vois-tu, et les voyages nous enrichissent, tu le saurais si tu avais décollé plus souvent ton cul de la pauvre terre de ce pays ! »

Baraj ne répondit rien. Maijre le toisait, provocant. Il attendait quelque chose, sans doute que l'Adjoint lui demande qui étaient ses compagnons, mais il n'en fit rien, se contentant de fixer chacun de leurs visages, dans lesquels il reconnaissait ce qui caractérisait celui de son vieil ennemi : une sorte de vide, de creusure, comme si on avait gougé les chairs pour y ôter tout ce qui était humain et ne laisser la place libre que pour le vice et le mal.

Maijre parut déçu du silence de Baraj et, le désignant, il s'adressa dans le langage obscur à ses compagnons. Leurs faces s'amusèrent plus encore. Ils ne perdirent rien de ce que leur disait celui qui se comportait en chef incontesté, et quand il se tut, ils regardèrent tous l'Adjoint avec pitié et éclatèrent de rire.

Baraj n'éprouva aucune douleur. Car il songea à Lémia. Lémia son image sainte. Sa protectrice. L'effet était prodigieux. Il sentait en lui une grande paix. Quelque chose de chaud. De profond. Il se retourna vers Vilok qui ne semblait pas à l'aise avec ses nouveaux clients. Baraj termina son bouillon en prenant son temps. Puis il laissa une pièce et sortit en saluant l'Aubergiste, sans plus regarder la tablée qui s'était désintéressée de lui. Auparavant, il avait eu tout de même le temps de les observer, et de se rendre compte qu'ils n'avaient ni armes ni bagages. Ils semblaient venir de nulle part, et s'apprêter à y retourner, sans s'attarder ici.

L'Adjoint prit le chemin de sa maison, mais une idée lui vint : cette bande n'était pas venue des airs, ni par une galerie de taupe ! La seule façon d'accéder à la ville, avec les congères de neige qui empêchaient la malle-poste et toutes les voitures de passer depuis quelques jours, c'était à cheval ou par traîneau. Il fallait donc bien qu'ils aient remisé leurs montures quelque part. Hors de question par ce froid de les laisser dehors, après un effort qui plus est, même s'ils étaient sans doute de mauvais maîtres. Le seul endroit où l'on pouvait ainsi abriter sa monture, si on était de passage, était l'écurie de Djurdic. Pour quelques sous, le cheval était au chaud, avait du foin, de l'eau et du grain. L'Adjoint changea de direction. Il avait le temps. Cela ne coûtait rien d'aller y jeter un œil.

Il connaissait bien Djurdic et celui-ci tenait Baraj en bonne estime car il savait combien il aimait les deux chevaux du Poste et en prenait soin. Mais Djurdic était un affreux bavard, et si l'Adjoint venait à lui poser quelques questions sur ces hommes, à coup sûr quelques heures plus tard tout le monde serait au courant et eux les premiers.

Et puis Baraj n'aurait pas osé demander. Ce qu'il voulait, c'était voir : les montures et les bagages s'il y en avait. Il parvint devant la grande porte de l'écurie mais contourna le bâtiment car il savait qu'à l'arrière s'ouvrait un passage entre deux façades qui aboutissait à une ouverture par laquelle on évacuait les tombereaux de fumier vers un champ en dévers. Elle n'était pas fermée à clé. Une simple tirette la maintenait en place. Quand il fut parvenu près d'elle, l'Adjoint entendit au travers de la porte la rumeur des bêtes. À n'en pas douter, il n'y en avait pas qu'une. Il ouvrit en essayant de ne pas faire de trop de bruit, et entra.

La bonne odeur des respirations et des crottins emplissait la vaste écurie et lui donnait une apaisante chaleur. Trois puits de lumière ménagés dans la toiture versaient un jour vertical qui poudrait la paille de grands aplats blancs.

Baraj ne s'était pas trompé : il y avait là, attachés à la rampure, douze chevaux. Il reconnut d'emblée celui de Maijre, un demi-sang hongrois, nerveux, à moitié fou peut-être à force d'avoir été battu par son propriétaire, qui ne tenait pas en place et tentait d'arracher son licol. Quant aux autres, il ne les avait jamais vus, ni de près ni de loin. C'étaient des bêtes puissantes, placides, plutôt petites au garrot, de ces descendants des chevaux des premiers temps, capables d'endurer des conditions extrêmes et le manque de nourriture.

Ils avaient fait sans doute une longue route car, mal bouchonnées pour la plupart, on pouvait voir sur leur pelage épais les traces d'une écume blanche. En la portant à ses lèvres, l'Adjoint put constater qu'elle était légèrement salée.

Ces chevaux avaient fait un effort de longue haleine. La plupart étaient harassés. Deux belles juments, qui pouvaient avoir dix ans, étaient d'ailleurs couchées sur le flanc. Les autres gardaient leur tête pendante. Certains paraissaient même ne pas avoir repris vraiment leur souffle.

Baraj passa parmi les bêtes, les observa toutes, les caressa, leur murmura des mots de réconfort, ajusta pour un hongre le sac de picotin qui avait été fixé à la va-vite et dans lequel il n'avait pas pu manger sa ration. Le cheval avala le grain, en hennissant joliment pour remercier l'Adjoint.

Puis il se désintéressa des chevaux et fouilla l'écurie du regard. Il n'eut pas à chercher bien longtemps. Dans un angle, entassés les uns sur les autres se trouvaient les bagages des cavaliers : c'étaient des baluchons de cuir, tous à peu près identiques, fermés par des lanières et que la vie nomade de leurs propriétaires avait tannés jusqu'à les faire luire.

Baraj en saisit quelques-uns qu'il soupesa : leur légèreté prouvait qu'ils devaient contenir du linge, des vêtements. Mais d'autres pesaient d'un poids étrange. L'Adjoint dénoua les liens. Ce qu'il découvrit le laissa perplexe : de gros marteaux, de longs clous, plus grands encore que ceux des charpentiers et à la tête étrangement hexagonale, de petites planches de la longueur d'un bras et épaisses comme le tranchant de la paume, en bois sec et bien solide, du hêtre semblait-il. D'autres baluchons contenaient des bouteilles soigneusement protégées par plusieurs couches de papier journal ou de tissu. Il tenta d'enlever le bouchon de l'une d'elles, mais il n'y parvint pas. Il regarda le liquide qu'elle contenait en la levant dans la lumière. Sans couleur, translucide, cela aurait pu être de l'eau bénite ou un alcool de n'importe quel fruit.

Dans un autre sac, il trouva de la cordelette et des rouleaux de bande poisseuse qui sentaient la résine, celle qu'on met autour des troncs des arbres fruitiers pour éviter que la vermine y monte, ou bien autour des torches qu'on prépare au solstice d'été pour éclairer la nuit de grands feux joyeux.

Baraj cessa sa fouille. Il n'en savait guère davantage sur ces hommes et le pourquoi de leur venue. Sans doute étaient-ce simplement des étrangers de passage, charpentiers ou travailleurs du bois, que Maijre avait connus dans une autre vie, dont il avait été prévenu du passage, et pour lesquels la petite ville servait d'étape.

Il quitta l'écurie.

Ce qu'il venait de faire était illégal, et si son supérieur venait à l'apprendre, il passerait à coup sûr un mauvais quart d'heure.

Mais en définitive, lui qui d'ordinaire était bien craintif n'en conçut aucune peur. Il fut même surpris de ressentir une certaine excitation, après sa petite expédition, et tandis qu'il rentrait chez lui, il se dit que son caractère changeait, qu'il n'était plus tout à fait le même homme, qu'il ne se reconnaissait pas, sans savoir pour quelle raison s'opérait ce changement.

Tandis qu'il commençait à descendre la rue du Coq-Éteint, il croisa l'Imam Guedj qui sortait de chez lui, emmitouflé dans de multiples couches de vêtements. Il marchait avec prudence sur le trottoir recouvert d'une glace verdâtre et quand il croisa Baraj, il le salua avec déférence, et Baraj lui rendit son salut, ayant toujours estimé cet homme discret à propos duquel il ne comprenait pas l'aversion que lui portait son Maître.

C'est d'ailleurs en voyant l'Imam qu'il se souvint qu'on était vendredi et que c'était jour de la grande prière. Ainsi l'Imam se dirigeait-il vers la mosquée pour y préparer la cérémonie.

Il devait donc être près de cinq heures du soir.

Mais quand donc le Capitaine allait-il rentrer ? Quelle fichue partie de chasse ! songea-t-il. Il n'aimait guère son supérieur mais regrettait tout de même qu'il ne fût pas là. Car il respectait son savoir et son autorité. Le Capitaine avait étudié à la ville. Il employait des mots qui lui étaient inconnus. Il lisait des livres. Il rédigeait de longs comptes-rendus sans jamais avoir mal à la tête. Et surtout, surtout il était le chef ! Il avait hâte qu'il rentre afin de pouvoir lui parler des hommes de l'Auberge, mais sans doute, une fois encore, quand il aurait fini de faire son rapport devant lui, le Capitaine se moquerait-il :

« Tu fais vraiment d'une souris une montagne, mon pauvre Baraj ! Arrête donc de gamberger et va couper du bois, cela te fera du bien ! »

Quand il ouvrit la porte de sa maison, Mes Beaux lui firent la fête et son cœur bondit devant cette affection sans calcul. Les bâtards remuaient la queue et lui léchaient les mains, le regardant droit dans les yeux, sûrs d'y trouver la confiance et l'amour dont ils se repaissaient mieux que de toutes les pâtées.

« Mes Beaux, venez Mes Beaux, je vais faire le manger ! »

Et les chiens comprenaient et se frottaient plus encore à lui, l'entortillant dans leurs grands corps fauves, poussant de leurs museaux noirs le plat de ses cuisses, joueurs et reconnaissants.

Baraj préparait leur gamelle et les nourrissait comme lui. Sans doute estimait-il sur la même échelle du vivant leur personne et la sienne, et en raison de cela, il n'aurait pas accepté de les traiter moins bien que lui. Non que tous les soirs l'Adjoint s'accordât un festin : mais si c'était de la soupe de rave, Mes Beaux mangeaient la soupe de rave, et si c'était une fricassée de couenne, un goulash de lapin, un morceau de lard mijoté dans des choux comme ce soir-là, Mes Beaux avaient droit à la même chose.

Ainsi allait le monde de Baraj et son sens de l'équité, que d'aucuns pourraient trouver idiot, et d'autres, admirable.

Six heures venaient de sonner au clocher.

Mes Beaux étaient repus et s'étaient allongés près de l'âtre que Baraj avait gavé de bûches. C'était là aussi un de ses plaisirs simples dont il ne se lassait pas : un bon feu valait mieux que toutes les conversations. Le regarder, tendre ses pieds vers lui, sentir sa brûlure puis sa caresse à mesure qu'il mourait, lui redonner vigueur avec quelques branches sèches, écouter sa musique, contempler ses architectures de braise s'écrouler et lancer des flammèches, il y avait de quoi remplir les plus longues des soirées. Et si l'on ajoutait à cela une chique de tabac, le paradis n'était pas à chercher ailleurs ni après la mort.

C'est justement quand il venait de tirer la carotte de sa poche pour en arracher un morceau qu'on frappa à la porte.

Il devint statue.

Mes Beaux, gavés, et couchés l'un contre l'autre, enlacés devant l'âtre, n'avaient levé qu'une paupière puis l'avaient laissée retomber comme un rideau.

On frappa de nouveau, et l'Adjoint, revenu de sa première surprise car il ne recevait que rarement des visites, se dit soudain que ce ne pouvait être que le Capitaine. Oui. Le Capitaine ! Qui d'autre sinon ?

Il rangea son tabac, rectifia sa tenue, et au pas alla à la porte qu'il ouvrit grand.

Mais il n'y avait personne.

Seule la nuit était là désormais, à lui présenter sa gueule noire.

Il n'avait pourtant pas rêvé ! Mes Beaux certes n'avaient pas aboyé mais ils avaient ouvert les yeux ! On avait vraiment frappé à sa porte. Le Capitaine, d'une nature impatiente, était-il déjà parti, trouvant que son Adjoint mettait du temps à réagir ?

Baraj sortit et fit deux pas pour faire revenir son supérieur, mais avant qu'il ait pu crier son nom, ce qu'il crut être un immense rocher tomba sur l'arrière de son crâne, et sans qu'il pût rien y faire, il sentit tout son corps devenir mou, et le sol sous lui se dérober.

La nuit du dehors s'invita au-dedans de lui.

Il chuta dans le noir et le grand oubli.

·

XXXII

On en était aux liqueurs et chacun était gris.

Même le Margrave, qui n'aimait pas la chasse mais prisait les dîners interminables, peinait à parler, trébuchant parfois sur une syllabe difficile ou un mot un peu trop long.

L'étiquette avait sauté.

On était entre hommes simplement.

Entre hommes ivres.

Il faut dire qu'on avait bu plus que dévoré, même si on avait aussi beaucoup dévoré : des tourtes, des potages, des pâtés, des civets, des gibelottes, une oie farcie, un marcassin en gelée, des salades, des fromages, des gâteaux à la crème, des fruits confits, des chocolats. Mais on avait bu plus encore. Des punchs, du champagne de cette belle veuve française – à propos de laquelle, sans l'avoir jamais vue, on fit d'égrillardes plaisanteries –, des vins blancs de Bohême, des *spumanti* d'Italie, des vins rouges de Vosne-Romanée et de

Saint-Émilion, des tokaj de Hongrie, des liqueurs d'Espagne, des alcools blancs d'Autriche, de la vodka de Pologne, des abricotines du Valais suisse.

Nourio n'était pas le plus saoul de tous, bien au contraire. Il avait plutôt fait semblant de boire, trempant le bout des lèvres dans les beaux verres en cristal, et le moins endurant avait été le Notaire qui s'était effondré au milieu du repas dans sa tranche de marcassin et y ronflait encore, le nez et les oreilles recouverts de gelée au porto.

Cependant, en raison de son réveil précoce, des émotions de la journée, de ce dîner qui n'en finissait pas, le Policier se sentait épuisé et avait l'impression que tous les trophées, par centaines accrochés aux murs de l'immense salle à manger, commençaient à se pencher sur lui pour lui faire la conversation. Aussi préféra-t-il le café aux liqueurs quand les domestiques en proposèrent.

Certes on avait reparlé de la partie de chasse durant les agapes, le Maire ressassant son coup de carabine, tout autant pour s'en vanter que pour se persuader qu'il en était l'auteur, mais la ripaille aidant, on avait dévié vers d'autres sujets éternels, les femmes, l'argent, la terre, le Turc, le Tsar, l'administration du monde.

Quand on avait évoqué le beau sexe, chacun y était allé de son anecdote, rivalisant de vantardise et de crudité. Nourio, dont l'obsession pour la chose rejoignait une pudeur maladive à en parler, avait écouté mais sans apporter son écot, tandis que le Rapporteur, les yeux troubles et la bouche gourmande, avait préféré durant l'échange grivois ne pas quitter du regard les deux fils du Forestier, dont les visages étaient encore potelés d'adolescence.

Du haut de leur mort, les cerfs, les biches, les sangliers, les rennes, les élans, les lynx et les ours naturalisés, qui tapissaient les hauts murs de mélèze, contemplaient de leur impassible regard de verre la débauche des hommes qui, sous eux, avaient changé la belle table recouverte de lin blanc et de vaisselle délicate en un champ d'ordures domestiques où s'amalgamaient désormais les souillures de sauce et de verres renversés, les assiettes sales, les débris de viande et de pain, les serviettes froissées, les couverts graisseux et les cendres des cigares.

Il flottait dans la pièce un nuage de fumée poisseuse et âcre, de relents corrompus et d'haleines épaisses, et tout ce qui un peu plus tôt, nourritures et boissons, dégageait des parfums et des fumets subtils, quand les serviteurs les avaient apportés et servis, s'était mué en une sorte de pestilence intestinale, à laquelle se mêlaient, en l'accentuant, les odeurs des corps d'hommes levés depuis l'aube, peu lavés, éreintés par l'effort, excités par la chasse et le festin.

On étouffait et le Policier n'y tenant plus se leva sans que quiconque fît attention à lui à l'exception du Margrave qui sembla contrarié par ses prémices de départ.

« Eh bien Capitaine, vous nous abandonnez déjà ?

Le Margrave avait forcé sa voix afin que tout le monde entende. Les conversations s'affaissèrent. Il y eut le silence. Les regards troubles sous les paupières épuisées se tournèrent vers Nourio.

« C'est qu'il est fort tard, Votre Seigneurie, et ma monture est vieille.

« Allons, allons, vous n'allez pas nous quitter ainsi. Nous sommes en bonne compagnie et j'aimerais vous faire découvrir une curiosité de ce Château, qui saura, j'en suis certain, intéresser les amateurs de nature humaine que vous êtes tous. »

On aurait pu croire qu'il cherchait à les retenir le plus possible, et personne chez les autres invités ne semblait y voir d'inconvénient. Il y avait là quelque chose d'un peu étrange, qui éveilla durant une seconde la sagacité du Policier, mais il était beaucoup trop las pour penser clairement et le doute le fuit.

Le Margrave se leva en époussetant son gilet qui sembla sur le point d'éclater sous la pression de son ventre rond comme une bille. La tablée l'imita tant bien que mal, se dépliant avec difficulté, esquissant quelques pas en titubant, s'étirant, bâillant, vidant un verre encore tentateur. Seul le Notaire ne réagit pas et continua par ses ronflements à faire vibrer la gelée dans laquelle il s'était endormi.

La petite troupe suivit en procession le Margrave. On passa quantité de pièces, couloirs, antichambres, corridors, pour parvenir, après une pérégrination qui en avait épuisé plus d'un et s'être enfoncé dans le sol grâce à une dizaine de marches taillées à même la roche, devant une porte qui paraissait très ancienne.

On avait atteint la partie la plus vieille du Château, dont la construction remontait peu après l'an mil. Le seigneur prit dans une poche de son gilet taché de sauce et de vin une clé qui au regard de la serrure tarabiscotée dans laquelle il la fit entrer paraissait d'une grande simplicité. Mais le plus étonnant, ce furent les manœuvres auxquelles il se livra ensuite, tourna deux fois la clé sur la gauche, puis quatre fois sur la droite, puis de nouveau sur la gauche une fois, à moins que ce fût deux, puis encore sur la droite, trois fois, ou quatre. On ne savait plus. On se perdait à essayer de comprendre ses manœuvres. Enfin on entendit un son clair, presque joyeux, un déclic. Le Margrave enleva la clé, la remit dans sa poche et poussa la porte.

Tout d'abord on ne vit rien car le noir le plus épais régnait dans la pièce de laquelle se dégageait une odeur agréable de grenier à foin, ou de réserve à blé, qu'on ne se serait pas attendu à percevoir dans les entrailles du Château.

Le Margrave resta sur le seuil et de sa main gauche ausculta le mur intérieur pour y chercher quelque chose. Il tâtonna quelques secondes et eut soudain une brève exclamation de satisfaction en ramenant une lanterne qui ressemblait plutôt à un instrument de torture, une de ces *poires d'angoisse* que l'on glissait jadis dans les bouches de ceux dont on voulait obtenir des aveux et qui doublaient ou triplaient de volume quand on actionnait leur mécanisme ingénieux, provoquant l'éclatement brutal des mâchoires du malheureux.

À l'intérieur se trouvaient deux moignons de bougies. Le Margrave sortit d'une poche de ses pantalons un délicat briquet à amadou, en or guilloché, serti de pierres précieuses et dont le bouchon était surmonté d'un petit aigle aux ailes déployées se tenant sur un globe terrestre. Après quelques frottements, la flamme jaillit et il alluma les mèches des bougies.

« Entrez, mes amis... »

Il avait parlé à voix basse et tout imprégnée de mystère.

Chacun passa devant le Margrave qui était resté sur le seuil avec la lanterne et entra dans l'obscurité. Personne ne dit mot. Le Policier commençait à se sentir mal à l'aise et se demandait à quoi voulait en venir leur hôte. Il détestait les surprises et l'imprévu et n'avait qu'une hâte : prendre le chemin du retour.

Le Margrave referma la porte derrière eux. Il tenait la lanterne très bas, à hauteur de ses pieds, si bien que les bougies n'éclairaient que le sol fait de gros pavés de bois.

« Vous allez voir de curieuses choses et je vous demanderai de n'en parler à personne. Nous serons en quelque sorte liés dorénavant par un secret et il me serait désagréable que l'un ou l'autre le trahisse par des bavardages. »

Il se tut quelques secondes, pour s'assurer que ses paroles entraient bien dans l'esprit de ses hôtes.

« Parmi mes ancêtres, un Margrave était un passionné de chasse. On raconte que, même le jour de son mariage, sitôt la bénédiction des époux, il quitta l'église et partit au galop rejoindre ses veneurs. La guerre ne l'intéressait pas et il se dispensait d'y prendre part en envoyant des caisses d'or à l'Empereur qui, ainsi calmé, ne lui en tenait pas rigueur. Débusquer, traquer, poursuivre, cerner, mettre à mort. Seule la chasse donnait un sens à son existence. Il vivait en un temps, le milieu du XVIe siècle, où les mœurs étaient moins délicates et où les lois étaient celles que le Seigneur édictait sur son ban. Lui en tant que Margrave avait le privilège de basse et haute justices, c'est-à-dire notamment le droit de condamner à mort et de choisir le mode d'exécution de la sentence.

» L'idée lui vint alors de concilier sa passion et les sentences définitives qu'il lui arrivait de prononcer. Il se convainquit que les criminels pouvaient être un gibier d'exception et que leur chasse ferait naître des plaisirs singuliers. Ainsi il donna le choix aux misérables condamnés au gibet : être pendus, ou devenir l'objet d'une traque, la grâce leur étant accordée si à la tombée du jour ils n'avaient pas été cernés et mis à mort. La plupart acceptaient le marché et prenaient le risque, s'imaginant ainsi pouvoir survivre.

» Le matin de la chasse, on cousait sur eux à même leur corps nu une peau de cerf tué tout exprès la veille afin qu'ils soient imprégnés des émanations de la sauvagine, et que les chiens puissent les pister. Cela se passait dans cette même cour où je vous ai accueillis aujourd'hui. Dès que les lueurs de l'aube blanchissaient le ciel, on désentravait le malheureux, qui avait une heure pour fuir. Cette heure passée, on lâchait les chiens. Les piqueurs et les traqueurs se mettaient en route, mon ancêtre et ses invités montaient sur leurs chevaux. La chasse pouvait commencer. »

Le Margrave s'arrêta. Il tenait toujours sa lanterne au plus bas. On ne voyait rien de son visage ni de ceux des autres dont on aurait pu croire qu'ils avaient tous disparu tant le silence avait effacé les souffles des respirations et les bruits de pas.

« Mon ancêtre était un homme cruel, en plus d'être chasseur, et sa promesse était un marché de dupe. Que peut un homme seul face à des cavaliers, des traqueurs qui connaissent la forêt dans ses moindres replis, des chiens rapides et au nez infaillible ? Pas un seul des malheureux qui avaient cru ainsi pouvoir sauver leur vie ne parvint à le faire. Cette chasse eut lieu à treize reprises. Treize condamnés. Treize hommes devenus proies. Treize hommes qui furent, une fois acculés par la meute et les chasseurs, *servis* à la dague. Par mon ancêtre ou un invité à qui il voulait faire cet honneur. Treize trophées. »

À ce moment, le Margrave leva avec une lenteur surjouée sa lanterne et les deux flammes tremblantes dissipèrent l'obscurité. On découvrit soudain les proportions de la pièce dans laquelle on se trouvait, un cabinet de la dimension d'une chambre, mais ce qu'on vit surtout, surgies du noir, ce furent treize visages affreux, à la physionomie pétrifiée par la peur et la surprise, et qui donnaient l'impression d'avoir crevé les murs, leurs corps étant restés de l'autre côté de la paroi.

On ne put retenir des cris, des exclamations, des jurons, des gémissements. Fixées sur de grands médaillons de bois chantourné, coupées à la base du cou, c'étaient bien des têtes, des têtes humaines, naturalisées, qui paraissaient bouger dans la lueur effrayée des deux bougies.

Le Margrave levait la lanterne vers chacune d'elles, allant de l'une à l'autre, et le mouvement de la lumière semblait animer les atroces trophées, démesurant leurs ombres, créant des illusions de mouvement qui rendaient le spectacle plus encore horrible, tant on avait l'impression que les têtes mortes et empaillées des criminels se penchaient vers les visiteurs pour dire quelles avaient été leurs souffrances et leur agonie.

Le Policier, qui d'ordinaire se laissait difficilement surprendre, restait sans voix. C'était aussi le cas pour tous les autres convives, et on sentait chez certains, le Maire en particulier, mais également le Conservateur dont on disait qu'il souffrait d'une maladie de cœur, une émotion qui aurait pu les amener jusqu'à la syncope.

« Mon Dieu, mon Dieu... » ne cessait de murmurer le Conservateur en malmenant ses lèvres avec le bout de ses doigts, ce qui finit par agacer un des maîtres d'école, Bolek Kladijic, qui, manifestant son émotion d'une autre manière, lui fit cette remarque : « Laissez donc Dieu en dehors de tout cela, ou plutôt, si vous croyez en Lui, demandez-Lui comment Il a laissé faire pareille chose ! »

Seul le Margrave, habitué à cette horreur, ne semblait plus en être affecté. Il souriait, heureux de son effet, ravi d'être le dépositaire d'une collection particulière que peu d'êtres au monde pouvaient se vanter de posséder, et son plaisir était grand de voir sur le visage de ses invités l'effet sidérant que produisait la galerie des trophées humains.

Comme pour de vulgaires sangliers ou cerfs, on avait enfoncé dans leurs orbites des yeux de verre que les flammes de la lanterne semblaient remplir de larmes. Et en dessous de chaque trophée, selon la tradition cynégétique, une plaque gravée rappelait le jour et le lieu où avait été tuée chacune de ces proies.

« Remarquez-vous les chevelures ? lança le Margrave d'une voix guillerette. Intactes, souples, et qui n'ont rien perdu de leur couleur originale ! C'est incroyable comme ni le temps ni la mort n'ont de prise sur nos cheveux, continua-t-il en caressant son front. Les peaux en revanche, c'est une autre affaire ! »

Et pour convaincre son auditoire de ce qu'il disait, il approcha la lanterne à deux doigts de la tête d'un des suppliciés dont la bouche un peu ouverte semblait vouloir laisser s'échapper quelques derniers mots. Sa peau avait pris l'apparence d'un cuir qu'on aurait oublié de graisser et qui par endroits se serait tendu jusqu'à craqueler sous l'effet d'une trop grande sécheresse. Sa couleur non plus n'avait plus rien d'humain. Comme certaines peintures de maîtres s'assombrissent sous les bitumes et les oxydations, elle était devenue d'un brun terreux, presque noir, et bien que les traits du visage du malheureux attestaient qu'il n'avait rien d'un sauvage, on aurait pu se persuader, par cette carnation si singulière, qu'il était né dans un pays d'Afrique.

Les treize suppliciés ne se ressemblaient pas, mais ils avaient en commun le même effroi qui avait tendu leur visage au moment de la mort et que le travail de l'artisan qui les avait empaillés avait su préserver. Ils semblaient vouloir prendre à témoin ceux qui les découvraient, non de leur innocence puisqu'ils avaient tous appartenu, au vrai, à l'espèce du *gibier de potence*, mais du piège dans lequel ils étaient tombés, de l'espoir qu'on leur avait donné d'échapper à leur destin funeste, et de la traîtrise de celui qui les avait ainsi bernés.

« On dit que mon ancêtre se plaisait à enfermer ses propres enfants dans cette pièce quand ils n'avaient pas été sages. On avait à cette époque des méthodes d'éducation un peu fortes. Pour ma part, lorsque mon père me fit entrer pour la première fois dans ce que nous appelions le *cabinet secret*, il m'a semblé découvrir là de puissantes *vanités* qui me disaient la fragilité de ma vie, le grotesque de ma personne, mon appartenance à une espèce animale à peine différente de celles qui peuplent les forêts. De véritables leçons de morale, en quelque sorte, si on parvient à dépasser la première émotion qui nous pousse à trouver abominables ces massacres et infernal, l'esprit de celui qui les a imaginés ! »

Quand, quelques instants plus tard, le Margrave et ses invités prirent place dans le fumoir, où les attendait le Notaire dégrisé qui tétait une grande pipe près de l'âtre, les conversations ne se teintaient plus de l'alacrité qu'elles avaient eue durant le dîner. C'était comme si un gêneur était venu soudain s'inviter. En vérité, non pas un gêneur, mais treize. Morts et muets, mais qui n'en possédaient pas moins la force de bousculer les vivants, et de les confronter à leurs peurs et à leur fin.

Le Policier rongeait son frein. Il n'avait qu'une hâte, c'était de quitter le Château, de rentrer chez lui, de se dépouiller de son habit grotesque dans lequel il marinait depuis près de vingt heures. Il refusa le cordial qu'un serviteur proposait à tous et s'en fut présenter ses respects à son hôte.

« Je vois que vous êtes pressé de retrouver votre épouse, Capitaine, dont on m'a dit qu'elle possédait bien des charmes. Je vous comprends, et ne vous retiendrai donc pas. J'espère que cette journée vous a permis de vous délasser et d'oublier un moment la pesanteur des charges qui sont les vôtres ! Je vous souhaite un bon retour. »

Nourio, dont la vanité savoura la façon dont le Margrave venait de s'adresser à lui, s'inclina tout en marchant à reculons. Mais lorsqu'il se releva, il eut le temps d'apercevoir les regards inquiets que le Margrave échangeait avec le Maire et le Rapporteur. Ces trois-là paraissaient partager un secret à ses dépens.

Au-dehors, la neige avait cessé de tomber. La nuit était froide, sans toutefois atteindre les températures glaciales des derniers jours. Il alla vers les écuries pour y prendre sa monture, précédé par un palefrenier qui portait son improbable carabine.

La vieille jument le regarda arriver avec reconnaissance et poussa un hennissement grave et doux. Elle se laissa harnacher et mener hors de l'écurie sans renâcler. Le Policier remercia le palefrenier et s'éloigna en contournant les bâtiments pour rejoindre l'allée principale.

Mais au moment où il venait de monter sa carne, il entendit de grands éclats de voix et des rires s'échapper d'un bâtiment dont on venait d'ouvrir une porte. Il reconnut les rires vulgaires des traqueuses et leur langue inconnue. Il s'approcha à vingt mètres et distingua, par la porte restée ouverte, le groupe des femmes qui mangeaient et buvaient près d'un grand feu.

La chaleur et le vin aidant, elles s'étaient toutes débraillées, quittant leur casaque de cuir, pour n'être qu'en chemise dont la plupart avaient ouvert les boutons jusqu'à mi-poitrine, libérant des gorges puissantes et qui semblaient rouler sous le tissu. Beaucoup paraissaient ivres, parlaient fort, se chahutaient, se poussaient, s'apostrophaient, mimaient des combats et des luttes, quand elles ne se lançaient pas le contenu de leur chope au visage puis riaient fort, dégoulinantes de bière, de vin et de salive.

Certaines mangeaient d'épais morceaux de viande qu'on aurait dit encore crue, et qu'elles coupaient à même leurs lèvres avec leur couteau de chasse, pour les mastiquer, en sucer le sang et les sucs, avant de recracher vers le feu ce qui pouvait être des nerfs ou des tendons.

C'était là un spectacle féroce d'amazones, et le Policier se souvint de festins barbares évoqués dans la mythologie, pendant lesquels des dieux dévorent leurs propres enfants, ou de repas dont les hôtes ignorent que c'est de leur progéniture, servie en rôtis et en grillades, qu'ils se régalent. Car il y avait dans la scène qu'il observait à la dérobée une dimension sauvage et archaïque, quelque chose d'interdit aussi, comme si les viandes qui étaient dévorées par les géantes ne pouvaient être qu'humaines, alors qu'elles-mêmes, dans leur excès, leur vigueur et leurs cris, paraissaient ne pas l'être.

Un bruit de gargouillis, de source drue, de ruisseau chutant, lui fit tourner la tête. Il chercha dans le noir son origine et aperçut à quelque distance une masse blanche et laiteuse dans la nuit, d'où venait cette eau jaillissante.

C'était une des traqueuses, celle qui était sortie du bâtiment et qui, accroupie, à demi ivre, pissait dans la neige tout en chantonnant. Le Policier pouvait voir désormais avec netteté ses fesses énormes desquelles sourdait l'urine, et la vapeur qui s'en dégageait comme sortie des naseaux d'une immense bête.

Quand la traqueuse eut fini, elle se releva, se tourna vers le Policier qu'elle n'avait pas encore vu, puis se baissa de nouveau afin de prendre une poignée de neige avec laquelle elle se frotta l'entrecuisse. Et c'est au moment où elle terminait sa besogne qu'elle distingua Nourio sur son cheval qui regardait, fasciné, l'immense fourrure rousse qui couvrait de sa mousse de feu tout le bas-ventre de la femme.

Alors elle poussa un grognement et, pressant dans sa grande main pour en faire une boule la neige qui lui avait servi à s'essuyer, elle la lança vers le Policier qui l'évita de justesse en se penchant sur le col de sa jument.

Puis la traqueuse cracha deux mots qui devaient être des insultes, remonta sa culotte et rejoignit ses semblables en éclatant de rire.

XXXIII

À la fin du XVIIIe siècle, Youlish Zaropov, un conteur de Bessarabie dont le nom est parvenu jusqu'à nous grâce à trois poèmes d'amour qu'on dit traditionnellement à la fin des mariages célébrés en cette contrée, imagina un livre qui rendrait compte de tous les événements vécus dans la même et unique journée par la totalité des êtres humains de la Terre.

Il en commença l'écriture à dix-huit ans. Quand il atteignit quatre-vingt-sept ans et mourut, il avait couvert des dizaines de milliers de pages mais il n'était parvenu à rendre compte que de ce qu'avaient vécu durant vingt-quatre heures un peu plus de cent individus.

Le présomptueux dessein de Zaropov dit bien que la littérature, dans son ambition démesurée à dire le monde, n'en éclaire qu'une très modeste part, et que l'existence des hommes, dans sa multiplicité et sa complexité, échappera toujours à sa voracité. Certains vivent le plus beau moment de leur vie au même instant où d'autres souffrent et se désolent. Des peuples entiers prospèrent et s'enrichissent quand certains meurent de faim et de soif. On ignore ce que connaît son voisin. On sait à peine ce qui traverse l'esprit de son conjoint ou de ses enfants.

Le monde est une étrange étable dans laquelle des vaches mâchent une succulente paille, ruminent, dorment, vêlent, allaitent, tandis qu'à leurs côtés, sans qu'elles les regardent ou s'en soucient, d'autres vaches agonisent couvertes de mouches en tirant une langue noire et en recevant cent coups de bâton. Où donc est le vacher ? Pourquoi a-t-il instauré cette incohérence ? Quel est donc le sens de tout cela ? Y a-t-il un sens d'ailleurs ?

Le Policier s'en revenait vers la ville, à une allure rapide compte tenu de l'âge de sa monture, mais celle-ci semblait avoir hâte de retrouver sa sœur d'écurie, et l'écurie elle-même qui était sa seule maison depuis vingt ans, et il n'eut jamais besoin ni de l'encourager de la voix ni de la frapper comme il l'avait fait à l'aller pour qu'elle aille bon train.

La nuit était sans lune. Quelques flocons dérivaient au gré du vent, faibles et irréels. Nourio était harassé. Le dîner qui avait confiné à l'orgie lui pesait sur l'estomac, accoutumé qu'il était à des nourritures plus frugales. Le taraudait aussi une idée confuse, un pressentiment, que cette invitation à chasser avait été un prétexte et que son but n'était pas de tuer un malheureux ours qui, quoi qu'on eût dit, ne faisait sans doute pas grand mal à quiconque, mais que la raison profonde était à chercher ailleurs.

La forêt qu'il traversait se remplissait dans le noir de maints bruits inquiétants, dont il ne parvenait pas à deviner l'origine.

Quand enfin il eut dépassé les derniers arbres et qu'il aborda la montée qui annonçait le promontoire sur lequel la ville avait été construite mille ans plus tôt, il se sentit soudain moins las et soulagé. Dans une demi-heure, il se serait débarrassé de son accoutrement. Il serait redevenu lui-même. Dieu qu'il avait été sot et vaniteux ! Et ridicule aussi ! Mais les autres l'avaient été tout autant !

Et tandis que la pensée du corps nubile de Lémia commençait à se dessiner dans son esprit, chassant les formes monstrueuses et suantes des traqueuses, les têtes atroces des suppliciés empaillés, la vision du grand ours dressé devant lui, le froid acide du matin, la rumination lente de l'interminable dîner, le Policier fut soudain intrigué par un rougeoiement assourdi qui éclairait le bas du ciel noir, dans la direction de la ville, en même temps que le vent, en messager funeste, lui apporta des odeurs de bois calciné et de cendres chaudes.

Il sentit son cœur s'affoler. Quelque chose avait eu lieu ! Quelque chose avait eu lieu en son absence ! Quelque chose dont il supposa aussitôt la gravité ! Il frappa des talons la panse de la jument pour la lancer au galop. L'animal racla dans sa mémoire des souvenirs de course et tenta de satisfaire du mieux qu'elle put son cavalier.

Au même moment, Baraj parvenait enfin à se défaire de ses liens. Voici des heures qu'il y travaillait, frottant ses poignets entravés contre le tranchant du décrottoir qui se trouvait à gauche de l'entrée de sa maison.

Combien de temps avait-il passé dans le froid, tout d'abord inconscient puis, ayant repris ses esprits, obsédé par l'idée de se libérer tandis que quelque part dans la ville un incendie faisait rage, dont il avait perçu au départ la violence des flammes, le craquement du bois, des écroulements majeurs et aussi, il en était certain, au travers du vacarme atténué par la distance, des cris désespérés, des hurlements humains, avant que peu à peu le grondement des flammes s'apaise, que les voix se taisent, et que ne demeurent de temps à autre que le fracas de structures calcinées qui s'effondraient et la puanteur des fumées chassées par les bourrasques ?

Il porta la main à l'arrière de son crâne. Une bosse énorme le déformait, douloureuse, déchirée par une plaie en son milieu, poisseuse de ce qui devait être du sang à demi coagulé. Il se sentit mal et crut qu'il allait de nouveau perdre connaissance. Il serra les dents et sortit de sa poche son couteau.

Il coupa les liens qui immobilisaient ses chevilles. Il s'y reprit à plusieurs fois tant ses doigts durcis par le froid ne lui obéissaient plus. Il était gelé. Il avait envie de vomir. Sa tête tournait.

Dans la maison, Mes Beaux hurlaient toujours. C'étaient leurs cris qui avaient ramené Baraj à la conscience. Les chiens enfermés avaient tant gueulé à la mort que leurs aboiements au fil des heures s'étaient éraillés pour devenir des plaintes déchirantes.

L'Adjoint tenta de se relever mais aussitôt il tituba et s'écroula contre le montant de la porte. Il se laissa glisser lentement au sol, puis se mit à quatre pattes. Il chercha à l'aveugle la poignée, l'actionna, et une fois qu'il parvint à ouvrir, il rampa à l'intérieur de la maison, tandis que Mes Beaux se frottaient à lui en couinant de joie, répandant sur son grand corps grelottant la chaleur de leur pelage et leur bave tiède.

Baraj les saisit à plein corps, et repoussa du pied la porte. Le feu dans l'âtre se réduisait à quelques braises, mais il faisait encore bien bon dans la pièce. Il ferma les yeux et, malgré ses efforts, perdit de nouveau connaissance. Il s'écroula de tout son long sur le plancher tandis que Mes Beaux, très doucement, commencèrent à laper la grande plaie.

Quand le Policier passa la porte des remparts, il était près de minuit. Il ne faisait plus aucun doute pour lui que s'était produit un incendie majeur quelque part, tant l'air partout s'asphyxiait encore de masses grises de fumées, de l'aigreur du bois brûlé, et d'autres puanteurs aussi, douceâtres, écœurantes.

Il s'attendait à croiser quantité d'habitants, la foule habituelle qui se presse et se masse dès qu'un événement tragique a lieu, et qui, tout en se lamentant et plaignant les malheureux sur lequel le sort vient de s'abattre, se repaît d'un spectacle qui la conforte dans son bien-être.

Or les rues étaient désertes.

Certes on était au milieu de la nuit et il faisait un froid de gueux, mais c'était tout de même étrange de ne croiser personne. Et toutes les maisons près desquelles il passait avaient leurs volets clos, derrière lesquels on ne devinait aucune lumière.

Il continuait à avancer, allant à contre-courant des miasmes de l'incendie dont l'âcreté l'obligea à se couvrir le nez et la bouche avec son mouchoir. La jument gémissait et ne semblait pas comprendre pourquoi le Policier la forçait à pénétrer dans ces pans de fumée qui lui irritaient les naseaux et les yeux.

Tandis qu'il progressait vers le lieu de l'incendie, le froid de la nuit hivernale disparaissait au profit d'une chaleur artificielle, de celles qui se dégagent aux abords du fournil d'un boulanger. Il entendait aussi une rumeur, un ronflement qui soufflait entre les murs sa note grave et continue, de temps à autre fendue par une brève explosion, un sifflement aigu, un chuintement, une pétarade.

Tout cela, chaleur, grondement, explosions, augmenta quand il eut tourné l'angle de l'atelier du Ferblantier Rudjic et commencé à remonter la rue Hravek. Mais la jument soudain refusa d'aller plus loin, et rien ne put la faire changer d'avis. Elle secouait la tête en marmonnant et retroussait ses babines, dévoilant ses dents jaunes et branlantes. Nourio descendit de sa monture et l'attacha à un anneau maçonné dans une façade. Il poursuivit à pied, enroulant son visage du mieux qu'il pouvait dans son mouchoir.

Il avait oublié sa fatigue et ses douleurs. Il sentait son cœur battre trop fort et le sang taper la paroi de ses tempes. La chaleur devenait insupportable. Un été caniculaire, à rebours du rythme des saisons, avait pris ses quartiers dans la ville.

La rue Hravek en son extrémité formait un coude brutal et au-delà de ce coude se trouvait une très petite place occupée en son centre par la mosquée. Nourio enleva son habit caoutchouté que la chaleur toujours plus forte amollissait et dont il eut peur qu'il lui collât à la peau. Son front et tout son corps étaient trempés. Contre une façade se tenait de guingois une trappe de bois qu'on avait dégondée et qui attendait qu'on la répare. Le Policier la prit et, s'en servant à la façon d'un bouclier, il continua sa progression. La chaleur devenait inhumaine et pour autant on ne voyait aucune flamme mais simplement un rougeoiement prodigieux qui effaçait le noir de la nuit pour peindre les façades des maisons et le ciel.

Quand il découvrit enfin la place, le Policier se sentit mal à la fois parce que la chaleur avait encore augmenté et parce que la petite mosquée de bois surmontée de son dôme de cuivre n'était plus qu'une montagne de braises incandescentes, un entassement fantastique de brandons palpitants, un bûcher aux proportions gigantesques sur lequel le dôme de métal à demi fondu s'était changé en une forme d'immense poire effondrée.

Nourio ne respirait plus. Il ne croyait pas ce qu'il voyait. Il ne se rendit même pas compte que ses cheveux, ses cils et ses sourcils commençaient à brûler et que son nez se cloquait. La douleur enfin lui fit reprendre conscience. Il poussa un cri, abandonna son bouclier de fortune et rebroussa chemin en courant, hanté par la vision de la mosquée anéantie par le feu, se disant que l'Enfer, ce devait être cela. Oui. Car c'était bien là une vision infernale, et il se rappela certaines peintures édifiantes accrochées aux murs des églises et qui pendant des siècles ont servi à frapper de stupeur et de crainte les âmes simples. Mais une pensée alors traversa son esprit : si l'Enfer avait choisi la petite ville pour y planter son théâtre de feu, qui seraient en ce cas les damnés ?

Quand il retrouva la jument, il était hors d'haleine. Il crut tout d'abord que c'était parce qu'il avait couru, mais il comprit que l'air brûlant avait dû agir comme un poison. Il se sentait d'ailleurs faible et engourdi. Sa tête lui faisait mal. Il se rendit compte aussi que son visage lui cuisait et qu'il s'était trop approché de la fournaise. Il peina à enfourcher sa monture et quand il y parvint, il eut envie de se coucher sur elle et de s'endormir. Il éperonna les flancs de la vieille bête et celle-ci prit d'elle-même le chemin du Poste.

En s'éloignant du brasier, l'air redevenait froid et pur. Cela fit du bien au Policier qui se demandait s'il n'avait pas rêvé la scène atroce. Mais l'odeur de poils grillés qui persistait autour de sa personne démentait cette hypothèse : la mosquée avait bel et bien disparu dans les flammes, et cet incendie, qui était un événement extraordinaire, plutôt que de tenir en éveil une foule de badauds et de curieux, avait au contraire vidé les rues de la ville et gardé au sein des murs de leurs maisons tous ses habitants, et cela était encore plus impensable.

Parvenu au Poste, Nourio avait repris ses esprits. La jument entra d'elle-même dans l'écurie. Elle poussa la porte du bout de ses gigantesques lèvres mauves ornées de poils blancs. Sa consœur l'accueillit en hennissant, et en continuant à produire des sons bizarres qui ressemblaient à des rires. L'autre trop fatiguée ne lui répondit pas mais se frotta à elle. Les deux bêtes semblaient heureuses de se revoir.

Le Policier s'attendait à trouver Baraj à l'intérieur, mais il n'y avait personne et il faisait froid : l'Adjoint avait dû partir il y a longtemps. L'âtre ne contenait que des cendres. Il lui fallut le tisonner longuement pour réveiller de maigres braises et quand il les vit de nouveau rougeoyer il eut un haut-le-cœur en songeant au gigantesque entassement incandescent qui vibrait dans l'air nocturne, comme le corps repu d'une créature primitive abandonnée à ses songes, et près duquel il était resté pétrifié, incrédule, à deux doigts d'être mangé par sa chaleur extrême.

C'était étrange que Baraj ne soit pas là. Certes, l'Adjoint était bien venu, la propreté du Poste en témoignait, mais il n'avait pas attendu son supérieur, ni ne lui avait laissé aucune note comme il le faisait parfois, de son écriture pataude, alors qu'il ne pouvait ignorer l'incendie de la mosquée. Cela ne correspondait pas au caractère de Baraj pour lequel le moindre événement prenait une tournure considérable, à tel point qu'il lui arrivait de déranger le Policier, ou de l'attendre des heures, pour l'avertir de broutilles sans intérêt !

Il se décida à aller voir jusque chez lui.

En chemin, il se mit à réfléchir. La journée de chasse lui semblait déjà appartenir à un passé lointain. En son absence était survenu un événement d'une gravité exceptionnelle. Il tentait d'ailleurs de restreindre ses réflexions à des actes immédiats, aller chez Baraj, le trouver, l'interroger, afin de ne pas penser à l'ampleur et aux conséquences de l'incendie.

En particulier, et il s'en étonna plus tard, à aucun moment il ne pensa aux victimes probables de l'incendie. Il se concentrait de toutes ses forces, sans que cela fût volontaire, sur la destruction du bâtiment, du seul bâtiment, dont il se souvenait avec précision de l'architecture, de l'ampleur, de l'élévation, de la couleur ocre de l'enduit qui recouvrait ses murs, des pointes des poutres, peintes d'un bleu céruléen, qui saillaient sous la coupole, de la coupole elle-même, étincelante, dont le cuivre n'avait au cours des siècles jamais perdu de sa brillance car la communauté musulmane, y voyant le symbole du rayonnement de son Dieu, s'appliquait à la vernir chaque année afin qu'elle ne prenne pas une teinte terne et vert-de-gris.

Oui, voilà à quoi songeait Nourio, s'obsédant sur cela, afin de ne pas tomber dans le gouffre qu'il pressentait s'ouvrir sous ses pieds.

Le meurtre irrésolu du Curé Pernieg – et il revit le crâne enfoncé du religieux, son corps roide, grotesque, sous la neige, sa soutane noire aux reprises nombreuses et à l'ourlet pauvre, défait et boueux, et sa main droite au poing serré dans un dernier mouvement non de pardon mais de colère – lui paraissait soudain d'une misérable importance.

Et dire qu'il s'était plaint de l'ennui qui le rongeait depuis qu'il avait accepté cette fonction !

En quelques mois, il était advenu une série d'événements effroyables dans la petite ville. La plupart de ses collègues de par l'Empire n'en rencontreraient jamais autant au cours de leur carrière ! Et il se trouvait lui dans cet endroit où le monde chancelait ! Il était le chanceux ! Il était l'élu ! Cela le fouetta.

Il approchait de la maison de Baraj. Que pouvait donc faire cette grande chose incapable de former une phrase de plus de quatre mots ? Rien au-dehors ne laissait suspecter quoi que ce soit. Aucune lueur n'éclairait la fenêtre. On dormait comme des loirs là-dedans. Comment cela était-il possible ?

Nourio sentit la colère monter en lui.

Mais quand il fut à moins de cinq mètres de la porte, des aboiements rageurs l'accueillirent, qui lui firent marquer le pas. Ces maudits chiens donnaient de la voix, et le grand crétin laissait faire ! Le Policier resta ainsi quelques secondes arrêté, mais les aboiements ne cessèrent pas, et bien qu'il n'eût nullement la science de ces animaux qui le dégoûtaient par leur odeur de sous-bois mouillé, de vieux linges et leurs grands yeux humides, il commença à comprendre que ces jappements n'avaient rien d'agressif mais qu'ils étaient bien au contraire des appels.

Il osa avancer, puis entrer : il découvrit Baraj couché de tout son long sur le sol. De sa tête énorme et cabossée coulait un long filet de sang, que les deux chiens contemplaient. Nourio crut que l'Adjoint était mort. Il s'agenouilla près de lui, mit deux doigts contre sa gorge. Il sentit le battement du sang dans les veines. Le grand bestiau était solide.

Le Policier se releva. Il chancela et dut s'appuyer d'une main contre le mur. Décidément, trop de choses avaient lieu.

Il fut pris de doute : était-il de taille à affronter tout ce qui se présentait à lui ? Il se sentit soudain couillon comme un puceau devant son premier sein. Que faire ? Comment faire ?

Baraj se mit à geindre. Ses paupières restaient closes.

« M'entends-tu ? » dit le Policier qui s'était de nouveau agenouillé près de lui.

L'Adjoint baragouina.

« Quoi ? Je ne comprends rien à ce que tu dis !

« Boire… Boire… répéta le pauvre bougre sans ouvrir les yeux.

Nourio se releva et regarda autour de lui. C'était la première fois qu'il entrait dans le logis de son subalterne. Il vit des tasses en métal accrochées au-dessus de la pierre à eau. Il en prit une, la remplit, la porta aux lèvres du blessé qui but avec une fébrile avidité.

« Alors ! Dis-moi ! Que t'est-il arrivé ?

Baraj replongea dans le sommeil. La douleur était si forte. Il avait envie de vomir. De dormir. De dormir à jamais. Et Mes Beaux. Ses chiens !

« Mes Beaux…

« Quoi ? Que dis-tu ?

« Mes Beaux…

« Qu'est-ce que tu racontes ! Vas-tu me dire enfin ce qui s'est passé ! »

Mais l'autre ne réagissait pas et sa tête qui s'était auparavant un peu relevée glissa de nouveau contre le sol.

Alors Nourio gifla l'Adjoint, encore et encore, sur les deux joues, en hurlant son nom, en même temps qu'il sentait s'installer en lui un curieux sentiment, jamais éprouvé jusqu'alors, neuf, un sentiment qui n'était pas la peur, mais la terreur. Oui. La terreur. Et quand il en fit le constat en frissonnant et réussit pour lui-même à la nommer, celle-ci en profita pour grandir encore un peu.

XXXIV

Quelques heures plus tôt, tandis que Baraj était allongé au-dehors dans le froid et la neige, inconscient, son grand corps raide comme une pointe de lance, et que la Mort tournait lentement autour de lui, le reniflait, hésitait, le tâtait de la pointe de sa faux, reculait, posait sur son front ses vieilles mains osseuses, il fit un rêve.

Il marchait dans un paysage qu'il ne connaissait pas et dont la végétation était constituée de bruyère, de thym sauvage et de mousses. Par endroits, des hampes d'épilobes rompaient la monotonie végétale, quand ce n'étaient pas des massifs charnus d'orpins, d'un rouge presque brun. Il n'y avait pas vraiment de chemin mais il se dirigeait sans hésiter vers le sommet arrondi d'une colline qui semblait se reposer contre le ciel de toutes ses fatigues. C'était l'aube, ou le soir, on ne savait trop. Le soleil était absent. On ne percevait que sa lumière orange qui soulignait le dessin de la colline sur l'horizon.

Baraj avançait. Il était seul. Sans ses chiens. Sans personne. Peut-être était-il le dernier humain ? Voire le dernier être vivant car on n'entendait aucun bruit, pas un son, pas un chant d'oiseau ? Il n'y avait pas de vent. Il ne faisait ni froid ni chaud.

Baraj avançait car il sentait qu'il lui fallait le faire, sans savoir s'il poursuivait un but, ou obéissait à un ordre qu'on lui avait donné. Et pour la première fois de sa vie, il ne ressentait aucune crainte et n'était pas sur ses gardes. Il savourait cet état nouveau, lui qui avait fait d'une forme apprivoisée de peur sa compagne de chaque instant, qu'il avait l'impression de transporter partout dans une de ses poches.

Le sommet de la colline se rapprochait. Mais Dieu que la marche était longue ! Longue, et délicieuse aussi ! Et Baraj s'abandonnait au plaisir qui infusait dans tout son corps. Il se dénouait. Lui qui n'avait été depuis l'enfance que contractures, tensions, dos courbé, nuque basse, mains s'apprêtant à protéger sa face des coups à venir, il n'était plus que souplesse. Son corps avait cessé d'être une chose encombrante. Ses longues jambes s'appuyaient à chaque foulée sur la mousse et la bruyère et il sentait par elles monter en lui la sérénité de la terre sur laquelle il progressait.

À mesure qu'il voyait le sommet grossir, l'Adjoint se sentait un homme nouveau. Rajeuni. Vif.

Alerte. Léger. Il était enivré de sa nouvelle nature, joyeuse, sereine, qui avait d'un souffle chassé l'ancienne, frottée de fatalité. Il courait presque malgré la fatigue, malgré la pente sommitale plus accentuée, malgré la lumière qui avait gagné en intensité et lui faisait plisser les yeux. Bientôt il pourrait fouler l'herbe bleue et rose qui épousait le ciel, là, si proche, et s'y coucher, oui, s'y allonger pour reprendre des forces, faire entrer l'air dans ses poumons, calmer les battements de son cœur.

Et c'est au moment où il terminait son ascension en titubant, à court d'air, vers le sommet dans la lumière irradiante d'un coucher ou d'un lever de soleil incandescent et qui faisait tout disparaître dans son épuisante lumière d'or en fusion, que Baraj sentit contre sa joue ce qu'il prit pour la caresse râpeuse des langues de Mes Beaux et qui était en réalité le grattement ironique que la Mort lui prodiguait avec les dernières phalanges de ses os décharnés, le félicitant d'être parvenu à son terme, tout en haut de la colline, aux portes d'un monde qui, de l'autre côté, s'ouvrait à lui et vers lequel il n'avait plus qu'à se laisser glisser, en toute confiance, quiétude et abandon.

Mais soudain, comme voulant crever la paroi souple du rêve, il entendit une voix familière qui disait son nom, le répétait avec douceur, une voix de jeune fille, presque d'enfant, qui l'appelait et cet appel avait tous les accents d'une supplique, une voix charmante et pure qu'il reconnut pour

411

être celle de Lémia, la fille du Sabotier. Alors, attiré vers elle, il se laissa chuter, comme dans un abrupt couloir enneigé, sur la pente du versant de la colline qu'il venait de gravir et qui s'était redressée subitement, le précipitant de nouveau vers la vie et ses frayeurs, la vie amère qu'il retrouva avec brutalité en ouvrant les yeux, et ce fut pour entrer de nouveau dans son corps de souffrance, et rencontrer le regard noir de son supérieur, le Capitaine, qui, penché sur lui, les traits estompés par une sorte de brume, ne cessait de répéter son nom avec sa voix de crécelle fendue tout en lui assenant des claques sèches.

« Ça y est ! Te sens-tu mieux ? Réveille-toi ! Réveille-toi donc, grand idiot !

« Capitaine… murmura l'Adjoint.

« À la bonne heure ! Tu me reconnais !

« Capitaine… répéta Baraj. Pardon… Pardon…

L'imbécile s'excusait ! C'était bien là son genre de s'excuser sans cesse et pour rien.

Le Policier parvint à le faire s'asseoir face à la cheminée. Il fouilla les braises, jeta un fagot qui s'enflamma aussitôt. Mes Beaux s'étaient rapprochés de leur maître et cherchaient ses caresses, appuyant leurs flancs contre les cuisses du géant. Nourio lui donna de nouveau un verre d'eau qu'il but lentement.

« Tu ne saignes plus mais la plaie est vilaine. Qui t'a fait cela ? »

L'Adjoint regarda de ses yeux troubles le Policier, puis Mes Beaux, puis de nouveau le Policier. Il ne trouva aucun mot car il n'avait rien à dire. Il voulait dormir. Il avait mal à la tête. Il essaya tout de même d'expliquer : on avait frappé à sa porte. Il était sorti. Il n'y avait personne. Il avait fait quelques pas. Il faisait nuit noire. Et on l'avait assommé. Il n'avait rien vu. Rien entendu. Puis le froid avait tenté de le manger. Il s'était réveillé. Avait défait les liens avec lesquels on l'avait entravé. Avait rampé à l'intérieur. S'était de nouveau évanoui.

Voilà.

L'histoire était tout à la fois simple et obscure.

Baraj grelottait. Il était pâle. Les chiens regardaient Nourio : il y avait dans les yeux des bêtes de grandes questions que seuls d'ordinaire les hommes posent. Le savait-il lui si Baraj allait mourir ou non ? Il n'était pas médecin ! Le monde devenait décidément trop complexe pour lui. Son mécanisme se détraquait sous ses yeux à une vitesse affolante mais il n'avait aucune science pour la freiner.

Nourio se souvint qu'il y avait quelque part dans le Poste une trousse de secours. Elle contenait dans un étui en gros cuir des bandes, de l'étoupe, de la gaze, des pommades, des flacons d'alcool et de potions sans nom. Il y avait aussi un nécessaire pour recoudre les plaies, fil, aiguilles, mais sa simple évocation suffit à provoquer chez le Policier des frissons désagréables. Jamais il ne pourrait s'en servir.

Baraj de nouveau avait fermé les yeux. Il était effondré sur la chaise. La plaie ne saignait plus. Ses bords très ouverts ressemblaient aux pétales exténués d'une grande fleur des tropiques, obscène et putride.

Lorsque le Policier entra ce soir-là dans son lit où sa femme se retourna quand elle le sentit venir près d'elle, il mit un long moment à trouver le sommeil. Le trouva-t-il vraiment, d'ailleurs ? Trop d'événements dont il avait peine à cerner la logique et l'enchaînement s'abattaient sur la petite ville et il avait l'âcre intuition que cela n'était pas fini.

Il était resté une heure encore auprès de l'Adjoint, après être allé chercher au Poste la trousse de secours. Il avait bandé la tête de son subordonné du mieux qu'il avait pu. Il l'avait ensuite aidé à s'allonger sur sa couche, et les deux chiens étaient montés pour se blottir près de lui. Baraj, les yeux clos, les avait caressés longuement puis il avait fini par s'endormir. Le Policier avait quitté en silence la maison de l'Adjoint puis il était rentré chez lui par les rues désertes, faisant un détour conséquent pour ne pas passer près de la place où les ruines de la mosquée continuaient à enfanter des lueurs et des fumées.

Dans les heures étranges qui précèdent l'aube, tandis qu'au-dehors tout n'est encore que silence et nuit et qu'on ne sait quand on ouvre les

414

paupières si l'on est éveillé ou si l'on rêve, Nourio se prit à penser que rien n'était advenu : il se revit jeune étudiant besogneux et pauvre, nourri de soupes claires et de grandes théories philosophiques qu'il comprenait mal, marchant des heures dans les rues car il n'avait pas le sou pour entrer dans les cafés, traînant sur les bancs fatigués et malpropres de la bibliothèque de l'Université jusqu'au dernier moment précédant la fermeture, puis se glissant jusqu'à sa chambre en évitant de croiser sa logeuse à laquelle il devait toujours un terme ou deux.

Rien n'avait alors véritablement commencé de sa vie. Tout ou presque était possible. C'était comme se retrouver au seuil d'une profonde forêt devant un éventail de chemins qui tous la traversaient mais de différentes manières, pour aboutir à de radieuses clairières, de hautes futaies, des taillis hostiles, des buissons de ronces, des prairies d'herbes fraîches ou des mares bourbeuses encombrées de feuilles mortes.

Chaque chemin écrit une existence, dont on ne peut jamais effacer les chapitres ni les réécrire. Chaque homme est condamné à avancer dans le récit de sa vie, et même si celui-ci ne lui convient pas, il ne peut jamais en arracher les pages ni en changer.

Que s'était-il donc passé pour que le maigre étudiant qu'il avait été, perdu au milieu des livres, des lumières et des autres, fiévreux et chargé de

mille rêves, se change en un policier aux grotesques compétences, relégué dans une province
de nulle part, mourant d'ennui et de regrets et sur
lequel soudain s'abattait un déluge de contrariétés
et de misères ?

Les pleurs d'un de ses enfants, une fillette
semblait-il, mirent fin à sa pauvre songerie. Sa
femme se leva en soupirant, et son mouvement fit
naître l'odeur de son corps chaud caressé par le
sommeil. Nourio le respira. Il repensa aux traqueuses du Margrave, à leurs corps puissants, leur
parfum de cuir sale, de fougères, de sueur et de
bière, leurs lèvres, leurs dents, leurs poitrines, et
au cul large de celle qu'il avait surprise à pisser
dans la neige, ainsi qu'à sa fourrure de feu. Il sentit son membre se durcir.

Le Policier soupira.

Ainsi c'était la vie qui reprenait le dessus. Il faudrait bientôt se lever. Entrer de nouveau en elle.
Y jouer son rôle jusqu'au bout. En endosser l'habit. Il songea à la forêt de sa jeunesse et aux nombreux chemins qu'il n'avait pas su prendre.

Il se sentit lourd et triste.

Il eut presque envie de pleurer.

XXXV

Vers le milieu de la matinée, après avoir repoussé dix fois le moment de le faire, et s'attendant aussi, il faut bien le dire, à ce que le Maire, le Rapporteur, ou un de leurs serviteurs, vînt frapper à sa porte pour le chercher – mais il n'en fut rien –, Nourio se décida à sortir de chez lui pour se rendre sur la place de la mosquée.

C'était une claire journée, étonnamment douce, et la première durant laquelle le gel avait baissé les armes. L'épaisse couche de neige qui recouvrait les toits s'amollissait sous les rayons du soleil et laissait suinter de sa masse des filets d'eau qui chutaient des gouttières.

Le Policier marchait courbé. Son bas-ventre gargouillait d'une colique nerveuse qu'il avait du mal à contenir. Dans les rues, quelques hommes, des femmes, des enfants, de vieilles gens aussi, avançaient en silence, à des allures différentes. Après quelques centaines de mètres, Nourio se rendit compte que tous allaient dans la même direction, qui était aussi celle qu'il prenait.

Quand il arriva au bas de la rue Hravek, celle-ci était encombrée de passants qui avançaient avec lenteur, toujours silencieux. Il se faufila entre eux mais bientôt le conglomérat que produisaient tous ces êtres devint si dense qu'il lui fallut jouer des coudes. Lui seul continuait à avancer. Autour de lui ce n'étaient plus que des corps plantés là, mutiques, indifférents aux injonctions du Policier à le laisser passer et qui ne s'écartaient qu'à grand-peine tandis qu'il les poussait sans ménagement.

L'air lui manquait. Il remuait des morts. Il était le seul vivant à tenter de se mouvoir au milieu de cadavres qui prenaient de plus en plus la consistance d'une lave tiède, pâteuse, collante, et qui n'avaient de cesse de vouloir l'immobiliser jusqu'à l'étouffement.

À mesure qu'il progressait vers la place, l'effort devenait plus intense. Il eut l'impression de ne jamais pouvoir y arriver. Et ses hurlements, les coups qu'il donnait pour se frayer un chemin, les ordres qu'il lançait, paraissaient n'avoir aucun effet. Il suffoquait. Son ventre se tordait. L'effort était immense et tous ces gens ne semblaient pas le voir, ni se voir. On aurait cru une armée de somnambules frappés par un sortilège qui les avait fait se presser au même endroit et qui attendait on ne savait quoi.

Le Policier frappait désormais sans ménagement mais ses coups s'enfonçaient dans d'invisibles sacs de sable. Les corps recevaient ses bourrades mais se mouvaient à peine et aucun de celles et ceux qu'il déplaçait de force ne protestait.

Au bout d'un moment qui lui parut interminable, il parvint enfin à écarter le dernier rempart des chairs agglutinées et déboucha, en nage et hors d'haleine, sur la place de la mosquée.

La foule se tenait à quelques mètres de l'immense tas de cendres qui fumait encore et dispensait une chaleur atrocement agréable. Elle était considérable, et le Policier, qui avait été tout occupé à son effort de progression, s'en rendait alors compte. Toute la petite ville semblait s'être massée là et dans les rues avoisinantes. Il y avait des milliers de visages, des milliers de paires d'yeux, qui regardaient tous la même chose, et des milliers de bouches closes. Ce n'était pas seulement la masse d'hommes, de femmes et d'enfants qui impressionnait, mais le silence total qui émanait d'eux. Car aucun ne parlait, et on aurait pu même croire qu'aucun ne respirait. Leurs visages n'exprimaient aucun sentiment, ni peur, ni colère, ni effroi, ni contentement. Ils demeuraient impassibles, comme si la vie ou la conscience les avaient quittés.

Le Policier fut soudain en proie à une forte panique. Il lui semblait être le seul à posséder encore une âme. On l'avait plongé entier dans un cauchemar, ce qui était déjà en soi désagréable, et dans le même temps on lui faisait comprendre que ce cauchemar n'en était pas un mais qu'il s'agissait de la réalité, ce qui accentuait plus encore son malaise. Il ne savait que faire. Il aurait aimé disparaître, ou pénétrer de nouveau dans la foule muette et s'y perdre, épouser son nombre, son silence et son anonymat, mais il pressentait que les corps tout près de lui formaient une muraille compacte qui ne s'ouvrirait plus pour le laisser passer, que son trajet ne souffrait aucun retour. Et c'est à ce moment qu'il entendit dans son dos une voix s'adresser à lui :

« Enfin vous voilà, Capitaine ! Il était temps ! »

Cette voix, Nourio la reconnut immédiatement mais à la seconde même où il la reconnaissait, il se disait qu'il était impossible que celui qui venait ainsi de s'adresser à lui soit là, oui, cela était rigoureusement impossible puisque cette voix, haut perchée, presque féminine mais tout à la fois froide et grinçante, était celle de son supérieur, le Commandant Sroh, et que le Commandant, si tant est qu'on soit allé l'avertir de l'incendie – et comment l'aurait-on fait d'ailleurs ? –, n'aurait pu faire aussi vite la route qui reliait T. à la petite ville.

En tremblant, le Policier se retourna. Il le fit lentement, tandis que son bas-ventre s'était mis de nouveau à gémir, et il se força à ouvrir les yeux bien que son désir fût de les fermer tant il se persuadait que la scène dans laquelle il se sentait une marionnette n'était qu'une grotesque construction échafaudée dans le sommeil.

Mais force lui fut de constater, à sa grande stupéfaction, que devant lui, entouré du Maire, du Rapporteur de l'Administration impériale, du Receveur des impôts, du Conservateur des archives et d'Oresz Mlaver, le vieil Instituteur, se tenait dans son uniforme impeccable, chaussé de bottes parfaitement cirées, et agitant dans sa main droite gantée de chevreau clair une cravache noire, le Commandant Sroh lui-même, avec sa grosse tête de veau, ses joues flasques et ses yeux d'un jaune pisseux.

« À la bonne heure ! »

Le Commandant regardait le Capitaine comme s'il avait été un être pitoyable ou un outil défectueux. Nourio pour se donner une contenance se mit au garde-à-vous et il resta ainsi quelques minutes car son supérieur, distrait ou cruel, attendit longuement avant de lui donner l'ordre de rompre. À ses côtés, ceux qui avaient été les compagnons de chasse du Policier la veille encore affichaient un visage indifférent, à l'exception du Rapporteur que la scène semblait amuser et qui réfrénait un sourire.

Le ventre de Nourio était en proie à la tempête. Il avait l'impression qu'un démon intérieur prenait plaisir à tordre ses intestins.

D'un signe du menton, le Commandant invita le Policier à ranger son salut. Puis les mains dans le dos, sa cravache serrée entre ses doigts gantés, il se mit en marche, suivi par les autorités locales. Nourio qui était sur le point de défaillir et ne pensait qu'à courir vers un endroit où il aurait pu se soulager, fut obligé de suivre le mouvement. Courbé sur lui-même, avançant à petit pas, contractant tous ses muscles, le visage blême et couvert d'une blanche sueur, il ressemblait à un vieillard traversant une mare gelée.

À quelques mètres de la foule qui demeurait immobile et silencieuse, la petite troupe fit deux fois le tour de l'imposant tas de cendres, haut de près de trois mètres, d'un gris uniforme, pulvérulent en sa surface, mais dont on entendait encore gronder les braises dans les profondeurs. Du bâtiment entier il ne restait rien que cette matière légère et duveteuse au milieu de laquelle le dôme de la mosquée travaillé par les milliers de degrés de l'incendie, replié sur lui-même, avait pris l'allure d'une immense larme noire.

« Bien... Bien... Bien... » murmura le Commandant Sroh après avoir examiné le grand désastre, sur le même ton qu'il aurait employé au terme d'un défilé militaire. Puis se tournant brusquement vers le Maire et ses comparses, il dit d'un ton vif : « Et si nous allions déjeuner, messieurs ? On ne raisonne bien que le ventre plein, et Dieu sait que nous avons besoin de raisonner ! »

Les uns et les autres, affectés sans doute par les agapes de la veille, n'accueillirent pas avec le plus grand enthousiasme la proposition du Commandant mais, pour autant, aucun n'osa formuler de réserves. Nourio quant à lui vivait un martyre, serrant les dents et les fesses le plus possible, se tortillant comme un possédé.

« Eh bien en marche ! Droit sur l'Auberge ! »

Il s'en fallut de peu pour que le gradé ne se mît à siffloter une cadence, mais il sembla de nouveau prendre conscience de la présence de la foule, qu'il avait ignorée jusque-là, et la gravité hiératique de tous les visages tournés vers lui calma son humeur.

Il avança avec cérémonie vers le premier rang des hommes massés, habillant son visage adipeux d'un masque sévère, et il n'eut qu'à tendre devant lui sa cravache à la façon d'un bâton de maréchal pour que, à l'image de la mer Rouge jadis sur l'injonction de Moïse, la foule s'ouvre en deux et laisse passer dans un étroit goulet le Commandant et sa suite.

XXXVI

Depuis qu'ils s'étaient tous attablés, il n'avait été question que de cuisine, et seul le Commandant avait parlé. Il était intarissable sur le sujet et nul n'avait osé l'interrompre. La plupart le regardaient comme un animal curieux, voire un fou. Mais il venait de T. et détenait un pouvoir et des prérogatives qu'aucun d'entre eux ne possédait.

Nourio, les intestins apaisés, occupait le bout de la table. Il était celui qui connaissait le mieux son supérieur et savait que derrière l'obsession qu'il cultivait pour la nourriture et les discours interminables qu'il tenait se cachait une intelligence limitée mais obtuse, rigide, qui se barbelait derrière les consignes intangibles et les lois incontestables. Il faisait partie de ces officiers feignant la proximité et la bonhomie avec ceux qu'ils commandaient mais qui, sans remords, étaient prêts quand les circonstances l'exigeaient à faire fusiller quelques-uns de leurs hommes pour l'exemple, puis de boire un verre de schnaps et de fumer un cigare en caressant le ventre d'une fille de bordel.

Le Policier avait peu à peu recouvré ses esprits et tentait d'analyser la situation tandis que son supérieur pérorait sur les bienfaits des ragoûts, des daubes, des petits pains au pavot et des roulés à la confiture de framboise.

Il lui paraissait désormais évident que l'invitation à chasser du Margrave était un traquenard dans lequel sa vanité et son orgueil l'avaient fait tomber. Tout avait été pensé pour l'éloigner de la ville, lui et ceux qui de par leur fonction incarnaient de près ou de loin une position de pouvoir ou supposée telle. Il se rappelait les paroles sibyllines du Rapporteur la veille au soir qui, tandis qu'ils quittaient tous deux le tableau de chasse, avait dit que la journée avait été belle et que la soirée serait *inoubliable*.

« Inoubliable » ! Se pourrait-il que l'inverti ait été au courant de ce qui allait advenir ? Et si lui l'avait été, qu'en était-il des autres ?

Nourio se souvint que, lorsqu'il avait pris congé, malgré les insistances du Margrave à le faire rester, il avait surpris des regards en coin qui avaient tout l'air de signifier que les uns et les autres étaient complices et savaient. Mais qui avait pris la décision de brûler l'édifice ? Et qui l'avait exécutée ? L'agression de Baraj était-elle en lien avec tout cela ? Et comment interpréter la venue miraculeuse du Commandant Sroh ? Pourquoi était-il là ?

« Une prodigieuse coïncidence ! répondit-il en reposant sa chope de bière qu'il venait de vider lentement en faisant tourner dans son esprit la question que son subordonné venait d'oser lui poser. Oui, une prodigieuse coïncidence, Capitaine... J'avais décidé de venir vous visiter pour de moi-même constater l'avancée, ou plutôt le piétinement devrais-je dire, de votre enquête sur le meurtre du malheureux Curé Pernieg, et après avoir passé la nuit au relais de Klavotič et m'être mis en route avant le lever du jour, je suis arrivé en ville vers les huit heures. Je suis allé directement à votre Poste mais j'ai eu la fâcheuse surprise de ne point vous y trouver, ni même votre Adjoint, ce fonctionnaire que vous m'avez réclamé à cor et à cri. Vous aurez remarqué, messieurs, comment parfois les événements s'emboîtent dans un ajustement qui tient de la magie. Il est évident que devant l'ampleur de ce qui a eu lieu, vous m'auriez fait mander ! Eh bien, le hasard, le merveilleux hasard, a fait que j'ai devancé votre souhait et que je suis parmi vous, quand il le faut, pour prendre les choses en main. »

Tandis que le Commandant parlait, Nourio regardait les visages des uns et des autres. Tous étaient épuisés et ne prêtaient que peu d'attention aux paroles de Sroh. Ils avaient bu. Ils avaient mangé. Et tous devaient encore ressentir la fatigue de la veille et les méfaits produits sur leur constitution par toutes les nourritures et les alcools dont le Margrave s'était montré prodigue.

Mais ce dont se rendit compte le Policier, c'est que derrière cette fatigue qui faisait bâiller certains se lisait autre chose : une indifférence aux propos du Commandant, une absence complète de curiosité, et même, alors que les circonstances auraient dû faire naître ce sentiment plus que tout autre, une absence flagrante d'inquiétude.

Il se jouait là une partie de cartes dont chacun connaissait les figures, le jeu des autres, la progression et le but, à l'exception de Nourio qui sentit monter en lui l'amertume de se savoir cocu et ne pouvoir rien y faire.

Le Commandant frappa dans ses mains pour signifier la fin des agapes.

« Messieurs, il faut désormais que je me retire pour réfléchir à cette chose extraordinaire qui atteint votre communauté. Je vous ferai part ce soir de mes conclusions. Auparavant, j'ai besoin d'être seul. Aubergiste ! Menez-moi à ma chambre. Vous y ferez porter du thé très noir et un flacon de cet alcool de fruits que l'on boit par ici, cette eau-de-vie abrupte, comment s'appelle-t-elle déjà, oui voilà, le *hpetz*, le nom m'échappait même si le souvenir reste présent en moi. Parfait ! Quant à vous, Capitaine, je vous attends à cinq heures sur le seuil de ma chambre. Nous ferons le point. Soyez ponctuel. La lumière n'attend pas ! Messieurs, bien au revoir ! »

Et les pantalons déboutonnés, le gilet ouvert, oubliant d'ôter sa serviette, le Commandant salua la tablée en faisant claquer ses talons puis s'en alla vers les chambres, précédé par Vilok, cérémonieux, dont le nez cramoisi semblait avoir doublé de volume.

Il y eut un grand silence. On n'osait guère se regarder et encore moins parler. Ce fut le Rapporteur qui le premier lança un mot qui n'engageait à rien :

« Quelle histoire !

Les autres opinèrent.

Le Maire reprit :

« Oui... Quelle histoire...

Nourio les observa. Ils lui semblaient être moins préoccupés qu'ils ne voulaient le montrer.

« Et vous, Capitaine, comment voyez-vous les choses ? demanda Mlaver en plantant ses yeux gris dans ceux du Policier.

Nourio hésita. Que pouvait-il dire ? Tous levèrent la tête vers lui.

« Je suis moi aussi frappé par l'événement. C'est à ne pas y croire. Mais à propos, messieurs, puis-je vous demander à quel moment vous avez découvert cet effroyable drame ?

On toussa. On remua sur sa chaise. On s'observa pour savoir lequel répondrait à la question. Ce fut le Rapporteur.

« Le Margrave nous a fait ramener dans sa voiture aux premières lueurs de l'aube. Nous avons tous dormi, très peu il est vrai, au Château. Nous sommes arrivés en ville peu de temps avant le Commandant Sroh qui, il vous l'a dit lui-même, s'est présenté à la Mairie, où Monsieur le Maire nous revigorait avec un bouillon bien chaud. Et c'est ensemble que nous avons découvert le désastre, après qu'il nous a dit avoir croisé quantité de gens qui semblaient se rendre au même endroit.

« En arrivant en ville, en venant jusqu'à la Mairie, vous ne vous êtes doutés de rien ? Vous n'avez rien vu ? Vous n'avez pas senti l'odeur de l'incendie ?

Là encore, tous ses compagnons de voyage laissèrent le Rapporteur, qui aimait tant écrire et parler, répondre au Policier :

« La nuit avait été fort brève, et nous avions tous un peu trop bu. Nous nous sommes endormis dans la voiture, dont on avait tiré les épais rideaux de velours. Nous ne nous sommes réveillés qu'une fois arrivés.

Le Rapporteur se tut et attendit la réaction du Policier. Celui-ci réfléchit et se dit qu'il était inutile de parler davantage. Il hésita à leur apprendre l'agression dont avait été victime l'Adjoint, mais décida de se taire.

« Je dois prendre congé.

« Faites au mieux Capitaine, crut bon de dire le Maire. Et il ajouta : Vous avez toute notre confiance !

« Oui, toute notre confiance », répéta le vieil Instituteur dont l'œil glacial brillait d'une lueur ironique.

Nourio remercia d'un signe de tête et quitta l'Auberge.

XXXVII

L'Adjoint ressemblait à une pièce géante d'un jeu de quilles, avec sa tête qui avait doublé de volume, enrubannée qu'elle était d'un turban grossier fait de gaze et de chiffons. Malgré son crâne qui le faisait souffrir et l'empêchait plus encore que d'habitude de trouver les mots qui convenaient, Baraj raconta à son supérieur la rencontre qu'il avait faite la veille avec Martjial Maijre et ses curieux compagnons. Il tenta d'être le plus précis possible et de n'oublier aucun détail. Il ressentit aussi le besoin de dire qui était Maijre, ainsi que la réputation qui était la sienne. Il hésita à raconter son incursion dans l'écurie de Djurdic et la fouille qu'il y avait opérée, en toute illégalité, craignant les reproches de son supérieur. Mais bien au contraire, et il en fut tout surpris, le Policier le félicita pour son initiative.

« Tu as bien fait, Baraj. Il faut parfois s'arranger avec la procédure quand les circonstances l'exigent.

Et c'est ce même Maijre qui était venu porter l'invitation du Margrave ?

« Oui, Capitaine.

« Pourquoi dis-tu que c'est un être sans foi ni loi ?

« Il serait capable de tuer son propre père.

« Il est singulier de le voir apparaître par deux fois à ce moment de notre histoire. Et plus étrange encore de le savoir au service du Margrave. »

Le Policier réfléchit à tout ce que venait de lui apprendre l'Adjoint. Ce que transportaient ces hommes, des artisans comme l'avait supposé Baraj dans un premier temps, ne prêtait pas à suspicion, mais que Maijre ait été vu en leur compagnie, et qu'ils aient tous eu des allures, des gueules et des manières de mercenaires plus que de simples menuisiers contredisait la première hypothèse : l'incendie de la mosquée confirmait que, d'une façon ou d'une autre, leur présence dans la ville n'avait pas été un hasard. Il importait d'interroger Djurdic au plus tôt.

Ils trouvèrent l'homme occupé à changer la paille et les litières dans son écurie.

« Tu as eu des pensionnaires à ce que je vois ? avança le Policier.

« C'est mon métier, Capitaine, et ce n'est pas un crime à ce que je sache, répondit Djurdic qui ne quittait pas des yeux Baraj et sa grosse tête de tissu.

« Bien sûr que non. Combien étaient-ils ?

« Une huitaine.

« Et d'où venaient-ils ?

« Aucune idée. Je ne parlais pas leur langue. Ils m'ont payé pour la pension d'une nuit, mais ils sont partis bien avant.

« C'est-à-dire ?

« Vers les sept heures hier, j'ai entendu un grand remue-ménage. J'ai passé la tête par la fenêtre, je les ai vus sortir. Ils ne traînaient pas.

« Et cela ne t'a pas étonné ? »

Djurdic haussa les épaules. Nourio comprit qu'il ne tirerait rien de plus du palefrenier. Il fit signe à Baraj qu'il était temps de partir mais l'Adjoint lui désigna du regard, dans l'angle du fond de l'écurie, un chiffon noirci qui dépassait de la paille. Le Policier se dirigea vers l'endroit, s'accroupit. C'était une veste en gros tissu, roulée en boule, et dont l'extrémité des deux manches avait brûlé.

« Est-ce à toi ? demanda-t-il à Djurdic qui n'avait rien perdu de son manège.

« Non. Et il lui tourna le dos pour se mettre de nouveau à répandre de la paille fraîche sur le sol de terre battue.

Nourio respira le vêtement : il sentait la sueur et l'odeur de fumée était récente, âcre et forte.

« Je le prends. »

D'un haussement d'épaules, Djurdic fit comprendre que peu lui importait. Nourio et Baraj sortirent de l'écurie.

Dans la ville, la vie semblait avoir repris son cours normal. Les passants allaient et venaient, profitant de la première journée clémente de ce long hiver. La plupart étaient curieusement chargés, et transportaient des ballots de linge, des chaises, des piles d'assiettes, des casseroles, les enfants des jouets de bois ou de feutre, du petit linge, les femmes des édredons, des couvre-lits, des marmites, des hommes des lits tandis que d'autres, qui s'y prenaient à deux ou trois, des armoires ou des bahuts.

Ce qu'on aurait pu prendre dans un premier temps pour un déménagement finit par intriguer le Policier tant la manœuvre impliquait des dizaines et des dizaines de personnes, et il comprit vite ce qui se passait quand il surprit deux compères sortir de la maison d'une famille musulmane, portant trois chandeliers et un gros lustre à pampilles, et que ceux-ci le regardèrent avec crainte, comme des gamins pris en faute.

Le pillage venait de commencer.

Si tant est que l'homme puisse avoir des scrupules, il a tôt fait de les étouffer, et le pire des êtres humains est le voisin. Sa proximité n'est que spatiale et on se trompe toujours sur son compte quand on s'arrête à ses sourires.

Le voisin est un fauve qui attend le moment de faiblesse pour dépecer celui qu'il observe et jalouse depuis tant d'années. Le voisin est le voyeur par excellence : il connaît tout de votre vie et elle lui semble toujours bien plus belle que la sienne. Aussi au fil du temps, et presque malgré lui, en vient-il à fabriquer un ressentiment qui, lorsque les circonstances s'y prêtent, fera de lui dans le meilleur des cas votre voleur et dans le pire, votre assassin.

Un bon voisin, cela n'existe pas.

Un bon voisin est un voisin mort.

Le Policier, qui était une créature encombrée de défauts, possédait tout de même, dans certaines pièces peu fréquentées de son âme, quelques rudiments de morale, et c'est avec dégoût qu'il observa l'armée des rats emportant tout ce qu'ils pouvaient prendre, même des choses dont ils n'auraient jamais l'utilité ou qu'ils possédaient déjà.

L'Adjoint n'était pas dupe non plus, et si son Maître lui avait ordonné d'appréhender sur-le-champ ces voleurs, il l'aurait fait avec plaisir en y mettant tout son cœur, malgré sa blessure qui le faisait encore bien souffrir.

Il crut d'ailleurs que le Capitaine avait lu dans ses pensées quand il dit d'une voix triste et basse :

« Cela n'en vaut pas la peine. Ils sont trop nombreux. Il nous faudrait arrêter toute la ville, et notre geôle est trop petite. »

Alors, laissant faire les gredins, ils reprirent le chemin de la place où l'immense tas de cendres témoignait encore – mais pour combien de temps ? – qu'un édifice s'était dressé là, depuis des siècles.

Ils procédèrent avec méthode. Ou plutôt, selon la méthode du Capitaine qui avait sorti son fameux carnet et commençait à prendre des mesures et à faire des croquis tandis que l'Adjoint se mit à fureter autour du grand tas de cendres, chaud des braises qui, sans doute pendant des jours encore, rougeoieraient en son cœur.

La violence de l'incendie avait été si extrême que tout avait pris la consistance et l'uniformité d'une poussière grise. On ne pouvait rien y distinguer, sinon çà et là des morceaux de verre qui s'étaient brisés, avaient fondu, et prenaient désormais l'apparence de petites gouttes d'eau claire.

Baraj fouilla dans sa mémoire, ferma les yeux et tenta de faire surgir dans son esprit la mosquée telle qu'il l'avait toujours connue.

C'était un édifice de faible volume tout en bois couvert d'un dôme de beau cuivre martelé. Au fil du temps le hêtre qui avait servi à sa construction avait pris par endroits des teintes blondes, presque blanches, tandis qu'à d'autres ses veines luisaient de belles colorations fauves et écarlates. À trois mètres du sol, six hautes fenêtres à croisillons, sans décoration ni vitrail, laissaient entrer la lumière au travers de carreaux de verre irréguliers et d'une forte épaisseur. La mosquée ne possédait qu'une porte qui s'ouvrait vers l'extérieur par deux battants. Elle aussi était d'une parfaite sobriété, faite de madriers rivetés entre eux, à l'exception de sa serrure, en fer martelé et dont l'entrée avait la forme d'un délicat croissant. Y pénétrait une grande clé, longue de huit pouces environ, dont l'Imam ne se séparait jamais et qu'il portait autour du cou suspendue à une lanière de cuir.

L'incendie avait été d'une extrême violence et s'était sans doute propagé à une vitesse affolante en raison même du matériau dont était faite la mosquée : hormis le soubassement de pierre, sur lequel reposait l'édifice, tout ce qui la constituait, dans son architecture comme dans son rare mobilier, était de bois. Qui plus est un bois vieux, que le temps avait asséché et qui avait dû s'embraser en quelques secondes.

Baraj songea à tous les fidèles qui se trouvaient à l'intérieur quand l'incendie s'était déclaré. Personne jusqu'ici n'avait osé les évoquer à haute voix. Ni lui-même, ni son supérieur, ni les autorités, et encore moins le Commandant Sroh. Chacun faisait comme s'ils n'avaient pas existé.

L'Adjoint était parvenu à l'endroit qui avait été celui de l'entrée de la mosquée. Il se mit à quatre pattes et commença à fouiller délicatement les cendres tièdes qu'il écartait avec ses doigts. Bientôt il dégagea une grosse ferrure, un rivet, et un autre. Puis ce fut le croissant de l'écusson dont le feu avait tordu les pointes et qui le faisait désormais ressembler à une bouche déformée par un affreux sourire.

Il eut beau fouiller encore il ne trouva pas la grande clé, mais après tout, pensa-t-il, c'était normal puisque l'Imam, une fois la porte ouverte, devait la replacer autour de son cou. Par contre, alors qu'il allait se relever, il se piqua la paume contre un objet pointu, et quand il le dégagea des cendres et l'amena devant ses yeux, il se rendit compte que c'était un grand clou, mais pas n'importe lequel des clous, un clou long que le feu n'était pas parvenu à tordre et dont la tête large et martelée avait une forme hexagonale.

Il eut soudain très froid et sentit sa tête tourner de nouveau. À n'en pas douter, il s'agissait d'un clou identique à ceux qui se trouvaient dans les bagages des cavaliers aperçus la veille en compagnie de Martjial Maijre. Il se jeta à terre et continua sa fouille, et quand le Policier revint près de lui et le découvrit ainsi, pareil à un chien cherchant frénétiquement l'os dont il a oublié la cachette, Baraj se redressa vers lui et, sans un mot, lui tendit six clous, identiques, et dont la tête dessinait un parfait hexagone.

XXXVIII

À cinq heures précises, Nourio frappait à la porte de la chambre du Commandant Sroh. Personne ne lui répondit. Il recommença, cette fois avec plus de force, mais cela n'eut pas plus d'effet. Il attendit quelques secondes, se demandant ce qu'il convenait de faire. Il plaqua son oreille contre la porte et il lui parut entendre, de l'autre côté, d'épais ronflements. Il se décida alors à tambouriner.

« Voilà ! Voilà ! » répondit aux coups une voix irritée.

Et il se passa encore quelques minutes avant que la porte s'ouvre et qu'apparaisse, débraillé, le Commandant, les yeux gonflés par le sommeil et les traits chafouins.

« Inutile de défoncer la porte, Capitaine ! Quelle vigueur ! Je vous avais entendu... mais j'étais plongé dans mes pensées. Entrez ! »

Dans la chambre, on étouffait. Le poêle était rouge, les fenêtres closes, les rideaux tirés. Une lampe à huile diffusait une faible lumière.

Le lit était défait. Sur la table de nuit, la carafe d'alcool était vide et le verre renversé.

Sroh, les bretelles pendantes, se laissa choir dans un vieux fauteuil et d'une main lasse indiqua face à lui une chaise basse, inconfortable, sur laquelle Nourio prit place tant bien que mal.

« Je vous écoute, Capitaine. Dites-moi vos conclusions. Je vous dirai les miennes ensuite.

Puis il baya aux corneilles et entreprit de reboutonner sa chemise.

Rien ne surprenait Nourio dans ce qu'il venait de découvrir. Le Commandant s'était enivré et puis s'était écroulé dans un sommeil de brute. Il avait prévu aussi le fait que son supérieur attendrait de lui qu'il parle le premier.

« Je ne doute pas que des esprits bien intentionnés vous ont averti que je me trouvais hier à une partie de chasse à laquelle le Margrave m'avait convié. Je n'y étais pas seul : les édiles et les autorités de la ville s'y trouvaient aussi. J'avais confié à mon adjoint la mission de simple police pour cette journée qui aurait dû être ordinaire.

» Hier, en milieu de journée, tandis qu'il effectuait sa ronde, mon Adjoint Baraj remarque en ville la présence d'un homme de la maison du Margrave, Martjial Maijre, ancien soudard, dont la réputation de violence n'est plus à faire. L'homme semble accompagner une petite troupe composée de huit individus, parlant une langue inconnue. La bande déjeune à l'Auberge de Vilok. Pendant ce temps, intrigué, Baraj cherche à comprendre leurs intentions et pour ce faire décide d'aller voir où reposent leurs montures. Elles sont remisées chez un certain Djurdic. D'après leur état, elles semblent avoir fait un long voyage. Dans les bagages des hommes qu'il prend l'initiative de fouiller, mon Adjoint ne remarque rien d'anormal, des marteaux, des planches, des clous, d'une forme et d'une longueur particulières, des bouteilles remplies d'un liquide dont il ne peut connaître la nature, de l'étoupe, des tissus. Bref, rien de prohibé ni de répréhensible.

» Vers la fin de l'après-midi, il rentre chez lui et croise l'Imam Guedj qui va à la mosquée pour la grande prière du vendredi. Arrivé chez lui, il s'occupe de ses chiens. Il est six heures environ quand on frappe à sa porte. Il sort. Personne. Il s'effondre, assommé par un choc violent qu'on lui porte derrière le crâne.

» Il reste ainsi des heures, inconscient, dans la nuit et le froid, perdant son sang. C'est là que je le découvrirai, et que je lui prodiguerai les premiers soins. Il est alors onze heures du soir environ. J'ai quitté une heure plus tôt le Château du Margrave où tous les autres participants de la chasse sont restés. Aux abords de la ville, une violente odeur de fumée et des rougeoiements dans le ciel m'ont averti qu'un drame avait eu lieu. Entré dans la ville, je me suis dirigé vers le lieu de l'incendie, l'approchant à grand-peine tant la chaleur était atroce. Il ne restait déjà plus rien de la mosquée, pas plus qu'il n'y avait âme qui vive dans les rues.

» Aujourd'hui, après le déjeuner à l'Auberge, je suis retourné sur la place avec mon Adjoint. Nous avons fait des relevés et quelques fouilles sommaires. Le feu a été si intense qu'il ne reste plus rien des corps des dizaines de malheureuses et malheureux qui y ont péri. À peine peut-on trouver quelques pièces de métal, ferrures, rivets, mais la découverte la plus intéressante est celle-ci, faite à l'emplacement de ce qui fut la porte de la mosquée. »

Le Policier fouilla le sac de jute qu'il avait apporté. Il en retira les six clous qu'il déposa sur une petite table basse, devant les genoux du Commandant.

« Ces clous sont les mêmes que ceux que mon Adjoint a vus dans les bagages des compagnons étrangers de Martjial Maijre. En retournant dans l'écurie de Djurdic, nous avons découvert, grossièrement dissimulée dans un recoin, une veste dont les manches avaient brûlé. Les hommes avaient payé la pension pour une nuit mais ils étaient partis assez vite, sans en avertir le palefrenier, vers les sept heures du soir. »

Nourio sentit que l'attention de son interlocuteur faiblissait. Le Commandant bâillait et se grattait le ventre. Il jetait aussi des regards désolés vers le flacon d'alcool, vide, posé sur le chevet.

« Je ne voudrais pas abuser de votre patience, Commandant, et je terminerai mon récit en vous faisant état des différents interrogatoires que nous avons menés auprès des citoyens dont les maisons sont les plus proches de la mosquée détruite. Tous ont eu la même réponse : ils n'ont rien vu ! Rien entendu ! Ils dormaient déjà. À une heure pourtant précoce ! Ce n'est que bien plus tard, sentant la fournaise, que quelques-uns se sont risqués à entrouvrir leurs persiennes et ont découvert, impuissants, l'incendie.

» Ceci dit, les mêmes et d'autres avec eux n'ont pas été les derniers aujourd'hui à pénétrer dans les maisons des membres de la communauté musulmane, dévalisant sans vergogne les intérieurs, devenant les plus ignobles des pillards. Ma fonction m'aurait commandé de les arrêter en flagrant délit et de les emprisonner mais ils étaient tellement nombreux à agir ainsi que je ne pouvais à moi seul m'opposer à leurs méfaits. Je ne nourrissais guère d'illusions sur la nature humaine, mais le moment tragique que nous vivons me permet d'ajouter encore un chapitre au livre de la bassesse de l'espèce à laquelle hélas nous appartenons. »

Nourio fit une pause, ne sachant trop comment formuler les dernières choses qu'il voulait dire.

« Demeure une question : si les coupables sont connus, en tout cas leur chef, on ne connaît pas le

445

ou les commanditaires. Qui a pu ordonner ce crime ? Qui était au courant ? Tout a été fait pour m'éloigner de la ville, et éloigner les autorités qui auraient pu, peut-être, s'opposer à cet acte barbare. La partie de chasse organisée par le Margrave est tombée à point nommé, si bien tombée d'ailleurs qu'il ne peut s'agir d'une coïncidence. Pour autant, l'idée de son organisation est-elle à mettre au seul crédit du Margrave ? Lui a-t-on suggéré cela ? Et si oui, qui ? Combien de complices, actifs ou indirects dans ce qui a eu lieu ?

Le Policier se tut. Il tenta de trouver une position plus confortable sur la petite chaise mais n'y parvint pas. Le Commandant paraissait somnoler.

« Vous avez terminé, Capitaine ?

« J'ai résumé tout ce que je savais et tout ce que j'ai appris, Commandant.

« Bien… Très bien… »

Le Commandant soupira, posa les deux mains à plat sur ses cuisses et se leva. Il remit en place ses bretelles, fit quelques pas autour du Policier en se grattant le menton, s'arrêtant deux fois pour le considérer d'un œil songeur. Nourio n'osait plus respirer tandis que Sroh reprenait sa ronde.

À quoi jouait donc cet ivrogne ? Âne attaché à sa meule, il continua à tourner autour de Nourio, pendant quelques minutes qui parurent interminables, puis pour finir, il frappa dans ses mains comme on le fait pour clore un débat. Il se rassit sur le fauteuil, fixa le Policier. Il semblait désormais tout à fait réveillé.

« Je vais vous poser une première question, Capitaine.

« À vos ordres, Commandant.

« Qui suis-je pour vous ?

Nourio tenta de ne pas paraître décontenancé.

« Vous êtes le Commandant Sroh, mon supérieur, sous-directeur de la Police des Provinces du Sud-Est au Ministère des Marches et de leur administration.

« Oui. C'est cela officiellement. Mais pour vous, pour vous, Capitaine, qui suis-je ?

« Pour moi ? Je ne sais pas dire autre chose que ce que je vous ai dit. Vous êtes mon supérieur, Commandant.

Sroh soupira avec déception et secoua la tête en regardant Nourio.

« Pourtant, reprit le Commandant, je suis persuadé que lorsque vous pensez à moi, vous ne me définissez pas de cette façon. Non, vous dressez de ma personne sans nul doute un tout autre portrait. Le Commandant Sroh ? Un idiot, un breloquin, un gourdiflot au teint cirrhotique, à la bedaine en gésine et qui connaît mieux les cartes de toutes les auberges de l'Empire que celles d'état-major ! Une bouche, un gosier, un trou, un ventre, une créature qui boit et dévore, dotée d'un appétit écœurant et d'une cervelle de puceron ! »

Le Policier s'apprêtait à intervenir mais le Commandant leva la main.

« Vous attendez sans doute que je crève de trop manger pour espérer prendre ma place un jour, et vous goberger vous aussi, sous les lampions de la Capitale et dans les beaux cafés, car vous pensez y avoir droit. Je vais vous décevoir, Capitaine : cela n'arrivera *jamais*. *Jamais*, vous m'entendez ! Oh je crèverai certes, n'en doutez pas, comme tout homme sur cette pauvre Terre, mais vous mourrez avant moi. Je le sais. Je le pressens. Et je vous sens doué pour une mort brutale, stupide et violente. À chacun son destin ! Et si je confesse mes vices, je suis certain que vous en possédez aussi, bien sales, et bien cachés derrière votre visage lisse de parfait petit fonctionnaire exilé dans le rectum de l'Univers !

» Revenons à moi. Il vous plaît de me penser crétin universel. Cela vous rassure. Mais vous vous trompez et c'est fâcheux. Il y a votre réalité et il y a la mienne. Et toutes deux, qui pourtant cohabitent dans le même monde, sont en totale opposition. Je suis un ivrogne et un goinfre, je n'ai pas honte de le dire, je suis capable de boire tout ce qui fermente et tout ce qui se distille. J'ai cinquante-deux ans et cela ne changera pas. J'en mourrai un jour. Et alors ? »

Le Commandant marqua une pause et chercha quelque chose dans ses poches – une pipe ? un cigare ? – qu'il ne trouva pas. Il émit un grogne-

448

ment, regarda sombrement Nourio comme s'il était responsable de sa déconvenue, soupira et poursuivit :

« Mais dites-vous bien, Capitaine, que ni les alcools ni la bonne chère ne m'ont jamais empêché de penser. Au contraire. Oui, au contraire, vous m'entendez ! Être ivre de vin et d'eau-de-vie, de vermouth et de porto, avoir la panse pleine à craquer de salaisons, de saucisses, de pommes de terre rissolées à la graisse d'oie, de pâté de grive, de choux marinés, de harengs, de porc farci, de bœuf en gelée, de pierogis, de salades de foie, de crêpes aux myrtilles, de sernik, de strudel, de glaces au rhum et de champagne m'aide à penser avec clairvoyance. Certes, cela ne peut s'enseigner dans les universités ni dans les manuels d'éducation ! Rassurez-vous, Capitaine, j'en ai presque fini. Mais pour finir vraiment, il me faut vous poser ma seconde question : dans toute cette histoire, que cherchez-vous au juste, Capitaine ? »

Le Commandant était parvenu à décontenancer le Policier. Tout ce flot de paroles, ce tableau dressé du buveur et du mangeur qu'on aurait cru échappé d'un tableau flamand du *Gouden Eeuw*, lui avait donné le tournis. Pour la première fois depuis qu'il connaissait son supérieur, Nourio doutait de son propre jugement à son égard. Se pourrait-il qu'il l'ait mésestimé ?

« Alors ? demanda Sroh.

Le Policier se lança :

« C'est tout simple, Commandant : je cherche la vérité. Uniquement la vérité.

Sroh écarquilla les yeux et un sourire commença à naître sur son visage, un sourire qui grandit et se transforma de façon sonore en un rire immense, inextinguible, qui secoua le Commandant et amena des larmes claires dans ses yeux.

Le rire n'en finissait pas. Il claquait comme une insulte cascadante. L'humiliation du Policier grandit en proportion.

Au bout d'une minute, le Commandant parvint tout de même à se calmer. Son visage perdit sa rougeur de poivron confit et reprit son expression placide. Il considéra le Policier avec mépris, puis secoua la tête.

« La vérité ! Mais quelle vérité, Capitaine, la vôtre ?

« Il n'y a qu'une vérité et ce n'est pas la mienne. La vérité n'appartient à personne. Elle est, un point c'est tout.

« Pffft ! Philosophie à deux sous que tout cela ! Et qui plus est ancienne, obsolète, bonne pour une terre plate et des idées carrées ! Deux mille ans ont passé sur nous avec leur lot de guerres, de partages, d'explorations, de découvertes, de pourriture, de désillusion, de petits arrangements. L'eau claire est devenue trouble. Le ciel s'est chargé de nuages. Il nous faut désormais nous débrouiller dans le sombre. La vérité ! La vérité ! Croyez-vous que la vôtre soit la mienne ? Et quelle est-elle, *votre* vérité, Capitaine, je serais bien aise de l'apprendre ? Allez-y ! Lancez-vous, que je rie encore une bonne fois !

« Je crois, Commandant, qu'en la matière il n'y a pas à rire, hélas, mais à s'affliger. Quand on parle de la mort de plus de cinquante personnes, femmes, enfants, adolescents, hommes, vieilles gens, qui ont péri dans des conditions atroces, dévorés par les flammes sans possibilité d'échapper au brasier, comment pourrait-on rire ? Comment pourrait-on rire quand tous ces morts ne sont pas le fruit d'un incendie accidentel, mais d'un sinistre perpétré volontairement, qu'elles sont donc imputables à un assassinat collectif ? Ceux qui ont agi savaient que, depuis quelque temps, la communauté musulmane, mal-aimée, vilipendée, se réunissait en son entier pour la grande prière du vendredi. Les mères y emmenaient leurs nouveau-nés, les adultes leurs aïeuls. C'était là pour eux l'occasion de faire bloc, de se retrouver, de se sentir unis. On a attendu que tous soient entrés dans la mosquée. On a attendu que commence la prière. On a condamné la porte au moyen de planches et de clous. On a jeté par les fenêtres brisées des mélanges enflammés. Il n'y avait pas d'échappatoire. Il n'y avait pas d'issue. Pas d'autres portes. Et les fenêtres étaient bien trop hautes pour qu'on puisse les atteindre et s'enfuir par cette voie. Voilà la vérité, Commandant, et s'il fallait l'étayer, ces preuves-là ne sont-elles pas suffisantes ?

451

Nourio, qui avait terminé son propos debout, brandissait sous le nez du Commandant les six clous noircis par le feu. Sroh écarta sa main menaçante.

« Reprenez-vous, Capitaine, et n'oubliez pas à qui vous parlez, ni ce que je représente. Votre passion vous fait adopter un ton qui n'est pas de mise et pourrait vous valoir des ennuis. Vous exhibez cette ferraille et cette veste à demi consumée comme des preuves irrécusables. Pour un peu, je croirais voir apparaître devant moi un de ces crédules des temps moyenâgeux à qui on pouvait faire prendre n'importe quel morceau de bois vermoulu pour un débris de la Croix, une éclisse d'os de génisse pour le tibia d'un saint et un vieux linge élimé par les ans pour un morceau du Suaire !

» Ainsi tout votre raisonnement repose sur ces pauvres clous… Misère ! Nous n'irons pas loin et je doute que jamais vous ne parveniez à élucider la mort du Curé, une mort dont vous ne vous rendez même pas compte qu'elle nous a, en définitive, été fort utile, puisqu'elle est la cause première de tout ce qui est advenu depuis lors, et dont le dernier acte est cette disparition totale de la communauté musulmane. Vous voici dans une ville propre désormais, une ville pure, débarrassée de sa racaille, un précieux laboratoire pour ce à quoi se prépare l'Empire.

» Votre intelligence souffre de myopie. Et dire qu'on m'avait vanté votre esprit souple, accommodant. On m'avait même assuré qu'en matière

452

de vérité vous aviez théorisé le principe de… comment l'appeliez-vous déjà, la *vérité efficiente*, c'est bien cela ? Pourquoi l'oublier ? Elle pourrait pourtant nous être fort utile.

Le Policier s'aperçut que son supérieur avait eu un compte-rendu précis de sa conversation qu'il avait tenue jadis avec le Rapporteur.

« Vous jouez avec moi, Commandant, et m'insultez à mots plus ou moins couverts depuis un moment. Si je me trompe à ce point sur les faits, auriez-vous la bonté, vous dont l'intelligence semble se muer en clairvoyance, de dévoiler pour moi la vérité du tragique événement ?

« Elle est toute simple. Si simple qu'à aucun moment vous n'y avez songé. Oui, il y a eu incendie. Et incendie criminel, c'est incontestable. Mais les criminels ne sont pas ceux que vous pensez. Je veux bien vous accorder que la bande, dont votre Adjoint a fouillé l'équipement sans y être autorisé, appartient à l'espèce du gibier de potence, mais elle n'a rien à voir avec notre affaire.

« Alors qui ?

« Qui ? Voyons, cela tombe sous le sens ! La communauté musulmane elle-même ! Qui a maquillé sa fuite en un somptueux crime de masse ! De coupable du meurtre de Pernieg, j'en suis convaincu, de l'agression et de la mort du pauvre infirme, elle a voulu rester dans nos mémoires en tant que victime. Ingénieux ! Brillant ! Demeurer dans l'Histoire comme les agneaux sacrifiés par des mains barbares alors qu'on ne cesse de propager le mal ! La fuite du Médecin n'avait été qu'un préambule. Nous venons d'assister à l'acte final. Vous voulez une preuve de ce que j'avance, Capitaine, puisque vous semblez tant tenir à cela ? Avez-vous retrouvé dans les cendres que vous avez fouillées des restes humains ?

Le Policier était abasourdi.

« Mais... Commandant... l'incendie était un four... de plusieurs milliers de degrés sans doute, comment voulez-vous qu'il reste quelque chose de ces malheureux ?

« Ah ! Donc vous l'admettez ! Rien. Pas le moindre indice d'une présence humaine. Des clous, certes, mais pas d'ossements, de linges, de boucles de ceinture, de bijoux... Rien. Rien parce qu'il n'y a jamais rien eu. Quelques mahométans ont allumé l'incendie, l'Imam parmi eux à n'en pas douter, tandis que tous les autres dans la plus grande discrétion quittaient leurs maisons et s'en allaient sous couvert de la nuit et de l'hiver rejoindre les leurs de l'autre côté de la Frontière.

« Sans rien emporter ?

« Quelle meilleure stratégie que de ne rien prendre afin de faire croire qu'on n'est jamais parti et qu'on a disparu dans les flammes ? Ces gens-là ont dû faire un baluchon avec le strict nécessaire. Et comment savoir qu'ils n'ont vraiment rien emporté comme vous le prétendez ? Teniez-vous à jour l'inventaire de leurs demeures et de leurs garde-robes ? Revenez sur terre, Capitaine. Ce que je dis est ce qui s'est produit. Et c'est surtout ce que nous écrirons dans un beau rapport que nous signerons vous et moi, qui sera lu en haut lieu et qui donnera, j'en suis certain, pleine satisfaction. »

Nourio était abattu. Il ne voyait pas quels arguments rationnels opposer à ceux empreints de démence qu'alignait le Commandant.

« Allons, ne faites pas cette tête ! Souvenez-vous des consignes que j'avais demandé il y a quelques mois à votre Adjoint de vous transmettre, et qui étaient claires. L'Empire, sa cohésion, sa puissance, sa pérennité, reposent certes sur sa force mais aussi sur sa faculté à produire son propre récit, à célébrer sa grandeur et à l'affermir en désignant ses ennemis. Le danger quand il est incarné par l'autre permet à une communauté de se souder plus encore. Croyez-moi, la vérité que je propose est bien plus utile que la vôtre. C'est la plus *efficiente* de toutes, vous voyez, je vous rends hommage, car elle permettra en outre à votre petite ville de retrouver une paix qui a tant été bousculée depuis le début de l'hiver. Et ceux que vous avez traités de pillards un peu plus tôt ne sont au fond que de braves gens ordinaires : on ne vole pas qui a attenté à l'intégrité du groupe et a fui, on prélève simplement un juste dédommagement. Je ne vous retiens pas. Vous pouvez disposer. »

XXXIX

Vers les derniers jours de mars, le printemps arriva comme un chemineau. Sans prévenir et grimé sous un souple vent du sud. En quelques jours, la neige fondit. À la fin d'une semaine ne restaient plus çà et là que de grandes congères qui ressemblaient, au milieu des pâtures d'herbe rousse, à d'amples poissons polaires échoués au terme d'un épuisant voyage.

Plus de trois mois s'étaient écoulés depuis l'incendie de la mosquée. La place avait été déblayée de ses cendres, qu'on avait répandues aux abords de la ville dans des champs où plus tard pousseraient le blé et l'orge.

Toutes les maisons des familles musulmanes avaient été vidées de leur contenu. Et sans qu'on les y ait invités ni que quiconque y ait trouvé à redire, certains qui manquaient de place ou de confort dans leur ancien logis s'y étaient installés. Par un tour de passe-passe, les titres de propriété avaient changé de nom avec la bénédiction du Maire et du Conservateur des archives, qui touchaient pour chaque acte un droit de timbre et un dessous-de-table.

Un rapport avait été rédigé par le Policier, sous la conduite du Commandant qui était resté pour cela quatre jours à l'Auberge de Vilok, quittant la table de ripailles pour sa chambre et vice-versa, tout en surveillant d'un œil trouble l'avancée du travail de Nourio, qu'il convoquait chaque fin d'après-midi afin qu'il lui en fît la lecture.

Le texte était conforme à la vérité de Sroh, que tous, le Maire en tête, avaient approuvée. Le Policier n'avait plus tenté de s'opposer à la thèse folle. Un soir au Poste, il avait expliqué la théorie du Commandant à Baraj, dont la blessure se refermait peu à peu, et l'Adjoint en avait été tant sidéré qu'aucun mot n'était sorti de sa bouche, sinon un son lointain, comme une plainte échappée d'une caverne.

Avant de quitter la ville, le Commandant avait cru bon d'avertir le Policier de ne tenter en aucune manière d'importuner le Margrave à propos de l'incendie. D'ailleurs, celui-ci venait de quitter son Château pour rejoindre la cour impériale où il demeurerait jusqu'à l'automne. Inutile aussi de chercher à interroger Martjial Maijre. Il avait, selon les informations données par le régisseur du Margrave, disparu sans laisser d'adresse : l'affaire était donc résolue et close. On n'avait plus à y toucher. S'il voulait éprouver sa sagacité, qu'il continue donc à enquêter sur le meurtre du Curé même si, là encore, le ou les coupables étaient tout désignés.

Pernieg ne fut pas remplacé.

Partout dans l'Empire, le clergé vieillissait et se clairsemait. Rares étaient encore les jeunes hommes à vouloir épouser la prêtrise. La religion faisait l'effet d'une femme dont l'âge avait fané les atours et qui ne parvenait plus à faire naître les vocations. L'église de la petite ville, à l'instar de beaucoup d'autres en beaucoup d'endroits, demeura vide. Sans doute au fil des mois et des années servirait-elle de débarras, d'étable ou de bergerie. Les odeurs de fumier remplaceraient celles de l'encens, et les bêlements des moutons, la psalmodie des prières.

Vers la fin du mois de février, il vint aux oreilles du Policier qu'un rhapsode qui était passé dans trois villages du plateau avait commencé à coudre une légende qui parlait de grand bûcher et de sacrifice. Il l'avait psalmodiée durant certaines soirées, dans des auberges pleines de brutes incultes, contre une assiette de soupe et du thé chaud.

Nourio hésita.

Sa charge aurait dû le pousser à rechercher l'individu, à l'arrêter et à le questionner. Il l'aurait ensuite fait transférer par l'Adjoint à la Capitale où sans nul doute le Commandant aurait choisi de le faire crever dans une geôle afin que ses vers s'étouffent dans sa gorge et n'aillent pas contredire la vérité qu'il avait construite.

Mais le Policier n'en fit rien, et se dit que là où lui avait échoué, la poésie, qu'il avait tant aimée dans sa jeunesse et dont la mesure n'était ni la vie ni le temps des hommes, pouvait par son miracle porter dans les siècles à venir la seule vérité de ce qui était advenu.

Baraj surprenait de plus en plus son supérieur perdu dans de profonds moments de silence, mâchouillant des *krumme* qu'il finissait par jeter sans même les avoir allumés. Il n'observait plus par la fenêtre les lointains mais se tenait assis à la table, les mains sur les tempes, et fixait les fibres du bois comme si elles contenaient une réponse à des questions qu'il ne formulait jamais. Parfois, il posait devant lui la pierre qui avait servi à défoncer la boîte crânienne du Curé Pernieg et la regardait fixement, une heure durant, espérant sans doute y voir surgir la solution du mystère.

Tous deux, le Policier et l'Adjoint, continuaient à faire leur ronde dans la ville, mais le Policier avançait sans rien regarder des autres ni se préoccuper des lieux, et l'Adjoint avait remarqué que jamais plus ils ne passaient par la place où s'était élevée la mosquée.

Lorsque le vent se fit plus chaud, que les jonquilles, les pervenches, les hellébores et les tussilages fleurirent sur le plateau, que les bêtes dans les étables furent prises par de grands élans de désir, l'abattement du Policier se changea en une fureur des sens. L'état de catalepsie dans lequel il avait vécu depuis le drame disparut soudain au bénéfice d'une excitation qui ne le quittait plus, ni le jour ni la nuit.

Cela avait pour bénéfice de ne plus faire rouler en lui des pensées noires comme il n'avait cessé d'en avoir depuis des semaines, trouvant sa vie sans intérêt ni saveur, ses certitudes ruinées, ayant pris sa famille en horreur, à tel point qu'à deux reprises au moins, tandis que l'Adjoint était occupé loin du Poste, il avait failli se pendre dans l'écurie.

Mais l'allongement des jours, la lumière plus vive, et surtout ce foehn enivrant avaient chassé ses projets définitifs et ses pensées entières étaient désormais emplies d'accouplements, de caresses, de peaux mordues.

Il avait alors de nouveau approché sa femme, pourtant épuisée par la marmaille et qui, se négligeant, s'était encore épaissie, avait pris dix ans d'âge et dont le teint naguère frais avait perdu de sa beauté laiteuse.

C'était un soir rose. Il faisait tiède. Les enfants jouaient dehors, avec d'autres enfants, le dernier-né posé près d'eux à même la terre, qui bavait en se faisant les dents sur un croûton de pain dur.

Dans la maison, la femme du Policier épluchait debout près de la pierre à eau des légumes pour la soupe. Quand Nourio entra dans la pièce, elle l'entendit approcher mais ne se retourna pas, ne dit rien, attendit. Il avança lentement, la respiration courte, la bouche sèche, les pensées polluées de luxure, le membre raide étranglé dans son caleçon, et quand il fut tout près de la croupe de sa femme, il glissa le tranchant de sa main droite entre ses fesses qui bombaient le tissu de la robe.

Elle se retourna aussitôt et avant même qu'il puisse faire quoi que ce soit, elle appuya la pointe de son couteau contre sa gorge, là où palpite la vie dans une grosse artère.

« Plus jamais tu ne me toucheras, dit-elle. Plus jamais tu ne me souilleras. Si tu essaies encore, je te tue, je tue les enfants et je me tue. »

Elle avait un regard qu'il ne lui connaissait pas. Sans colère. Sans peur non plus. Un regard fixe et vide. Il comprit qu'elle ne plaisantait pas et qu'il n'y avait rien à dire. Il recula. Elle ne le quitta pas des yeux. Elle maintenait son couteau en l'air. Sur la pointe brillait une goutte de sang.

La saison du vent chaud qui rend fous hommes et bêtes, la menace de sa femme, à quoi il faut ajouter le ressentiment de ne pas avoir démasqué l'Assassin du Curé, et de s'être laissé imposer l'écriture d'un rapport mensonger sur l'incendie de la mosquée, mais aussi l'absence de considération du Maire et des autres notables, qui depuis l'événement et ses explications officielles ne prenaient plus la peine de le saluer quand ils le croisaient, se méfiant de lui, tout cela opéra une chimie dans l'esprit du Policier qui lui fit abandonner ce qui lui restait de mesure et de barrières intérieures.

Le seul objet de ses pensées fut Lémia, et cela jusqu'à l'obsession. Et il ne se passait pas une journée où, sous un prétexte ou sous un autre, il ne lui rende visite ou ne la suive dans la rue, ne l'épie à sa fenêtre, ne la surprenne au lavoir, tandis que ployée sur sa planche, les jupes mouillées relevées jusqu'à mi-cuisses, elle tordait le linge entre ses mains, faisant ainsi trembler sa jeune gorge à demi dénudée.

Trois fois au moins, le soir venu, il alla frapper à la porte de la chaumière tandis qu'il avait aperçu le père effondré dans son vin à l'Auberge. Il attendait que le frère soit couché et que Lémia soit sur le point de le faire. Alors il se présentait, fiévreux, comme un loup affamé se faufilant dans une bergerie, et Lémia n'osait lui fermer la porte au nez, le recevait, dans la lueur tremblée d'une bougie de suif, essayant le plus possible de masquer la transparence de sa chemise de nuit sous un châle de laine, ne comprenant guère pourquoi le Policier, une fois encore, lui faisait répéter sa découverte du corps du Curé, récit devenu une psalmodie dont on finit par perdre le sens pour n'en retenir que la musique entêtante et pauvre.

Lui, triturant un cigare éteint, parlait sans donner chair à ses paroles, sans plus penser à ses questions, n'écoutant pas les réponses. C'était une comédie sans théâtre et sans public, aux dialogues sus par cœur, et qu'il disait sans penser. Il était en dehors des mots : il respirait la jeune fille. Il buvait son haleine. Il mangeait ses épaules. Il dévorait ses seins tendres. Il devinait ses cuisses nues, ses genoux, ses chevilles. Il dessinait dans son esprit son jeune sexe inexploré. Tout cela sans la toucher, sans oser la toucher, car le retenaient encore un semblant de pudeur et de honte, une hantise, une peur du jugement, celui des hommes, et peut-être aussi celui de Dieu, même s'il l'avait depuis longtemps relégué au rayon des vieilles bassines et des antiquailles.

Quand son désir était parvenu au plus haut point de fusion où tout cela était intenable, que son corps craquait comme la coque d'un navire prise dans la morsure des glaces, il s'enfuyait du logis et, sitôt le seuil franchi, il s'enfonçait dans le lait noir de l'ombre du premier porche venu et, n'y tenant plus, se soulageait d'une main en se mordant fort les lèvres pour qu'aucun cri ne sorte de sa bouche. Puis, après le jaillissement du plaisir, à bout de souffle, hébété, il rentrait chez lui en titubant, la tête vide.

Il y avait un autre homme pour lequel Lémia était tout. C'était Baraj. Mais pour dire cela, il faut quitter la laideur, se laver à grande eau du vice, entrer dans le poème, dans la chanson courtoise, dans la langue assagie de beauté. De cette passion muette, le corps était absent. Il n'y avait pour ainsi dire que l'âme et le regard. Pour l'Adjoint, la jeune fille figurait tout à la fois la sainte, la sœur, l'enfant, la mère, comme si, dans sa féminité à peine éclose, elle unissait toutes les figures, toutes les incarnations de la femme, avec la même grâce et le même inaccessible que les statues d'église ou les peintures sacrées.

Au fond de lui, quand il voyait Lémia, ce n'était pas de l'amour qu'éprouvait Baraj, mais de la dévotion, de la reconnaissance, de l'humilité et de l'adoration. Une adoration proche de celle qu'on lit dans les scènes bibliques, celle par exemple au cours de laquelle Melchior, Gaspard et Balthazar, après leur long voyage, s'agenouillent devant l'Enfant Jésus, qui n'est encore qu'un nouveau-né enveloppé de l'odeur de la peau de sa mère, mais qu'ils reconnaissent, eux qui sont rois, pour le Roi des rois et le Sauveur du monde.

Baraj contemplait Lémia comme on contemple un monarque, la nuque baissée et le cœur offert, remettant sa propre vie entre ses mains. Un jour, elle l'avait regardé, lui avait souri, l'avait de ses yeux considéré au-delà de son apparence bancale, avait vu en lui ce qu'il y avait de bon, de simple, de solide, de pur.

C'était la première fois qu'on l'avait regardé ainsi.

Et par ce regard posé sur lui, elle avait lavé tout ce qui dans son existence depuis son plus jeune âge l'avait **meurtri**, blessé, souillé, flétri. Ses yeux

465

avaient eu le pouvoir de panser les plaies, d'unir leurs bords à vif, de les refermer doucement et d'y poser ensuite une chaste caresse.

Quand l'Adjoint pensait à Lémia le soir tandis qu'il venait de s'allonger sur son lit et qu'il sentait contre lui les flancs ou les museaux de Mes Beaux, il songeait à elle comme à une étoile, un esprit, une créature à peine humaine, une bonne fée peut-être, un être dont l'existence même suffisait à faire apparaître dans le commencement de la nuit sur son visage laid un sourire et dans tout son corps fatigué, un merveilleux apaisement.

Il s'était promis de lui consacrer sa vie, de façon que la sienne à elle, encore balbutiante, ne connaisse pas tout ce que lui avait connu, de peurs, de rocailles et de souffrance.

Il avait prononcé ses vœux.

Elle serait tout pour lui et il veillerait à ce que jamais plus la poussière ne vienne se poser sur elle.

Il ne laisserait personne lui faire du mal.

En quelque sorte, il était entré en religion.

Celle de Lémia.

XXXX

Ainsi, tout se mettait en place.

Ne manquait plus que le craquement pour que l'allumette s'enflamme et que la tragédie connaisse son dernier acte.

Chacun avait son rôle distribué, duquel il ne pouvait sortir. C'est sans doute là ce que certains hommes appellent le destin, terme pompeux qui sert à les grandir, ou la fatalité, autre vocable plus à même de les excuser.

Quoi qu'il en soit, plus rien d'autre ne pouvait advenir que ce dont la rencontre des personnages, du lieu et du moment allait accoucher. Ni destin donc, ni fatalité, pas même hasard ni dessein divin : plutôt poignée de cailloux jetés sur le sol, et dont on regarde ensuite la figure, comique ou grave, qu'ils ont dessinée. À celles et ceux qui le veulent, plus tard, d'y chercher un sens ou de décider qu'il n'y en a aucun. Les uns et les autres ont raison. Ou plutôt, chacun a ses raisons. La vie est une si étrange aventure que pour la supporter certains d'entre nous ont besoin de se convaincre qu'elle possède un sens. Chacun fait comme il peut : agrégats d'atomes, nous nous croyons bien trop souvent physiciens alors que nous ne sommes que matière.

Un craquement d'allumette.

C'est cela qui allait avoir lieu.

Par le biais d'un cheval fou, à la robe funestement noire, échappé de son enclos, agacé de printemps, et qui d'un seul coup, d'une forte ruade, avait brisé sa barrière pour courir là où bon lui semblait, et s'enivrer dans le vent chaud.

Un cheval, jeune, épuisé d'un trop-plein d'hiver passé dans la geôle de son étroite écurie, pour qui les délices de la vie prenaient soudain la forme souple de l'herbe neuve, ondulante sous les assauts du foehn, et qui se roula en elle, la mangea, la mâcha, se saoula de son odeur musquée et de sa verte sève. Puis se laissa aller à terre, s'allongea, pattes tendues, s'endormit bercé de fatigue et de liberté, mais cela dura peu tant le monde autour de lui était grand de possibles et d'attraits.

Et voilà le cheval piquant un galop, pour rien, pour lui-même, pour sentir l'air ouvrir ses naseaux, se déchirer sur son chanfrein, fouiller de ses doigts immenses et invisibles sa crinière qui volait, pour éprouver ses muscles endoloris par les longs mois de neige, pour les déplier, pour dénouer ses tendons, pour faire craquer ses os tandis que le soleil le regardait et le réchauffait de ses rayons.

Baraj était occupé à repeindre un volet du Poste tout en jetant de temps à autre un coup d'œil à l'intérieur où, pour la dixième fois peut-être, son supérieur avait convoqué Lémia. Ils étaient face à face, la jeune fille tête baissée, docile, écoutant le Policier, parfois disant un mot ou deux, répondant aux mêmes questions avec les mêmes réponses.

Soudain l'Adjoint entendit un hennissement qu'il ne connaissait pas. Il se retourna. Vit le cheval. Tout son corps frémissait de bonheur, de fatigue, de fougue, de désir. Il avait senti dans son échappée l'odeur des juments du Poste. Qu'elles soient vieilles et usées ne paraissait pas l'avoir éloigné. Il était là. Il grattait le sol de ses sabots. Il parlait dans sa langue de cheval.

Baraj le reconnut.

Il appartenait à Oblievic, un paysan qui possédait une grosse ferme à une verste de la ville. Il y cultivait le blé et le seigle, et y élevait une vingtaine de chevaux. Il avait acheté celui-ci l'année précédente à la foire de la Saint-Jean. Celui qui le lui avait vendu était un maquignon de Valachie réputé pour la qualité de ses bêtes, et qui venait chaque année proposer les plus belles. Il lui avait assuré que ce serait un étalon exceptionnel. Le marché avait été conclu.

Baraj posa son pinceau, s'approcha de l'animal. Il vit que le cheval était épuisé mais qu'il était aussi ivre d'air et d'herbe. Il était trempé, tremblait. Une salive bulleuse ourlait sa bouche. Son œil était trouble. Il avançait avec prudence. Il était tout près.

Le noiraud gémit, grogna, gratta le sol de son sabot, tapa la terre, jeta sa tête en arrière. Baraj prit son temps, ne fit aucun geste brusque, tendit la main vers l'encolure, la posa à plat sur le poil mouillé de sueur, le caressa.

Le cheval se laissa faire. L'Adjoint resta de longues minutes ainsi, contre lui, versant dans son oreille des mots apaisants. La bête l'écouta puis se laissa mener vers l'écurie. Baraj ouvrit la porte. Les juments le regardèrent. Il prit une corde roulée autour d'un clou, fit un nœud coulant, le passa autour de l'encolure de l'étalon, le fit entrer dans l'écurie. Les juments bougèrent un peu. Il les rassura. Leur dit que le nouveau venu ne resterait pas longtemps, qu'il lui fallait se reposer. Qu'elles lui fassent bon accueil. Il l'attacha à quelques mètres d'elle. Le cheval se laissa faire. Baraj referma la porte et frappa à celle du Poste.

Le Policier fut agacé d'être dérangé. Lémia leva les yeux vers le géant, parut soulagée de le voir entrer, lui sourit. Baraj essaya de lui rendre son sourire, mais son visage devint grimace. La petite ne s'en effraya pas. Il faisait à l'intérieur une chaleur de forge.

« Quoi ?

« Un cheval d'Oblievic s'est échappé. Je viens de le faire entrer dans l'écurie. Il me faut aller prévenir son Maître.

« Ne peux-tu pas le lui ramener ?

« J'ai réussi à lui faire faire quelques pas, pas sûr qu'il m'obéisse tout le trajet. La ferme n'est pas toute proche et il est bien fougueux.

« Eh bien va ! Que veux-tu que je te dise ? »

L'Adjoint salua le Policier mais n'osa plus regarder Lémia. Il revint dans l'écurie, sella une des juments. Le cheval noir restait droit sans bouger, appuyé contre le mur, les yeux à demi clos. On l'aurait cru endormi debout. L'autre jument ne lui prêtait plus attention et mâchouillait du foin.

Baraj partit vers la ferme.

Nourio s'était levé. À travers la fenêtre, il vit l'Adjoint s'éloigner sur le chemin. Dans son dos, toujours assise, se tenait Lémia. Il sentit son cœur s'emballer dans sa poitrine et sa bouche devenir sèche. Il était en nage. Il défit deux boutons de sa chemise. Il avait entassé plus d'un mètre de bois dans l'âtre, et n'avait cessé de dire à la jeune fille de se mettre à l'aise, de dénouer son châle, après tout ils se connaissaient bien, il n'y avait plus à faire de manières.

Mais elle était restée sur sa réserve, alouette fragile au plumage immaculé, ne paraissant pas

471

souffrir de la chaleur, et avait gardé le châle noué et rabattu sur sa poitrine.

Le Policier tisonna le foyer torride. Il ôta sa veste, releva les manches de sa chemise. Il passa avec lenteur la main sur son poitrail, sur sa gorge trempée, tout en fixant Lémia. Il se donnait ainsi à peu de frais l'illusion de la caresser elle.

« Je t'ennuie depuis tant de mois avec cet événement effroyable ! Mais il ne faut pas m'en vouloir. Je ne fais que mon métier. Je veux comprendre qui a pu commettre ce meurtre odieux, le retrouver et qu'il paie ! Tu es le témoin le plus précieux, Lémia, oui, précieux. Et d'ailleurs, sais-tu, tu m'es précieuse à plus d'un titre, et pas seulement en tant que témoin... »

Le Policier revint vers la fenêtre. L'Adjoint avait disparu à l'horizon. Il était désormais vraiment seul avec la jeune fille. Il en fut troublé, la tête lui tourna, il se laissa tomber sur sa chaise et but d'un trait un verre d'eau.

La jeune fille tourmentait entre ses doigts un brin de laine. Nourio posa subitement sa main sur les siennes, les emprisonna. Lémia chercha à les dégager mais n'y parvint pas. Le Policier serra encore plus fort.

« Pourquoi as-tu peur de moi ? Je ne veux que ton bien ! Je suis là pour toi. Tu n'es plus une enfant. Tu es presque une femme. Tu as tout d'une femme, on a dû déjà te le dire, adorable Lémia ! Bientôt tu pourras prendre un époux.

Quelle chance il aura... Oui, quelle chance il aura ton époux de te prendre dans ses bras, de poser sa tête contre ta poitrine, de venir près de tes lèvres pour... »

La jeune fille se leva brusquement de sa chaise et courut vers la porte qu'elle ouvrit. Le Policier en une fraction de seconde oublia qui il était, oublia sa fonction, la décence, le bien, le mal, sa femme, ses enfants, son âge à lui, l'âge de la jeune fille, sa peur. Il oublia tout. Il devint une bête sans raison, engorgée de désir sale, inondée par les seules pulsions de la chair. Son esprit avait abdiqué devant la tyrannie de son sexe. Il avait d'ailleurs de la scène qui se jouait une perception décalée, comme s'il était le spectateur de l'acte immonde qu'il commettait, et se voir ainsi, dédoublé, plutôt que de provoquer en lui un éclair de lucidité qui lui aurait fait reprendre conscience, augmentait encore son excitation : il jouissait de faire, et jouissait *aussi* de se voir faire.

Il avait arraché Lémia de la porte à laquelle elle s'était cramponnée **puis** l'avait poussée violemment sur la table, sans souci de ses pleurs, sans souci de ses plaintes. Il l'avait plaquée contre le bois, lui maintenant la gorge, l'étranglant presque, tandis qu'avec sa main libre il avait déchiré les vêtements, cherchant un passage vers les seins, le ventre, les cuisses qu'il était parvenu à écarter avec ses doigts maigres.

Il prononçait des phrases incohérentes, hachées, mélangées à des râles et à des souffles. Il mangeait ses lèvres avec ses lèvres, les forçait avec sa langue, les léchait ensuite.

Des larmes coulaient sur les joues de la jeune fille. Elle avait au début poussé des cris, quand il s'était précipité sur elle, mais très vite ils s'étaient taris dans sa gorge, et aucun hurlement, aucun mot, aucun appel au secours ne parvenait à en sortir. Elle souffrait. Dans son âme et dans son corps. Et voyait au-dessus d'elle le visage déformé du Policier, qui soufflait son haleine vinaigrée, l'inondait de bave et de mots fous et dont les traits tordus par la rage et le désir le faisaient ressembler à un gnome.

Elle ferma les yeux. Elle sentit dans le bas de son ventre ses mains sales la fouiller en même temps qu'elle entendait ses couinements à son oreille, ses gémissements, ses grognements monstrueux. Il lui parlait, par saccades, par mots jetés sans ordre, orduriers, fangeux, par phrases interrompues, reprises, écartelées, et tout cela était mêlé de halètements, de soupirs obscènes, et ce qu'il disait se souillait de cela et perdait tout sens.

Elle ne cherchait plus à lutter. La nuit se posait sur ses yeux. Un crépuscule lourd comme mille années de souffrance écrasait son jeune corps jusque-là neuf et pur. Elle avait la sensation de devenir une chose molle, triste, perdue, flétrie. Elle vieillissait à une vitesse intolérable, entraînée dans une chute incontrôlable vers la mort. Elle avait envie de se laisser aller, de dormir à jamais, de tomber pareille à une pierre dans un grand sommeil, de disparaître, de se fondre dans le bois dur de la table sur laquelle le Policier l'écrasait. De n'être plus rien. De n'être enfin plus rien. De ne plus sentir la terrible brûlure qui allait et venait dans son ventre.

Mais elle se sentit soudainement allégée.

Le corps du Policier ne pesait plus sur le sien.

Il y avait eu un mouvement d'air, une voix, un fracas.

Elle ouvrit les yeux.

Elle ne comprit pas immédiatement ce qui avait lieu.

Dans l'encadrement de la porte se dessinait la silhouette de celui qu'elle avait surnommé pour elle seule le Bon Géant, l'Adjoint du Policier. Il lui faisait penser à certains personnages des légendes que le Maître à l'école leur avait lues jadis, dont les récits disent qu'ils ont une apparence affreuse mais dont le cœur est plus clair que l'eau de la plus claire des sources.

Il avait empoigné le Policier et le tenait à bout de bras. L'autre gesticulait comme une chenille qu'on extirpe de la tige d'une fleur qu'elle était occupée à ronger :

« LAISSE-MOI ! JE T'ORDONNE DE ME LAISSER, IMBÉCILE ! » vociférait le Policier, grotesque avec son corps de vermisseau.

Baraj avait déjà parcouru une demi-lieue quand soudain, sans qu'il sache pourquoi, il avait eu la certitude qu'il lui fallait retourner au Poste. Une force l'avait possédé, quelque chose qui n'était pas de l'ordre de la volonté, qui ne trouvait même pas d'explication rationnelle. Il s'était senti semblable à la limaille de fer impuissante à résister à l'attraction que l'aimant opère sur elle.

Il avait rebroussé chemin.

Oui, il lui fallait rebrousser chemin, et qu'il se hâte de le faire. La vieille jument semblait l'avoir compris aussi, qui avait tenté un trot méritant bien que peu efficace.

Et il avait fini par arriver.

Tandis qu'il s'apprêtait à descendre de cheval, il avait entendu au travers de la fenêtre des sons étranges, des bruits de lutte. Il avait sauté de sa monture, n'avait pas pris la peine d'attacher la jument, s'était précipité vers la porte qu'il avait trouvée ouverte.

Alors il avait vu la scène.

Et désormais, l'impensable se produisait : il tenait le Capitaine à bout de bras, d'une de ses fortes paluches qui prenait la gorge de l'autre en étau. Nourio fulminait, rageait, hurlait des ordres et des insultes, tentait de jeter des coups de pied à l'Adjoint mais ses jambes étaient trop petites pour l'atteindre et son pantalon, baissé jusqu'aux genoux, empêchait de plus amples mouvements.

« Calmez-vous, Maître, de grâce ! » osait Baraj, mais ses mots n'avaient aucun effet sur son supérieur sinon d'augmenter sa colère, car depuis que l'autre crétin avait surgi, Nourio, le regard et l'esprit dessillés, prenait conscience de ce qu'il avait fait, qui s'appelait un crime, un des plus bas et abjects qui soient, sa pensée avait été lavée à grande eau et il s'apercevait qu'il était à demi nu devant son Adjoint, et que celui-ci le contemplait dans sa tenue grotesque et comprenait ce qui venait de se passer. Il avait envie de le tuer. Il *fallait* qu'il le tue, sinon Dieu seul sait ce qui pourrait advenir, oui, il *devait* le tuer, il devait tuer Baraj, mais il ne parvenait pas à se dégager. Ses coups de pied et ses coups de poing donnaient dans le vide, quand soudain, battant l'air comme quelqu'un qui chute d'un toit et tente sans succès de voler, il atteignit par miracle le tisonnier dont il s'était servi un peu plus tôt pour aviver le feu.

C'était une barre de fer grossière, de mince section, qui avait dû jadis avoir un autre usage, et dont la pointe curieusement taillée avait la férocité d'un fer de lance. Nourio, qui commençait à étouffer sous la pression de la main de l'Adjoint, frappa à l'aveugle devant lui. Le coup de taille meurtrit l'épaule de Baraj. Malgré la douleur celui-ci ne lâcha pas prise et continua à implorer son supérieur de se calmer.

Mais le Policier était décidé à tuer et n'entendait plus rien. Il frappait en tous sens avec l'énergie d'un condamné. Baraj tentait d'esquiver du mieux qu'il pouvait mais soudain le tisonnier s'enfonça dans sa poitrine, pas assez pour atteindre le cœur mais suffisamment pour faire naître en lui une brûlure violente qui provoqua chez la grande bête un réflexe brutal : il rejeta de toutes ses forces le Policier, sans égards, mû par la seule énergie de survie et Nourio fut propulsé en l'air, cogna le mur du fond, et retomba au sol, petite chose inerte, dans un bruit mat qu'à peine aiguisa un faible cri coupant.

Baraj posa sa main sur la plaie. Le sang coulait dru. Il grimaça. Ses tempes battaient. Sa gorge était sèche. Il était à bout de souffle. Il comprit qu'il lui fallait au plus vite arrêter l'hémorragie. Il chercha autour de lui un linge, un tissu, un chiffon, mais avant même qu'il puisse se saisir de quoi que ce soit, Lémia était venue à lui, avait enlevé le châle dans lequel elle s'était enrubannée, en avait fait une grossière boule qu'elle avait plaquée sur la plaie de Baraj, sans paraître le moins du monde horrifiée par le sang qui aussitôt l'imprégna. Puis à l'aide de deux torchons qu'elle noua, elle fit un bandage qu'elle serra fort autour de la poitrine de l'Adjoint.

On aurait pu croire qu'elle avait effectué tous ces gestes mille fois auparavant. Et Baraj, étourdi, effrayé par la vision du corps de son supérieur sur le sol à quelques pas de lui, l'avait contemplée, se demandant s'il ne rêvait pas la scène, croyant déjà qu'il était mort peut-être. Comme une petite mère, elle l'aida à s'asseoir, prit une tasse, y versa un peu de thé du samovar, la lui tendit. Il but à petites gorgées. Et tous deux se regardèrent, les yeux dans les yeux, et Baraj vit dans ceux de la fillette une lueur douce et forte, qui était celle d'une reconnaissance sans limites, et Lémia vit dans ceux de l'Adjoint un étonnement enfantin, une reconnaissance béate, quelque chose de naïf et de fragile, en même temps qu'une terreur sans fond.

Ils restèrent un long moment, sans se parler, sans oser dire un mot, chacun apportant à l'autre par sa simple présence un réconfort qui tournait le dos au temps des horloges. Ils ne se préoccupaient que d'eux-mêmes, non pas dans un élan d'égoïsme étroit, mais ainsi que des survivants peuvent le faire après avoir frôlé d'un peu trop près l'abîme, et dont la stupeur d'être encore en vie les isole dans un recoin miraculeusement ouaté du monde.

Ce n'est que lorsque l'Adjoint tendit la main pour poser la tasse vide sur la table que la réalité retrouva son cours rugueux. Alors ils reprirent tous deux conscience du lieu, du moment, et de ce qui était advenu.

Quand il regarda de nouveau au sol la petite masse inerte du corps du Policier, Baraj ne put s'empêcher de gémir. Couché la face contre le plancher, Nourio était recroquevillé sur lui-même, son cul blanc et glabre découvert, les deux mains posées de manière cocasse contre ses oreilles.

Ayant crevé le tissu de son vêtement, pointé en l'air à la verticale, le tisonnier sur lequel il était retombé dans sa chute l'avait transpercé de part en part : nul tragique, aucune horreur, ne se dégageait du tableau, tant le Policier ainsi faisait songer à un poulet peu gras qu'on avait embroché à la va-vite, sans même l'avoir plumé, dans l'espérance improbable de le rôtir et d'en faire un repas.

Sa mort avait été grotesque et brutale. Quelque part, on avait dû réunir en urgence un tribunal pour examiner son crime. La session avait été brève. Le jugement pris à l'unanimité. L'exécution avait suivi. Efficace. Originale.

Lui qui durant sa vie n'avait cessé de jouir de son intelligence, la pensant supérieure à celle de bien des hommes, venait de mourir de la façon la plus bête et de manière si foudroyante qu'il n'avait même pas pu méditer sur la fragilité de la vie, les chaînes de conséquences, ni faire de son agonie le lieu pour ciseler une pensée profonde et définitive.

Pire encore, il était mort sans avoir rien résolu des mystères qui l'avaient occupé depuis des mois, en premier lieu le meurtre du Curé Pernieg, dont il avait pensé que l'élucidation lui vaudrait enfin la reconnaissance de ses supérieurs.

Il était mort de n'avoir su maîtriser ses torrents d'humeur.

Il était mort parce qu'au milieu du haut de ses cuisses palpitait un morceau de viande et deux glandes qui avaient bien plus de pouvoir sur lui que sa raison.

Il était mort idiot et criminel, lui l'arrogant détenteur de l'ordre, le supposé protecteur des faibles.

Et le tableau de sa mort, l'attitude de son corps, la vision de ses fesses maigres et nues, celle de ses deux mains pressant piteusement ses oreilles comme s'il ne voulait pas entendre la terrible sentence qui l'avait condamné, tout cela, plutôt que de faire naître des sentiments de pitié et de consternation, aurait provoqué chez n'importe quel témoin de la scène, à l'exception de l'Adjoint, pétrifié par les conséquences de son geste, un rire énorme.

Mais l'Adjoint ne riait pas. Il ne pouvait pas rire car il était perdu au point d'en oublier sa propre douleur.

Le Capitaine était mort, et c'est lui qui l'avait tué.

Le monde s'effondrait sous ses grands pieds cagneux.

Son cœur battait la chamade.

L'air entrait mal dans ses poumons.

Dans sa tête défilèrent quantité d'images : il se voyait partir vers la Capitale pour se livrer aux autorités.

Mes Beaux le regardaient s'éloigner et hurlaient.

Sitôt son meurtre avoué, on l'encageait dans un cachot sans fenêtre.

On l'y laissait pourrir des semaines.

Puis venait le procès, expédié en moins d'une heure par trois militaires aux faces graves et aux plastrons plâtrés de décorations.

Au-dehors de la salle, le gibet l'attendait.

Il y montait sans rechigner, les yeux baissés vers le sol, sans oser regarder autour de lui une dernière fois le monde des hommes.

La corde au cou, tandis que le Prêtre le bénissait et lui donnait l'extrême-onction, il repensait à ses grands chiens abandonnés à eux-mêmes et des larmes lui venaient aux yeux qu'il ne pouvait essuyer car on lui avait lié les mains dans le dos, et tandis qu'il essayait de sécher ses joues contre ses épaules, la trappe sous ses pieds s'ouvrait, et la mort l'aspirait, sans qu'il y prenne garde, dans un craquement funèbre de bois et de vertèbres.

Il saisit les mains de Lémia qui se laissa faire.

« Je l'ai tué... murmura-t-il. J'ai tué mon Maître... »

Et en disant ces mots à haute voix, son acte prit un poids plus encore considérable. Un immense rocher lui écrasait les épaules. Il se sentait s'affaisser de seconde en seconde. Il ne pouvait lutter.

« Je l'ai tué... » répéta-t-il.

Et toute sa grande carcasse fut secouée de sanglots.

XXXXI

À quoi aurait donc pensé celle ou celui qui aurait aperçu l'étrange équipage constitué de Lémia et de Baraj, allant dans le crépuscule, à pied, la très jeune fille marchant en tête, une couverture prise au Poste et jetée sur ses épaules, et menant l'Adjoint, et lui avançant, immense bête de somme-meharassée, sa tête ballant sans cesse au rythme de leurs pas, le corps épaissi par le pansement, ses jambes en fût de hêtre, se laissant conduire vers où donc, il ne le savait pas, mais sachant qu'elle savait, et cela lui était suffisant, la petite qui savait, la petite qui peu d'années plus tôt gîtait encore dans le nid de l'enfance, et là donc, devenue *mère courage*, emmenant le géant blessé, agrippant trois doigts de sa main râpeuse, tandis que dans son autre main elle ne lâchait pas la pierre qui avait tué le Curé, et qu'elle avait saisie sur l'étagère du poste, arme des temps géologiques, qu'elle avait prise sans hésiter et qui semblait épouser sa paume, taillée pour elle, lave pétrifiée pour elle, pourquoi donc l'avait-elle prise cette pierre alors que Baraj ne cessait de remâcher son crime et gémissait sa faute, elle avait saisi la pierre, pris la main de Baraj, l'avait entraîné au-dehors, sans que ni elle ni l'Adjoint se soucient du corps du Policier mort, oui, mort, ce ne pouvait être autrement, et laissé là sur place, plus misérable qu'un rat crevé, et Lémia s'était mise en route, d'un pas sûr, semblant laver son corps souillé dans l'air devenu frais de la fin de ce jour de printemps, marchant sans hésitation vers le couchant, vers une destination qu'elle seule connaissait, le pauvre Adjoint malmené de remords, la suivant sans question, ivre de son geste, oui, à quoi aurait pensé celle ou celui qui les aurait ainsi aperçus ?

Lémia conduisait Baraj. L'ouest prenait feu. Le couchant fourbissait ses effets grandioses. Peu à peu les deux marcheurs s'enroulaient du sombre de la nuit qui descendait feutrée sur le monde. Ils s'amenuisaient, s'amincissaient, devenaient silhouettes, découpages de papier noir.

Lémia et Baraj avaient atteint le long plateau, la terre nue, rêche, jaunie après l'hiver et qui n'avait pas encore laissé pousser sa peau verte d'herbe neuve. La petite guidait toujours, sachant où elle allait, n'hésitait pas, contournait les ruptures, les gouffres aux gueules minces mais qui s'ouvraient sur des profondeurs obèses, les fractures dans le grand bouclier calcaire, les dépressions, les tourbières, les éboulis. Çà et là, de vieilles crottes de moutons, les restes d'un feu, d'un campement de berger, un muret écroulé, une source qui renaissait et glougloutait, et partout, partout, l'odeur de la terre qui se déprenait du long gel, qui s'était défaite de sa houppelande de neige, qui s'étirait, bâillait d'aise, se gonflait et respirait, enfin, et qui lâchait sa neuve haleine noire et fraîche.

Au ciel, la première étoile, et le bleu qui s'étirait et se diluait, noir ou blanc. À l'occident, le soleil effondré. L'horizon l'avait bu. Plus rien. Des lueurs. Des traînées. Pas davantage. Rouges. Flammes. Pourpres. Cendreuses déjà.

L'appel de la nuit.

Son premier coup de pinceau.

Lémia s'était arrêtée. Baraj aussi, la tête basse, l'âme si lourde de peine et de remords qu'aucune autre pensée ne pouvait s'y poser.

Où était-on ?

La petite venait de tirer sur sa main. Il leva le regard. C'était ce qu'elle voulait. Elle voulait qu'il voie. Il obéit.

Alors que vit-il ?

D'abord rien.

Du sombre de plus en plus sombre. Il ferma les paupières, les rouvrit, les referma. Tenta de s'habituer au crépuscule mourant. Lémia était près de lui. Immobile. Elle attendit qu'il soit là, vraiment, près d'elle, yeux ouverts, esprit clair. Elle attendit. Elle le regarda. Lui fit comprendre cela :

« Prends ton temps, Bon Géant, nous sommes là, toi et moi. Nous tournons le dos aux heures, aux hommes, à leurs règles, à leur temps. Il n'y a que toi et moi, et la vérité que je veux te dire. Prends ton temps. »

Baraj s'ébroua. Sa poitrine le brûlait. Il aurait aimé dormir, disparaître. Il ne savait plus vraiment. Il était blessé, meurtri, au-dedans et au-dehors. Mes Beaux lui manquaient. Il aurait aimé s'endormir tout contre eux. Mais soudain il vit. Il vit Lémia. Il se ressaisit. Il reconnut le plateau. Il le reconnut à sa belle odeur de plateau ébroué par les premières tiédeurs du printemps. Il sut où ils étaient. Oui. Il pointa la carte avec son âme et sa mémoire. Il se reprit. Frotta sa trogne avec ses grandes pognes. Comme au-dessus du jet d'une fontaine.

Lémia s'agenouilla.

Il la suivit des yeux et découvrit au sol le dessin d'une tombe, son bossellement qui paraissait épouser le corps endormi à jamais en dessous, et le pourtour marqué par des pierres de la grosseur d'un poing serré. Une tombe au milieu du grand nulle part, bien loin du cimetière qui est une ville endormie, le cimetière qui signale la communauté des hommes, où les morts se réchauffent les uns contre les autres, et peut-être se parlent, à l'insu des vivants, dans leur longue nuit.

Mais cette tombe-là, c'était la tombe de celle qu'on avait voulu chasser de la communauté, à qui on avait signifié qu'elle n'avait pas sa place parmi les autres morts, qu'elle devrait pour l'éternité demeurer seule, lointaine, rejetée, au creux du plateau immense, parmi les vents de neige du grand hiver et les cris pauvres des troupeaux pleurant l'herbe rare dans les étés trop brefs.

Lémia d'une main surligna le dessin de la tombe, s'arrêta sur chaque pierre et la caressa avec tendresse. Baraj la regarda faire. Le soir était là qui sentait bon le vent doux. Les étoiles au ciel, de plus en plus nombreuses, disaient des infinis d'argent. Et la petite continuait, sa main passait de pierre en pierre et l'Adjoint la regardait faire, tandis que dans son crâne les idées tournaient comme des planètes, à une vitesse folle, pour trouver comment s'assembler en une harmonie soudain lumineuse, car Baraj sentit qu'il était au bord d'une révélation, il le sentit dans sa confusion d'homme simple et d'homme blessé.

La main de Lémia s'arrêta, se posa dans un creux au sein de la couronne de pierre, un creux non comblé par une pierre, vide qu'elle caressa avec lenteur et délicatesse comme elle avait caressé toutes les pierres auparavant, et Baraj contempla ce creux, s'approcha plus encore sur le bord abrupt de la connaissance et lorsque Lémia se rendit compte que l'Adjoint la regardait avec une intensité qu'elle n'avait jamais vue dans ses grands yeux simples, elle lui présenta la pierre qui avait tué Pernieg, la pierre qu'elle avait prise sur l'étagère du Poste, la pierre assassine sur laquelle butait depuis des mois le mystère de la mort du Curé, et cette pierre de la nuit des temps violents, elle la posa dans le creux qui l'attendait, creux duquel elle avait été retirée voici des mois par la même main, et alors se compléta de nouveau la couronne, et put se reposer sous elle la reine morte, suicidée, celle à qui on avait refusé sépulture, celle à qui, morte, le Curé Pernieg avait dit non, pas elle dans son église, pas elle dans son cimetière, pas une suicidée, enterrez-la loin de la ville, l'impie, loin des yeux de tous, enfouissez-la vous-mêmes, la pécheresse, nulle place pour elle dans le Royaume de Dieu, qu'elle en soit à jamais bannie, et cela d'un ton cassant de tesson de verre, avec ses traits au burin et ses dents longues, sa face rigide de ministre du divin, ce refus craché au visage du misérable veuf qui implorait, avec ses enfants blottis contre lui, le petit trop petit et qui ne comprenait pas encore, mais la fillette déjà grande et qui se fit ce jour-là une promesse, qui jura sur l'âme de sa mère de punir celui qui dans leur malheur les punissait plus encore, et qui tint sa promesse, des années plus tard, et qui n'en conçut, au moment de frapper la tête du religieux, ni trouble ni remords.

La tombe de nouveau était tombe intègre.

La pierre avait repris sa place et pouvait de nouveau jouer son rôle de pierre. Et au-dessous, dans
la terre dense, la morte suicidée pouvait enfin téter
sa paix profonde. Et sourire. Sourire à Lémia. Sa
fille aimée par-delà la mort.

La nuit enveloppait Baraj et la jeune fille. Et
l'Adjoint dans son esprit naïf avait compris. Il n'y
avait pas eu besoin de mots pour cela. Il avait
compris le meurtre, et il avait compris le pacte que
Lémia lui proposait :

« Je te révèle ma vérité, toi seul sauras, et je
connais ta vérité, et moi seule saurai. Tu as tué le
Policier, j'ai tué le Curé. Nous voici unis par la
mort que l'on donne, qui n'est pas mort injuste,
qui est un poids décent posé sur le plateau de la
balance, et dont il sera tenu compte au jour de la
pesée des âmes, et nous voici unis par notre
secret. »

Lémia se releva et regarda Baraj au plus profond de ses yeux. Soudain sans qu'il sût bien
pourquoi il eut envie de pleurer, non de peine ou
de tristesse, mais trop empli d'un sentiment nouveau, dont il ne connaissait rien, qui n'était pas
l'amour, qui n'était pas la reconnaissance, qui
n'était pas l'amitié, non, c'était tout autre chose
qu'il ne savait pas nommer ni même cerner, une
sorte de bien-être, une esquisse de bonheur, oui,
peut-être cela, mais au tout début seulement, et au
moment où de grosses larmes naissaient à ses
yeux, la petite se blottit contre lui et le serra dans

489

ses bras, et la nuit elle-même vint alors à eux, et les serra elle aussi, dans son tissu noir et tiède, près de la tombe apaisée, sur le grand plateau nu aux dimensions de mausolée, non loin de la Frontière où s'agrégeaient d'invisibles turbulences.

Alors, enfin, tout fut en ordre.

Mais pour combien de temps ?

XXXXII

La disparition de Nourio n'affecta pas la petite ville.

On pourrait même dire qu'elle soulagea le plus grand nombre des habitants, à commencer par ses édiles.

Rapidement, forgée par on ne savait qui, courut la rumeur que le Policier n'avait sans doute pas supporté les tensions que beaucoup avaient observées entre lui et son supérieur, le Commandant Sroh, à la suite de l'incendie de la mosquée.

On supposa qu'il avait préféré partir, sans laisser ni trace ni adresse, fatigué de sa vie conjugale et de sa marmaille morveuse, et plein d'une amertume recuite née de sa misérable carrière, afin de recommencer sa vie ailleurs, et ce fut bientôt comme s'il n'avait jamais existé.

Il avait certes physiquement disparu mais il s'était encore plus vite effacé des conversations. À peine si on avait tendu l'oreille quand un colporteur frioulan qui faisait commerce d'images pieuses, de couteaux, de fanfreluches et de rubans, jura l'avoir croisé dans les rues de Graz deux semaines plus tôt, vêtu de l'habit de la corporation des Garde-Foyers. On souffla. Haussa les épaules. On se dit, oui, peut-être. Et puis, quoi. Après tout, grand bien lui fasse.

On se croit important, mais on est peu de chose, et on occupe une place infime dans la mémoire encombrée des hommes.

Même la femme du Policier ne s'inquiéta pas de son absence qui se prolongeait. On la vit sortir, aller dans la rue et dans les commerces. Les chaînes qui l'empêchaient jusque-là de mener une existence normale semblaient avoir été brisées. Quelques-unes qui la croisèrent dirent même avoir aperçu un sourire sur son visage qui avait repris le teint de sa jeunesse, et semblait s'être débarrassé de la constante lassitude qui grisait ses traits.

À l'approche de l'été, un lointain cousin à elle, à qui elle avait sans doute écrit son infortune, vint la chercher et elle s'en alla vers la Capitale avec sa progéniture et ses quelques meubles arrimés à une charrette, ainsi qu'elle en confia la veille le projet à Baraj qu'elle était venue trouver au Poste.

Cette brève visite avait plongé l'Adjoint dans un grand embarras. Il n'avait su face à elle comment se tenir ni que dire.

C'était par une journée fort chaude.

La ville somnolait sous une calme torpeur.

492

Au ciel les hirondelles s'épuisaient en des vols géométriques et inutiles.

Baraj proposa un verre d'eau fraîche à la femme du Capitaine, qui l'accepta. Il l'avait fait asseoir à la table. Elle but l'eau par petites gorgées en laissant aller son regard sur les murs, l'âtre au repos et nettoyé de toute cendre, le samovar, les registres, les étagères, les encriers, les plumes, les formulaires, un vieux gilet du Policier qui pendait orphelin à une patère, et même le tisonnier posé sur les chenets et sur lequel, allez savoir pourquoi, son regard s'attarda, son regard dans lequel à ce moment précis un sourire naquit, ce qui fit monter dans la poitrine de l'Adjoint un flot de panique.

« Ainsi c'est là que mon mari passait tant d'heures ? » dit-elle sans que l'Adjoint puisse comprendre s'il y avait de l'ironie ou de la tristesse dans son propos.

Elle but encore un peu et reposa le verre, puis elle fixa l'Adjoint qui s'était assis face à elle et regardait ses mains qu'il avait posées devant lui sur la table, comme il l'aurait fait de deux morceaux de bois mal équarris et encombrants. Son cœur battait trop vite. Il aurait aimé être ailleurs.

« Tu n'as pas dû avoir la vie toujours facile avec lui. Il n'était préoccupé que de lui-même. Les autres n'existaient pas, j'en sais quelque chose. »

La femme du Policier l'avait tutoyé sans façon, et ce tutoiement ne le heurta pas. Elle avait une très belle voix, mélodieuse, raffinée, une voix qui n'allait pas avec la petite ville, son étroitesse, son allure de province perdue.

Baraj s'efforça de garder une physionomie placide. Il y eut un silence. Sur la vitre de la fenêtre, une guêpe cherchait en vain à s'échapper, se cognant sans relâche au verre, zézayant de rage. Une des deux juments hennit dans l'écurie toute proche, suivie de peu par l'autre.

« Au fond, qu'importe tout cela, maintenant qu'il est mort. »

La femme avait parlé comme pour elle-même.

À voix très basse.

Murmurante.

L'Adjoint frissonna malgré la chaleur. Il se demanda s'il avait bien entendu.

« Car tu le sais aussi bien que moi qu'il est mort, n'est-ce pas ? reprit-elle un ton plus haut. Tu le connaissais. Nous savons toi et moi qu'il ne serait jamais parti, pas sans rien dire, pas sans rien faire. Cela ne lui ressemble pas. Un homme qui veut toujours avoir le dernier mot, même dans la défaite, ne s'enfuit pas. »

Baraj ne savait que répondre. Il n'osait plus respirer, et encore moins croiser les yeux de la femme du Policier. Il avait soudain très froid.

« J'espère simplement qu'il aura souffert avant de mourir autant qu'il m'a fait souffrir pendant des années, à me traiter pire qu'une chose, à souffler vers moi son haleine empuantie du tabac de ses misérables cigares, à me rabaisser, à me souiller avec constance. »

Elle se tut, puis reprit, comme pour elle seule.

« On croit avoir pour la vie épouser le miel, on se retrouve à laper du vinaigre. »

Puis elle se leva, l'Adjoint fit de même. Elle se dirigea vers la porte et l'ouvrit. Un vent brûlant entra dans la pièce, la guêpe sentit l'aubaine et en profita pour s'échapper, mais elle eut l'idée saugrenue de faire une halte sur le montant du chambranle. La femme du Policier l'aperçut et sans aucune hésitation claqua sur elle le revers de sa main droite. La guêpe tomba au sol. Trois de ses pattes griffèrent l'air, tandis que son dard sortait de son ventre, pour tenter de piquer on ne savait quoi. Elle bégaya ainsi quelques secondes puis s'immobilisa.

C'en était fini d'elle.

La femme de Nourio se tourna vers Baraj.

« La vie ne s'arrête pas. Je te souhaite d'être heureux. Quant à moi, je le suis de nouveau, et je n'ai pas honte de te le dire. Je ne pensais pas connaître ce moment un jour. J'allais vers la mort. Je l'attendais. Je l'espérais. Combien de fois ai-je supplié je ne sais qui, je ne sais quoi, d'abréger mon destin ! Mais nous sommes seuls. Si Dieu existe, Il nous a tourné le dos depuis longtemps. Il n'écoute plus personne. Dieu est le plus grand des égoïstes. Il n'est préoccupé que de Lui-même. Je pense que les hommes L'ont déçu. Je peux Le comprendre. Mais peut-être a-t-Il tout de même penché Son oreille sur mon cœur ? Je suis encore jeune. Point trop vilaine. J'ai des désirs et de l'appétit. La Terre est grande. Je crois avoir mérité ma place au festin. Il m'a entendue. Je Lui rends grâce. »

Elle hésita à dire autre chose, sonda du regard l'Adjoint, lui sourit.

« Mon prénom est Martha. Personne jamais ne s'en est préoccupé, ni même ne me l'a demandé ne serait-ce qu'une seule fois. Je n'étais que la femme du Capitaine, la femme du Policier, la femme de Nourio, la femme de ton supérieur, la mère de ses enfants. À présent, j'ai décidé de redevenir Martha. Martha. Retiens mon nom. Mon mari te considérait mal, mais je sens que tu vaux mieux que lui. Tes yeux ne trompent pas. »

Et elle partit, après un signe de tête, et non sans avoir avec application écrasé du talon de sa chaussure le cadavre de la guêpe qui éclata alors en une matière grasse et jaune.

Il fallut une bonne heure à l'Adjoint pour se remettre de sa visite. Une heure qu'il passa bourrelé d'angoisse, se remémorant la scène tragique, l'empoignade, la chute du Policier, le tisonnier perçant sa poitrine, et le corps raide, glacé et cul nu qu'il avait retrouvé le lendemain quand il avait eu enfin le courage de revenir au Poste.

Car il fallait bien le faire disparaître !

Il avait envisagé quantité de moyens, se convainquant tour à tour que chacun était le meilleur puis se persuadant aussitôt du contraire. Il avait pensé enfouir le corps, ou le brûler, ou le dépecer, ou le précipiter dans un gouffre, ou le noyer dans la mare des Bvorjki dont l'eau est si noire et le fond si vaseux qu'on pourrait y dissimuler un régiment entier, son intendance et ses cantines.

Mais il trouvait sans cesse des arguments pour se dire qu'aucune des solutions n'était la bonne et que chacune, immanquablement, le désignerait tôt ou tard comme le coupable.

Il finit par penser que le mieux était de confier le cadavre à la forêt et à la sauvagine. Il savait combien loups, lynx, renards et sangliers parviennent en une nuit à peine à dévorer les charognes, à n'en rien laisser sinon des os nettoyés de toute chair et que, si un jour on finissait par trouver le squelette, on ne saurait plus guère à qui il appartenait ni comment son propriétaire avait pu passer de vie à trépas. On conclurait sans doute à la mort d'un vagabond ou d'un charbonnier itinérant abandonné là par ses compagnons.

Il attendit la nuit pour se mettre en route.

Le corps de Nourio, duquel il avait retiré avec peine le tisonnier, fut roulé dans une bâche, ficelé à la façon d'un gigot, et arrimé sur la croupe de la plus vieille des juments, qui ne parut pas étonnée par la promenade nocturne que l'Adjoint lui proposait, sous le clair de lune qui baignait les champs et les bois d'une lumière laiteuse.

Baraj avança au pas, afin de ne pas éveiller les questions si par hasard on l'avait surpris. Il allait faire une ronde. On lui avait signalé des actes de braconnage dans les forêts communales. Il avait préparé ses réponses.

Mais il ne croisa pas âme qui vive, et sous les cris des hiboux grincheux et les jacasseries des geais qu'il dérangea dans leur sommeil, il s'enfonça de deux verstes dans la forêt du Ban Vlavlov pour atteindre sa partie la plus touffue qui était celle d'une régénération de résineux bordée de hauts feuillus.

Il attacha la jument à la branche basse d'un frêne, détacha son chargement et le fit basculer sur son épaule.

Le Policier ne pesait rien. Il en fut presque soulagé. Il avança en écartant des ronces, des cépées de charmilles et de jeunes sapins pour atteindre après quelques minutes la place à laquelle il avait songé : c'était une bauge où les compagnies de sangliers venaient enduire leurs soies de boue afin de se protéger des parasites. Le sol, humide par endroits, le restait même au plus chaud de l'été, grâce à une résurgence qui faisait sourdre de la terre des myriades de filets d'eau. La terre comportait quantité de traces de pas, petits et grands, et partout flottait l'odeur si particulière des suidés, entêtante mais agréable, proche de celle qui se dégage des feuilles de noyer quand on les froisse entre les paumes.

Baraj déposa son chargement, dénoua les liens, ouvrit la bâche. Le cadavre de son supérieur lui parut encore plus malingre. La peau semblait bleutée. Les mains raides et cireuses étaient toujours plaquées sur les oreilles, le corps tordu. L'Adjoint le dénuda, évita de regarder le visage du mort et roula les vêtements en boule. Il les brûlerait à son retour.

Nu, le corps de Nourio ressemblait à une chenille recroquevillée sur elle-même. Ainsi rabougri, il n'avait plus grand-chose d'humain. On aurait dit une bête d'une espèce indéfinissable, un avorton expulsé d'une matrice bien trop tôt avant le terme. On avait peine à croire qu'un jour un cerveau l'avait animé et qu'un orgueil et des pulsions l'avaient gonflé comme une outre jusqu'à lui faire commettre des actes irréparables.

Baraj se demanda s'il devait dire une prière, hésita, puis n'en fit rien. Il tourna le dos au mort, rebroussa chemin, presque en courant, retrouva la jument, et sortit au plus vite de la forêt dans laquelle il se promit de ne plus entrer avant un long moment.

Il tint parole et n'y revint jamais.

Mais ce que ne vit ni ne sut Baraj, ce fut, à rebours de ce qu'il avait cru et espéré, le dédain avec lequel les bêtes sauvages traitèrent le cadavre du Policier.

Aucune, même la plus étique, n'en fit son festin.

Beaucoup l'approchèrent, un vieux renard dès la première nuit, un roi véritable, déchu et désenchanté certes, mais aux yeux luisants de malice et de sagesse, au poil somptueux, à la queue fournie, qui, sentant une émanation nouvelle, vint en découvrir la source.

Il renifla le corps, prenant tout son temps, flairant les lèvres, les narines, les oreilles, puis les épaules, les cuisses, les pieds, les fesses, mais il parut tant incommodé par son inspection qu'il s'éloigna en glapissant de dépit sans même avoir essayé de mordiller les chairs.

La même nuit, dans son heure la plus profonde, ce fut une laie, magnifiquement suitée par sept marcassins couinant et joueurs, elle, usée, les allaites gonflées, à vif, éreintée de donner à sa troupe les tétées quotidiennes, affamée aussi, qui se précipita vers le cadavre de Nourio qu'elle ne prit même pas le temps de humer mais dont elle commença à déchiqueter le flanc avec ses dents pour en avaler une large bouchée sous les regards quémandeurs de sa progéniture. Mais aussitôt avait-elle fait cela qu'elle recracha la chair en poussant des grognements de colère, puis elle tapa à plusieurs reprises de sa hure le cadavre, le malmenant comme on en vient aux mains avec un escroc de foire qui vous a dupé sur la marchandise qu'il est parvenu à vous vendre. Enfin elle détala, vociférant, outrée, sa petite troupe à sa suite.

Les heures, les jours, les semaines virent défiler auprès du cadavre de Nourio tout ce que la forêt comptait de bêtes carnivores, selon un protocole hiérarchique décroissant parfaitement respecté, mais aucune ne daigna s'en nourrir.

La chaleur et les quelques pluies eurent beau accélérer la putréfaction des chairs, les rendant plus attrayantes pour certaines espèces inférieures qui font leur délice de la pourriture et des pestilences, il n'en demeura pas moins qu'aucune créature ne consentit à ingérer la plus petite parcelle du corps du Policier.

Seul le temps, qui détruit toute chose, eut raison de lui et le transforma en une matière molle, diluant la forme même de son corps en une masse oblongue, qui gonfla démesurément, puis creva, s'effondra, se tassa sur elle-même, devint liquide, coula de toutes parts en une flaque grasse.

Alors, alors seulement, le peuple des fourmis, des scarabées, des bousiers, des azurés et des cafards, l'entreprit de la même façon et sans plus d'égards qu'il aurait entrepris n'importe quelle laissée de blaireau ou crottin de mule, et il ne resta plus du Capitaine Nourio, après deux semaines de besogne, qu'un amas menu d'ossements d'un blanc douteux.

Ainsi donc finissent les hommes, dans une leçon que le vivant leur délivre, quand ils l'ont quitté à jamais, et qui vaut pour morale.

Baraj continua à entretenir l'ordre et la propreté du Poste, et à faire ses rondes dans la ville, sans que quiconque lui ait demandé ou dit quoi que ce soit, mais le salut que le Maire, le Rapporteur ou le Conservateur lui donnaient, quand l'un ou l'autre le croisaient, suffisait à lui faire comprendre qu'il avait raison d'agir ainsi et qu'on le remerciait pour cela. Et d'ailleurs, il continuait à percevoir sa modeste solde et jamais on ne lui demanda de comptes sur l'absence de son supérieur.

Chaque matin, s'étant assuré du bon ordre des choses, il se rendait chez Lémia. Il n'entrait pas dans la maison, que le père affaibli quittait désormais peu, passant son temps allongé sur sa couche, fiévreux, à repousser en giflant l'air les attaques de scorpions, d'araignées, de scolopendres et de serpents, mais demeurait sur le seuil, comme un garde soucieux de sa tâche et de sa place, et la jeune fille sortait du logis, le saluait, l'invitait à entrer, mais lui n'osait pas, alors elle le laissait là et revenait quelques instants plus tard, une tasse de thé à la main ou un verre d'eau, et tous deux s'asseyaient sur le banc que l'Adjoint avait fabriqué pour elle.

Le grand maladroit buvait.

La jeune fille le regardait faire.

Ils se parlaient à peine.

Ils n'en avaient nul besoin.

Ils avaient leurs secrets.

Ils avaient leurs blessures.

Ils se souriaient.

Les sourires suffisent à dire parfois tant de choses.

XXXXIII

Tout meurt, on le sait.

Les êtres, les choses, les villes, les empires.

La fin est notre lendemain.

Les êtres, qu'ils soient infâmes ou sublimes, ne peuvent se soustraire à la mort.

Le Policier est mort. Comme mourront toutes celles et ceux qui d'une façon ou d'une autre ont traversé cette histoire.

La petite ville mourra.

Emportée par un des vents contraires de l'Histoire, l'Histoire qui ne fomente et ne connaît que des vents contraires, qui est tourbillon sans logique ni règle, sinon celle de malmener l'équilibre des choses et de lui préférer la tempête.

L'Empire mourra.

Il mettra encore un peu de temps pour le faire, mais il mourra, épuisé par sa fausse grandeur et sa cohésion factice, aveuglé par sa splendeur passée, la Frontière devenant une matière molle, perforée, déchirée, laissant aller les centaines de milliers d'hommes massés près d'elle depuis des années et qui feront exploser l'Empire telle une coque de noix sous le talon d'une chaussure. Naîtront du cataclysme quantité d'États, petits et grands, des royaumes, des duchés, des principautés, des républiques, dans lesquels on s'entretuera au nom de Dieu ou du Prophète, où sur les haines anciennes se déposeront des haines neuves, les unes et les autres composant un terreau inépuisable et fertile pour le mal à venir.

Oui, l'Empire mourra, même s'il l'ignore encore.

Les années peu à peu sont tombées sur les épaules de Baraj comme les neiges chaque hiver sur la petite ville.

Il ressemble désormais à une belle et vieille branche maîtresse d'un arbre noble, chêne ou feuillard.

Mes Beaux ne sont plus là, morts de leur belle mort de chiens après leur belle et courte vie de chiens, enterrés avec la plus haute dignité près de la maison. Leur tombe est fleurie chaque été nouveau, avec des simples, de belles herbes, des brassées de fleurs aux senteurs de vent, celles-là mêmes au creux desquelles ils faisaient leurs longues siestes rêveuses.

Mais désormais il y a deux autres Mes Beaux aux côtés de Baraj, qu'il aime tout autant que les précédents. Ils lui ont permis d'estomper le chagrin qui a campé en lui longuement à la suite de la mort des premiers. Mes Beaux II adorés et chéris, accompagnés de Baraj, s'en reviennent vers la masure par une fin de jour d'hiver, un hiver monotone, de neige et de brume. Un autre des hivers infinis.

Tous, Baraj, Mes Beaux II, ont passé la journée au foyer de Lémia, la jeune fille devenue grande, et pour laquelle Baraj est un père depuis la mort du sien, épuisé de vin, de folie et de tristesse, la fillette faite femme, et qui a un mari charpentier qui l'aime, deux enfants, le second d'à peine cinq mois, un garçon potelé, petite âme goulue, avide de bon lait et de caresses, la première à l'image exacte de la mère, poupée fraîche aux yeux noirs qui, à trois ans, contemple le monde avec un air de défi comme pour le croquer.

Baraj aime les visiter.

Il leur apporte son calme et sa force. Il a désormais une barbe de seigneur, argent tissé de charbon, que la petite tire sans cesse en riant sans qu'il la gronde. Il la prend sur ses genoux, lui mime le cheval, le dragon, l'ours, la chèvre, fait le cri du putois, du hibou, de l'alouette. Il mange la soupe en silence, remercie, embrasse, et s'en revient chez lui avec ses chiens avant la nuit.

C'est ainsi presque chaque jour et c'est un bonheur pour lui, pour Lémia, pour son mari qui aime à parler avec Baraj des plantes et des arbres, des nuages, des oiseaux, des coutumes et des lieux, bonheur pour les enfants qui s'endorment près de sa forte chaleur, son odeur de feu et de chique, après avoir joué avec ses chiens et caressé leur ventre doux et rond.

Et voilà l'Adjoint qui n'est plus l'Adjoint de personne, qui a relégué le Policier, sa vie, sa mort, dans un réduit de son âme qu'il a fermé à double tour et dont il a jeté la clé, Baraj, *Baraj de la Krajna*, qui va dans le soir de neige tout embrumé, Mes Beaux II l'escortant, Baraj qui marche et se dit que sa vie qui avait si mal commencé dans les coups, les pleurs, la misère, les cris, sa vie condamnée s'est peu à peu ouverte, pareille à la corolle d'un coquelicot, et puis est devenue aussi douce que les pétales de la même fleur, cette fleur qui pousse sur du rien, du sale, de l'ingrat, des fossés arides, et *Baraj de la Krajna* sourit à cette idée et rend grâce au monde quand soudain il sent étrangement son souffle se suspendre et son cœur se tordre.

Alors il s'arrête, s'étonne, se dit que ce n'est rien, que cela va passer, qu'il est allé trop vite, qu'il est trop heureux, qu'il est idiot de s'enivrer ainsi de bonheur et il ouvre grand la bouche, tente de boire l'air, de l'aspirer, mais l'air se refuse à entrer en lui, et le cœur fait encore un tour sur lui-même, comme un linge mouillé qu'on essore, et Baraj tombe, n'y croyant pas lui-même, à genoux tout d'abord, sous le regard des chiens surpris.

Il reste ainsi de longues secondes, tentant sans succès de happer de l'air, dans le soir désert et blanc, ne ressentant plus la morsure du froid, ayant soudain conscience qu'il n'y a plus rien à faire et qu'il aborde le dernier moment de sa vie, que c'est idiot de s'apprêter à mourir quand on vient de faire le constat de son bien-être, et toute sa pensée va alors vers ses chiens, orphelins bientôt, et le grand escogriffe se demande angoissé ce qu'ils vont devenir sans lui, et cette pensée très vite l'amène à Lémia, sa sainte, son image pieuse, l'adorée, et elle, que va-t-elle devenir, oui, Lémia, petite et chère Lémia, mais il sait qu'elle est aimée de son époux, qu'elle est mère de deux beaux enfants qui l'aiment, alors tout est bien, il peut se laisser aller.

Il s'écroule sur le flanc, les mains posées sur la poitrine. Son visage est couché dans la neige crémeuse qui devient pour lui un majestueux linceul, et son cœur finit par exploser dans une invisible apocalypse sang et or. Les chiens ensemble tendent leur gueule humide vers le ciel absent et poussent un très long hurlement. Moins une plainte lugubre qu'un hommage rauque au Maître qui était tout pour eux.

Car ils savent.

Car les chiens toujours savent.

Car les chiens jadis étaient des hommes, les meilleurs d'entre eux, les rares, les saints, et Dieu alors leur a accordé une nature supérieure : ils sont devenus chiens.

Ils se regardent.

Ils se couchent une dernière fois contre Baraj.

Ils lui apportent une dernière fois leur belle, profonde, pleine et désormais inutile chaleur.

Ils ferment leurs paupières quand lui garde encore, pour rien ni pour personne, ses yeux ouverts sur la nuit qui l'a bu.

Voilà, c'en est fini pour de bon.
Il n'y a plus rien à dire.

Issu de la nuit et sans pensée
J'y reviendrai nageur ensommeillé
L'oubli sera mon eau
L'inconscience mon mouvement
Tout aura été
Rien ne sera plus.
Crépuscule.

Et aussitôt se dissipe le poème, comme l'âme de Baraj qui l'avait enfanté, comme une brume dans le grand vent, comme une haleine sur une vitre, comme un rêve au petit matin.

FIN

DU MÊME AUTEUR (*suite*)

RÉCITS

Parfums, *2012*
Autoportrait en miettes, *2012*
Jean-Bark, *2013*
Rambétant, *2014*
Inventaire, *2015*
De quelques amoureux des livres, *2015*
Au tout début, *2016*
Higher Ground, *2016*
Le Lieu essentiel, *2018*
Un monde de fous !, *2020*
De quelques frontières, *2022*

NOUVELLES

Barrio Flores, *2000*
Pour Richard Bato, *20C1*
La Mort dans le paysage, *2002*
Mirhaela, *2002*
Les Petites Mécaniques, *2003*
Trois petites histoires de jouets, *2004*
Fictions intimes, *2006*
Le Monde sans les enfants et autres histoires, *2006*

THÉÂTRE

Parle-moi d'amour, *2008*
Le Paquet, *2010*
Compromis, *2019*

POÉSIE

Tomber de rideau, *2009*
Quelques fins du monde, *2011*
Triple A, *2011*
Autopsie du cadavre de François Fillon, *2017*
Uthiopie, *2018*
Toi, *2018*
Mon cerveau, *2020*

Cet ouvrage a été composé
par CPA
et achevé d'imprimer sur Roto-Page
par l'Imprimerie Floch à Mayenne
en décembre 2022
pour le compte des Éditions Stock
21, rue du Montparnasse, 75006 Paris

Stock s'engage pour
l'environnement en réduisant
l'empreinte carbone de ses livres.
Celle de cet exemplaire est de :
1 kg éq. CO_2
Rendez-vous sur
www.editions-stock-durable.fr

PAPIER À BASE DE
FIBRES CERTIFIÉES

Imprimé en France

Dépôt légal : janvier 2023
N° d'édition : 01 – N° d'impression : 101654
13-51-6542/4